**FISCHER**

SEAN BRUMMEL

# Einen Scheiß muss ich

Das Manifest gegen das schlechte Gewissen

Aus dem Amerikanischen erfunden von

TOMMY JAUD

FISCHER

7. Auflage: Januar 2016

Erschienen bei FISCHER Taschenbuch,
Frankfurt am Main, Oktober 2015

© S. Fischer Verlag GmbH, Frankfurt am Main 2015
Satz: Dörlemann Satz, Lemförde
Druck und Bindung: GGP Media GmbH, Pößneck
Printed in Germany
ISBN 978-3-596-03227-3

# NUTZUNGSBEDINGUNGEN

INDEM SIE DIESES BUCH AUFSCHLAGEN, ERKLÄREN SIE IHR EINVERSTÄNDNIS MIT DEN NUTZUNGSBEDINGUNGEN. LESEN SIE DIESES BUCH NICHT, WENN SIE MIT DIESEN BEDINGUNGEN NICHT EINVERSTANDEN SIND.

### Haftungsbeschränkung

Die Ratschläge, Meinungen und Tipps in diesem Buch sind zum Teil widersprüchlich und unsinnig und dienen in erster Linie der Unterhaltung. Sie nehmen zur Kenntnis, dass jegliche Haftung für Gesundheits-, Sach- und Vermögensschäden ausgeschlossen ist.

Die Nutzung des Buchs setzt möglicherweise kompatible Geräte (Augen, Hände, Humor) sowie bestimmte Lichtverhältnisse voraus (ggf. fallen Kosten an). Sie nehmen zur Kenntnis, dass diese Faktoren die Lektüre erheblich beeinträchtigen können.

### Nutzungsbeschränkung

Sie erklären sich damit einverstanden, das Buch nicht zu lesen, wenn Sie Triathlet, Veganer oder US-Anwalt sind oder einer vergleichbaren, schnell empörten Minderheit angehören.

### Beschränkungsbeschränkung

Sollten Sie gegen die Nutzungsbedingungen verstoßen, ist der Verlag bzw. von ihm beauftragte Dritte (ich) berechtigt, Ihnen das Leselicht auszuschalten bzw. den Akku aus Ihrem E-Reader zu kloppen.

*Du aber bist nicht Herr des morgigen*
*Tages und schiebst dennoch das*
*Erfreuliche auf.*
EPIKUR, UNFASSBAR ALTER GRIECHISCHER PHILOSOPH

\*\*\*

*Also, ich nehm noch einen!*
SEAN BRUMMEL

Titel der amerikanischen Originalausgabe:
DO WHATEVER THE FUCK YOU WANT – THE ESMI PRINCIPLE
Nie erschienen by BRONER BOOKS, Inc., Los Angeles

# Wie 40 Cents mein Leben veränderten

## oder Warum ich dieses Buch einfach schreiben musste

*»Irgendwann kommt bei jedem der Punkt im Leben, an dem man sich sagt: ›Also, die Scheiße mach ich jetzt nicht mehr mit.‹ Bei mir war's der Kindergarten.«*

Sean Brummel

Womöglich fragen Sie sich, wer zum Teufel dieser Sean Brummel eigentlich ist. Das ist eine sehr gute Frage. Die bessere ist allerdings, wer dieser Sean Brummel einmal war: einer der unglücklichsten Menschen der amerikanischen Westküste.

Ich ging bereits auf die vierzig zu und verdiente jämmerliche 29 000 Dollar im Jahr. Mehr war meine Arbeitskraft vermutlich auch nicht wert, denn in der Regel verbrachte ich die Tage damit, in einem neonbeleuchteten Raum auf Computerzubehör zu starren. Ich arbeitete oder besser atmete bei Radioshack, einer US-Kette für Unterhaltungselektronik. Spannend? Nun, meist hatte ich genau einen Kunden am Tag, und der fragte dann nach einem iPhone-Adapter, den wir nicht führten. Meine einzige Kollegin war dumm wie ein Bagel. »Wie buchstabiert man eigentlich UPS?«, war noch eine ihrer schlaueren Fragen. Wenn ich es vorne im Laden nicht mehr aushielt, schlich ich mich ins Lager, legte mich in den

Karton eines 60-Zoll-Panasonic-TVs und stellte den Wecker auf Feierabend.

»Du musst dich mehr anstrengen, Sean!«, schimpfte mein hässlicher Chef.

»Absolut!«, sagte ich und machte weiter wie bisher, denn mehr anstrengen wollte ich mich natürlich auf keinen Fall.

### Vom Drachen geknechtet

Nach der Arbeit schleppte ich mich meist in den Paso Robles Sports Club, wo ich auf klebrigen Cardio-Geräten gegen meinen Ranzen kämpfte. Erfolglos natürlich. Kam ich nach Hause, empfing mich nicht das blonde Engelchen, das ich irgendwann einmal geheiratet hatte, sondern ein puritanischer Drache ohne Make-up: Trisha. Noch bevor ich den Fernseher einschalten konnte, wurde ich zu einem Teller mit gedünstetem Gemüse geknechtet. Dann besprachen wir, was ich alles noch tun musste: den Zaun streichen zum Beispiel, die Garage aufräumen oder frisches Obst und Grünkohl für die Smoothies einkaufen. »Du bist fast vierzig, du musst mehr auf dich achten!«, sagte meine Frau und musterte meinen Bauchansatz. Ich sagte: »Stimmt, Trisha, das muss ich echt.«

Natürlich war nicht alles schlimm damals. Das Wochenende war oft ein Lichtblick, denn da ging ich mich mit meinen Freunden Wasted Wayne, Angry Aaron und Chubby Charley betrinken, den einzigen Kerlen in Paso Robles, denen es noch schlechter ging als mir. Dann träumten wir für ein paar Stunden davon, unsere Jobs an den Nagel zu hängen, Netflix zu abonnieren und das stärkste Bier Kaliforniens zu brauen. »Wir machen gleich zu, ihr müsst dann wirklich mal gehen!«, sagte die Barkeeperin, wir sagten: »Klar, absolut!« und vergaßen unsere Träume bis zum nächsten Wochenende.

Und dann kam der Augenblick, der alles veränderte. Ich ließ ein Bierfass mitgehen auf dem Firestone Walker Beer Fest. Warum genau, weiß ich nicht mehr, Wayne und ich waren zuvor nämlich schon bei 37 Probierständen gewesen. Was ich noch weiß, ist, dass es ein deutsches Fass von der Mahrs Bräu aus Bamberg war und ich damit geradewegs in einen Streifenwagen des Paso Robles Police Department taumelte. Ich rutschte von der Motorhaube wie ein Steak aus der Pfanne und plumpste auf den Asphalt. »Sorry, dass ich schon liege …«, lachte ich noch, »jetzt könnt ihr mich gar nicht mehr niederknüppeln!«

Dann wurde mein Gesicht in die Riverside Avenue gedrückt, und die Handschellen klickten.

## *Das schlimmste Leben meiner Woche*

Als das berühmte Knastfoto geschossen wurde, bekam ich einen weiteren Lachanfall. Ich fand das mit dem Schild irgendwie lustig, außerdem lispelte der Officer, der das Foto machte. Das anschließende Verhör war nicht ganz so komisch, denn die Cops meinten es ernst mit der Verhaftung! Also sagte ich, dass ich einfach nur der Schlussläufer bei der Firestone-Bierfass-Staffel gewesen war und sie mich nun um meine verdammte Medaille gebracht hätten. Als sie mir das nicht glaubten, probierte ich es mit der Wahrheit und erzählte, dass ich ja ohne Erlaubnis meiner Frau auf dem Bierfest war und mit dem Fass und meinen Freunden einfach noch ein wenig Spaß haben wollte, bevor mir die neue Woche in die gute Stimmung grätschte.

»Was ist denn so schlimm an deiner Woche?«, fragte mich der Sergeant, ein enormer Klops von einem Mann mit rundem Gesicht. Ich erzählte, dass mich meine Frau auf eine salzarme, vegetarische Ernährung umgestellt hatte und dass ich endlich mal vorwärtskommen musste im Job, eine bessere Beziehung zu Trishas Eltern aufbauen und ein Haus kaufen, für das man sich nicht schämt.

»Du kriegst echt kein Steak mehr zu Hause?«

Ich schüttelte den Kopf, und als mich der Sergeant ein wenig zu mitleidig anschaute, ergänzte ich stolz: »Aber wenn Trisha schläft, schau ich die Basketball-Zusammenfassung unter der Decke auf dem Handy!«

Da sah ich, wie dem Sergeant dicke Tränen in die Augen schossen. Rasch drehte er sich weg und verschwand für eine Weile auf dem Klo.

## Die 40 Cents, die mein Leben veränderten

Die Kaution wurde auf lächerliche 100 Dollar festgesetzt, aus reinem Mitleid, wie ich vermutete. Ich hatte exakt 99,60 Dollar bei mir. Und dann passierte Folgendes: Als ich zu Hause anrief und Trisha kleinlaut meine Lage schilderte, weigerte sie sich, die fehlenden 40 Cents zum Revier zu bringen. Können Sie sich vorstellen, wie ich mich fühlte? Die Cops bepissten sich vor Lachen. Einen Spitznamen hatte ich natürlich auch sofort: »40 Cent.« Und ich musste tatsächlich über Nacht bleiben, Handy und Wertsachen abgeben, Stahlpritsche, Klo ohne Deckel, das ganze Programm. Kannte ich bisher nur aus dem Film. Ich rüttelte am Gitter und schrie: »Hey! Jetzt lasst mich raus, verdammt! Ich hab den Arsch voll zu tun!« Da kam einer der Officers zu mir ans Gitter und sprach mir direkt ins Gesicht:

»Was denn, 40 Cent?«

»Ich ... ich muss noch aufräumen, mein Shirt waschen für die Arbeit und den Rasen gießen! Und die ... die Sporttasche packen! Außerdem sind wir bei den Andersons eingeladen, da muss ich dabei sein!«

Der Officer verzog seine Mundwinkel, und was er dann sagte, sollte meinem Leben einen kompletten U-Turn geben:

»Ich sag dir jetzt mal, was du musst, 40 Cent: Einen Scheiß musst du!«

## Im Knast roch ich an der Freiheit

Ich nickte und setzte mich wieder auf meine Pritsche. Es war seltsam, aber plötzlich machte sich eine wohlige Erleichterung in mir breit. Der Grund war so offensichtlich wie erbärmlich: Ich musste nicht nach Hause! Und weil ich nicht nach Hause musste, musste ich weder aufräumen, noch mein Shirt waschen, und zu den Andersons musste ich schon gar nicht. Ich musste überhaupt rein gar nichts, nicht mal auf Facebook musste ich, schließlich war mein Handy ja konfisziert.

Je länger ich überlegte, was ich noch alles nicht musste, desto entspannter wurde ich. Da bemerkte ich, dass ich lächelte. In einer Gefängniszelle! Zum ersten Mal seit langer Zeit fühlte ich mich frei! Der Officer hatte recht: Ich musste einen Scheiß! Und weil das so war, war ich so gelöst, dass ich beinahe sieben Stunden durchschlief. Trotz des Lärms, der harten Liege und des grellen Lichts. Irgendwann am Morgen weckte mich das Quietschen der schweren Gittertür, und eine raue Stimme sagte:

»40 Cent?«

»Ja?«

»Verpiss dich!«

### Es gibt so Leben

Als ich von der Freiheit der Zelle in die Gefangenschaft meines erbärmlichen Lebens trat, war von meiner nächtlichen Euphorie nicht mehr viel übrig. Nachdenklich blinzelte ich in die milde Morgensonne. Konnte es wirklich sein, dass ich hinter Gittern glücklicher war als davor? Ich war verwirrt und beschloss daher, die Viertelmeile bis zu Radioshack zu laufen. Mit jedem Schritt kamen neue Fragen hoch. Musste ich wirklich bei einer Frau bleiben, die nicht einmal 40 Cents übrig hatte, um mich auf freien Fuß zu setzen? Musste ich mich wirklich auf dem Stair Master schinden, Grünkohl-Smoothies runterwürgen und auf Fleisch verzichten? Mich zu einem Job schleppen, der niemandem auf der ganzen Welt etwas brachte? Trishas Lehrer-Kolleginnen toll finden? Den dämlichen Zaun streichen und die Garage aufräumen? Mir fiel ein, was Wasted Wayne in einem solchen Fall immer sagte: »Weißt du, Sean, es gibt halt so Leben ...« Mag sein, dachte ich, aber doch nicht ausgerechnet meins!

### Sie war wunderschön

Ich lief und dachte und dachte und lief. Ich lief so weit, wie vermutlich noch kein Amerikaner jemals gelaufen war – ich lief über eine Viertelstunde! Plötzlich stand ich vor einem großen gusseisernen Tor. Erst war ich wütend auf mich, denn offenbar war ich ja gedankenversunken bis ins Gewerbegebiet gelaufen. Doch dann bemerkte ich das Schild am Tor. *The Homebrewer – Supplies & Resources* stand darauf. Ich hielt die Luft an. Statt zu Radioshack war ich zu einem Fachgeschäft für Heim-Brauer gelaufen!

Neugierig trat ich in den Hof. Eine zierliche Frau mit

schwarzen, kurzen Haaren rollte gestapelte Malzsäcke mit einer Sackkarre an mir vorbei und lud sie neben dem Schaufenster ab. Als sie mich bemerkte, lächelte sie kurz. Mir blieb fast das Herz stehen. Wie ein kleiner Junge stand ich da und starrte, ich war augenblicklich verzaubert, denn noch nie in meinem Leben hatte ich so etwas Schönes gesehen. Die Angestellte bemerkte es, trat zu mir ans Schaufenster, und gemeinsam schauten wir in die Auslage.

»Das ist die Brau-Hummel, eine Brauanlage aus Deutschland.«

»Aus Deutschland? Ist ja der Hammer! Ich ... ich bin Achtel-Deutscher!«, stotterte ich. »Und, äh ... Sean!«

»Freut mich«, lächelte die Frau, »ich bin Karen und ... Sechzehntel-Irin!«

### Und dann war da plötzlich diese magische Kraft

Am Abend gab es den unvermeidbaren Streit mit Trisha. Während mir Wayne zu meinem Knastaufenthalt und der genialen Anschaffung der Brau-Hummel gratulierte, walzte meine Frau zu mir an den Esstisch und stemmte ihre mächtigen Hände in die Schürze. Und wie immer, wenn sie wütend war, hatte ihre Stimme etwas Militärisches.

»Was ist das für ein Kupferdings in der Garage, Sean?«

Ein wenig ängstlich blickte ich hoch zu Trisha. Sie atmete schnell, und unter der betonierten Südstaatenfrisur waren die Wangen rot angelaufen.

»Das ist eine Brau-Hummel.«

»Eine Brau-Hummel?«

»Sie kommt aus Deutschland. So wie meine Urgroßmutter.«

Trisha zog einen unserer geschmacklosen Stühle zu sich und setzte sich neben mich.

»Ich weiß nicht, was eine Brau-Hummel ist, Sean!«

»Man braut Bier damit«, antwortete ich mit ruhiger Stimme.

»Was ist nur mit dir los, Sean?«, bebte Trisha. »Erst lässt du dich hinter meinem Rücken volllaufen, dann verhaften, und jetzt kaufst du so einen Unsinn. Du musst das Ding sofort zurückbringen!«

Für einen kurzen Augenblick war es still in der Küche, nur unser Kühlschrank surrte. Da dachte ich plötzlich an den Satz, den mir der runde Officer durch die Gitterstäbe geschleudert hatte. Und indem ich an ihn dachte, war mir für einen winzigen Augenblick plötzlich alles egal. Also nahm ich all meinen Mut zusammen und sagte mit lauter Stimme:

»Weißt du, was ich muss, Trish? Einen Scheiß muss ich!«

### Ich nutzte die Power eines einzigen Satzes

Meine Freunde glauben mir bis heute nicht, aber: Dieser kleine Satz läutete das Ende von elf Jahren Ehe ein! Es gab keine Diskussion und keinen Streit, Trisha sagte einfach nur ruhig »Verstehe« und stand auf. Noch am selben Abend wurde ich verlassen. Es war unbegreiflich – so schnell wie Trishas Sachen im Wagen ihrer besten Freundin verschwanden, konnte ich gar nicht schauen. Und dennoch: Irgendetwas Großes geschah hier, dem ich mich nicht widersetzen wollte.

»Nie wieder findest du so eine wie mich!«, schnaubte Trisha, als sie an der Tür stand. Hoffentlich!, dachte ich. Dann verriegelte ich die Eingangstür und schob sicherheitshalber noch einen Tisch und ein Sideboard davor.

Ich machte mir ein Bier auf und setzte mich auf den Holzboden. ›Einen Scheiß muss ich.‹ Was hatten diese vier Wörter nur für eine magische Kraft! Kaum hatte ich sie ausgesprochen, hatte sich alles wie von selbst gefügt.

### Ich braute mir ein neues Leben

Eine ganze Woche lang war ich wie unter Schock. Am siebten Tag jedoch erkannte ich die Möglichkeiten, die ich mir mit meinem Powersatz geschaffen hatte, und ich sah, dass es gut war. Ich rief Wayne an und fragte, ob er nicht Lust hätte, das stärkste Bier Kaliforniens zu brauen. Natürlich hatte er, und mit diesem Plan kam auch die Lebensfreude zurück. Wir fuhren zum *Homebrewer* und besorgten uns Malz und Hopfen, das Wasser schöpften wir aus dem Teich des Paso Robles Golf Club (wenn Sie mal amerikanisches Leitungswasser getrunken haben, dann wissen Sie, warum). Zurück in der Garage schauten wir uns ein Youtube-Video über die Brau-Hummel an und legten aufgeregt los.

Das Brauen selbst war durch die voreinstellbaren Programme fast so leicht wie bei Trishas Brotback-Automaten – mit dem Unterschied freilich, dass nach fünf Stunden kein lauwarmes, minderwertiges Vollkornbrot herauskam, sondern eiskaltes, köstliches Bier. Also – dachten wir. Im Gegensatz zu Brot muss Bier nämlich noch drei Tage gären und sechs Wochen reifen. Wasted Wayne tobte und suchte panisch nach einem Warnhinweis auf der Brau-Hummel.

»Sechs Wochen? Die spinnen doch, die Deutschen, da müssen die doch drauf hinweisen!«

»Einen Scheiß müssen sie, Wayne! Und lass uns einfach ins Molly's gehen.«

Doch statt zu gehen bearbeitete Wayne sein Smartphone. »Ins Molly's, Wayne, nicht zu Twitter!«

»So, neuer Hashtag: #thisissabotage.«

Während das stärkste Bier Kaliforniens in Trishas Gemüse-kühlfach reifte, entfachte mein Powersatz auch in anderen Bereichen Wirkung. Als Erstes fuhr ich zum Paso Robles Sports Club und übergab meinem Freund Chubby Charley am Front Desk persönlich meine Kündigung. »Bist du sicher, Sean? Ich meine, du bist jetzt fast vierzig und wieder Single, da musst du 'n bisschen in shape bleiben!«

»Einen Scheiß muss ich!«

Ich war überrascht, wie viel Geld ich mit einem Leben ohne Functional Circuit, Power Pilates und Stair Master sparen würde, und investierte es sofort nachhaltig in Netflix, Watch-ever sowie den NBA-Season-Pass für drei Geräte. Und bei Radioshack kaufte ich den Inhalt des Fernseh-Kartons, in dem ich sonst meine Nachmittage verschlafen hatte. Mit Personalrabatt natürlich, weil ich erst nach dem Bezahlen kündigte.

»Eine Frechheit!«, tobte mein hässlicher Chef, »du musst hierbleiben!«

»Einen Scheiß muss ich!«

Mit unserem ersten Bier reifte auch ich. Jeden Tag entdeckte ich neue Sachen, die ich nicht musste, und erfreute mich an ihnen, oft waren es Kleinigkeiten wie die Haustür zweimal abschließen, schwere Sachen zuerst in die Einkaufstüte ste-cken oder den Anwalt von Trisha zurückrufen. Wenn ich nur daran denke, wie befreiend es war, die Küche eine ganze Wo-che lang nicht aufzuräumen, bekomme ich heute noch Gän-sehaut. Mit jeder Sache, die ich nicht musste, fühlte ich mich noch ein wenig freier. Ich kaufte mir Bücher übers Bierbrauen und einen Reiseführer für Deutschland. Und ich lud die süße Karen aus dem Brauereibedarf zur Grill Release meines neuen Beef King Imperial 3000 XXL ein. Karen war das komplette Gegenteil von Trisha: immer gutgelaunt, spontan und mindestens genauso verrückt wie ich. Vor allem aber roch sie immer ein wenig nach frischem Gerstenmalz.

»Sean, diese Karen, die musst du schnell flachlegen«, riet mir Angry Aaron.

Einen Scheiß musste ich. Irgendwann würde es von alleine passieren. Oder eben nicht. Viel wichtiger war, dass ich mich so wohl fühlte, wenn sie in meiner Nähe war.

Und dann kam der Tag, an dem Wayne, Karen und ich unser allererstes Bier verkosteten. Es gab keine Party, dafür waren wir viel zu aufgeregt, schließlich hatten wir sechs Wochen auf diesen Höhepunkt handwerklicher Bierkunst gewartet. Wayne redete seit Tagen nur noch davon, wie wir im Molly's von den Stammgästen abgefeiert wurden für unser sensationelles Bier, und ich imitierte Anrufe des Budweiser-Bosses: »Wie auch immer ihr Teufelskerle das gemacht habt, wir kaufen das verdammte Rezept!«

Doch dann spuckte Karen unseren Höhepunkt handwerklicher Bierkunst in meinen roten Plastikeimer.

»WAS ZUM TEUFEL IST DAS?«

»Das stärkste Bier Kaliforniens?«, sagte ich kleinlaut und nahm selbst einen Schluck. Schnell war mir klar: war es nicht.

»Was hattet ihr denn für 'ne Stammwürze?«, fragte Karen und zog die Stirn kraus, »und welche Hefe?«

»Stammwürze?«, stammelte ich, und Wayne: »Hefe? Da war keine verdammte Hefe in dem Video!«

»Ohne Hefe keine Gärung. Und ohne Gärung kein Alkohol!«

»#Hefegate!«, rief Wayne, und Karen grinste.

»Da habt ihr leider das schwächste Bier Kaliforniens gebraut!«

Karen ging zum Kühlschrank, nahm drei richtige Bier raus und reichte sie uns.

»Sieht fast so aus, als bräuchtet ihr Jungs ein wenig Hilfe!«

»Ja!«, antwortete Wayne, und ich ergänzte betreten, »sieht fast so aus ...«

## Brummelbock – knallt und schmeckt!

Von nun an brauten wir wöchentlich mit Karen, und mit jedem Mal lernten wir was dazu. Diese Hefe-Sache zum Beispiel. Und wann man Hopfen zugibt. Nach zwei langen Monaten hatten wir das richtige Verhältnis von Alkohol zu Geschmack gefunden, und als wir uns eines Abends wieder einmal eines unserer Fässer vorknöpften, da wussten wir, dass wir unser Bier hatten.

»Knallt!«, sagte Wayne.

»Schmeckt!«, sagte Karen.

»Knallt und schmeckt!«, grinste ich. Was für eine Freude! Es war die Geburtsstunde von Brummelbock, dem elftstärksten Bier Kaliforniens!

Ich verschenkte unser Bier an Freunde, die wollten mehr davon und empfahlen es in ihren Lieblingsbars. Bald schon meldete ich die Brummel Brewing Co. mit einem eigenen Stand beim Paso Robles Beer Fest, was ein voller Erfolg war. So viele Leute wollten es probieren, dass wir eine der längsten Schlangen hatten.

»Da musst du mehr von brauen!«, sagten die Bier-Fans, und ich freute mich.

Aber natürlich dachte ich: Einen Scheiß muss ich!

Statt öfter zu brauen eröffnete ich einen eigenen Laden in der Spring Street, den Brummelstore. Der Store öffnete nur dann, wenn es Bier gab, in der Regel war das einmal die Woche. Und als Karen und ich nach dem ersten Verkaufstag Feierabend machten, da bemerkte ich, wie zufrieden ich geworden war.

Auf einem Barbecue mit Karen, Wasted Wayne und Angry Aaron geschah es dann. Karen sagte: »Warum schreibst du eigentlich kein Buch, Sean?«

### *Ein neues Leben dank* Einen Scheiß muss ich!

Ich begann, ernsthaft über Karens Vorschlag nachzudenken. Warum sollte ich mein Wissen um die Macht dieses kleinen und doch so großen Satzes nicht teilen? Hanks Frau Suzy kannte schließlich jemanden von Broner Books in Los Angeles, und von dem bisschen Bier alleine würde ich ja auch nicht leben können. Also raffte ich mich auf und schrieb so was wie ein Exposé. Keine drei Tage später klingelte mein Handy, und eine Stimme krächzte:

»Spreche ich mit Sean Brummel?«

»Ja …?«

»Hier ist Bob von Broner Books. Also, Sie können nicht wirklich schreiben, aber wir nehmen es!«

Der Rest ist Geschichte. »Einen Scheiß muss ich!« hat inzwischen nicht nur mir selbst, sondern Millionen von Menschen geholfen, das Leben zu führen, von dem sie tief in ihrem Inneren träumen. Wenn ich heute mit meiner Freundin Karen auf meiner windschiefen Holzterrasse sitze und in die milde kalifornische Abendsonne blinzle, dann weiß ich: Erst »Einen Scheiß muss ich!« hat mich zu dem Menschen werden lassen, der ich wirklich bin. Ein Mensch, der Bier braut und Bücher schreibt, mit seinen Freunden feiert, kein Mitglied mehr im Sports Club ist und den Zaun nicht streicht.

Nein, es ist nicht aufgeräumt in meinem Haus, und ich könnte fitter sein. Und ja, meine Ehe mit Trisha ging in die Binsen, aber sie war ohnehin unerträglich. Verstehen Sie mich nicht falsch: Trisha ist eine tolle Frau. Halt nur nicht für mich. Trisha braucht einfach einen starken Mann, weiche Männer gehen an ihrer Seite ein wie eine Dotterblume in einem Hagelsturm. Ihr neuer Mann, ein Baptisten-Prediger, von dem sie inzwischen auch schon schwanger ist, scheint so einer zu sein. Sie sehen: Natürlich interessiert es mich noch, wie es Trisha so geht, ich bin ja kein Unmensch. Genau deswegen hab ich ja meinen Anwalt angewiesen, mich jährlich darüber zu informieren, ob sie noch lebt und wenn ja, wo, denn natürlich gelten trotz des gegenseitigen Respekts die vereinbarten 1000 Bannmeilen.

Ob ich Freunde verloren habe, weil ich mich verändert habe? Ganz bestimmt, aber die, die geblieben sind, sind die Richtigen. Außerdem hab ich auch neue dazugewonnen, und seit ich mit meinem Brummelbock Sponsor der Free Til U Pee Charity Nite im Molly McGregor's bin, spüre ich viel Respekt und Anerkennung in unserer kleinen Stadt und über ihre Grenzen hinaus.

Sie kennen die Free Til U Pee Charity Nite im Molly's noch nicht? Funktioniert eigentlich ganz einfach: Es gibt so lange Freibier, bis der oder die Erste aufs Klo muss. Und die Charity? Ganz einfach, ich zahle den Sicherheitsdienst für das arme Schwein, das den anderen den Abend versaut. Kommen Sie doch mal vorbei, ist immer ein großer Spaß!

Aber zuvor sollten Sie erst mal Ballast abwerfen! Glauben Sie
mir: Auch ohne Knast, Brau-Hummel und Sicherheitsdienst
werden Sie sich mit jeder Seite dieses Buches befreiter fühlen, und jeder Ihrer Tage wird besser sein als der vorherige,
und das alles nur aus einem einzigen Grund: weil auch Sie ab
sofort einen Scheiß müssen! Und warum das so ist, erfahren
Sie exakt jetzt.

# Warum wir alle einen Scheiß müssen
## und wie Sie Ihren ärgsten Feind besiegen

*»Sie haben Feinde? Super! Das heißt, dass Sie sich
in Ihrem Leben für etwas eingesetzt haben.«*
WINSTON CHURCHILL, LITERAT UND LINKSFAHRER

Dieses Buch ist kein typisches Ratgeber-Buch, es ist so ziemlich das genaue Gegenteil. Als ich noch der unglücklichste Mann der Westküste war, hab ich nämlich so ziemlich jedes Ratgeberbuch gelesen, das es gibt. Doch je mehr Bücher ich las, desto schlechter fühlte ich mich.

Und noch etwas bemerkte ich: Die Bücher, von denen ich mir Hilfe erhoffte, sind alle gleich. Alle? Ja, alle! Sie sind sogar gleich aufgebaut. Mit der immer gleichen, perfiden Dramaturgie werden wir in die Falle getrieben. Zunächst erklärt man uns, dass die Welt um uns herum immer schneller und komplexer geworden sei und dass wir uns jetzt verdammt nochmal den Arsch aufreißen müssten, wenn wir nicht in der Gosse landen wollten. Es sei auch ganz einfach: Wir müssten nämlich einfach nur härter arbeiten, gesünder essen, weniger trinken, besser schlafen, mehr verdienen, weniger Fleisch essen, mehr Sport treiben und rausgehen, wenn die Sonne scheint. Also, ganz ehrlich: Bevor ich diesen ganzen Scheiß muss, lande ich lieber in der Gosse. Weil nämlich das komplette Gegenteil der Fall ist. In der Gosse landet der, der stets glaubt, mehr und mehr zu müssen.

## *Mal einfach nur hier sitzen*

Erfolgscoach Dale Carnegie tönt seit Jahrzehnten nassforsch: »Der Erfolg ist in dir!« Prima, und da kann er auch gerne bleiben, denn vielleicht möchten wir ja manchmal »einfach nur hier sitzen«.

Vom selben Autor ist der Selfhelp-Klassiker *Wie man Freunde gewinnt*. Doch ist es in Zeiten des rivalen Dauertrötens nicht manchmal eine schöne Idee, den ein oder anderen Keks-und-Kaffee-Poster loszuwerden? Oder noch besser – gleich das gesamte Netzwerk? Und müssen wir wirklich alle schlank und sportlich sein und dann auch noch Burger ohne Fleisch probieren? »Vegan abnehmen – für Höchstleistungen in Sport und Alltag« ist für mich kein Buchtitel, sondern eine Drohung. Wir sollen auf unser Steak verzichten, damit wir mehr arbeiten und schneller rennen? Wohin denn eigentlich?

Und müssen wir wirklich weniger Alkohol trinken, jedes Wochenende was unternehmen und den perfekten Partner finden? Jeder, der auch nur einmal eine Bar betreten hat, weiß doch: Wenn man Wasser bestellt, lernt man nicht mal den Barkeeper kennen und den ›perfekten‹ Partner schon gar nicht. Der ›perfekte‹ Partner ist ohnehin gar nicht so erstrebenswert. Menschen, die einen ganz normalen Partner haben statt z. B. ein begehrtes Topmodel, sind nämlich viel zufriedener, fragen Sie einfach mal Oscar Pistorius.

»What your mind can believe, you can achieve«, war und ist noch immer der Grundsatz des amerikanischen Ratgeber-Gurus Napoleon Hill. Dieser Typ behauptet in seinen Büchern doch tatsächlich: Sie können alles erreichen, wenn Sie nur fest dran glauben. Ich lach mich tot! Dass jeder alles schaffen kann, wenn er nur fest daran glaubt, ist nichts anderes als die zwischen zwei billige Pappen gepresste amerikanische Lebenslüge Nummer eins. Und diese Lüge lautet: Wenn du mit vierzig noch keine Million hast und keine atemberaubende Villa in Malibu mit einem attraktiven Partner, zwei süßen Kindern und einem Swimmingpool, dann bist du verdammt nochmal selbst dran schuld und nicht die Regierung oder McDonald's! Dann hast du dich nämlich einfach nicht genug angestrengt, du Idiot. Und genau das ist das Problem: dass man uns seit Jahrzehnten glauben machen will, wir müssten stets das Beste geben. Was diese unmenschliche Tellerwäscher-Lüge dabei völlig außer Acht lässt, ist:

### *Es ist viel besser, nicht der Beste zu sein!*

Auch wenn Medien, Politiker und sogar Freunde nicht müde werden, uns mit zwanghafter Lebensoptimierung wahnsinnig zu machen – was genau ist falsch am Zweitbesten? Haben Sie jemals von einem Attentat auf den Vize-Präsidenten gehört? Oder vom tragischen Burnout eines Silbermedaillen-Gewinners? Und welchen Hollywoodfilm verreißt die Kritik lieber, den erfolgreichsten oder den zweiterfolgreichsten? Sehen Sie, da haben wir's schon. Und jetzt bedenken Sie nur, wie sicher und glücklich die Dritt-, Viert- und Fünftbesten sein müssen!

Sie kennen nicht zufälligerweise Jack Sock? Nein? Müssen Sie auch nicht. Jack Sock ist nämlich »nur« 35. der Tennis-Weltrangliste. Flennt er den ganzen Tag rum deswegen? Nein. Denn Jack hat mit seinen 24 Jahren bereits über zwei Millionen Dollar an Preisgeldern verdient, und entsprechend zufrieden sieht er auf seinem Profilbild von atpworldtour.com auch aus. Im Gegensatz zu Novak Djokovic, der 77 Millionen Dollar schweren Nummer 1 der Welt. Der sieht nicht ganz so zufrieden aus. Vielleicht liegt es ja daran, dass er sich nach seinen Matches kein leckeres Bierchen mit Freunden knattert, sondern in eine eiförmige Druckkammer steigt, um die Regeneration zu verbessern. Entschuldigen Sie, ich bin natürlich unfair. Djokovic könnte sich gar kein Bierchen knattern, weil er Alkohol meidet wie die Pest. Und Gluten. Und dann wird er auch noch alle drei Schritte erkannt: »Hey Novak, stimmt das echt mit der Druckkammer, der Pest und dem Gluten?«

Wäre ich Tennis-Profi, ich wäre lieber Jack Sock. Und Sie? Warum immer nach dem ersten Platz streben, wenn es weiter hinten viel gemütlicher ist? Letztendlich ist's im Leben doch wie im Kino: Am besten sind die mittleren Reihen. Ganz vorne kriegt man nur die Hälfte mit und Nackenschmerzen, ganz hinten beneidet man die, die weiter vorn sitzen.

Verstehen Sie mich bitte nicht falsch – *Einen Scheiß muss ich!* ist kein bräsiges Plädoyer für ein durchschnittliches Leben. Es ist vielmehr ein Manifest gegen das maßlose Müssen. Eine Kampfschrift gegen das optimierte Leben. Gutgelaunte Gegen-Propaganda. Und deswegen verrate ich Ihnen jetzt mal eine Zahl, die Sie verwundern wird:

## 99 Prozent der Dinge, die wir tun, müssen wir gar nicht tun

Neunundneunzig Prozent! Und diese Zahl habe ich nicht etwa aus einer halbseidenen Studie einer amerikanischen Elite-Universität, nein, diese 99 Prozent habe ich mir soeben selbst ausgedacht! Und diese Zahl besagt: So gut wie nichts von alldem, das wir täglich tun, müssen wir wirklich tun: ungewachste Zahnseide benutzen, Nachrichten sehen, Facebook checken, den Nachbarn grüßen, Karriere machen und das Eisfach abtauen. Nichts davon? Nichts davon. Wissen Sie, wann ich das Eisfach abtaue? Wenn nur noch ein einziges Magnum Mandel reinpasst. Das genau ist das eine Prozent, das ich tun muss. Der Haken an all den Sachen, die wir angeblich müssen: Wir bekommen sofort ein schlechtes Gewissen, wenn wir sie sein lassen. Und genau an diesem Punkt sollten wir eingreifen. Genau an diesem Punkt eilt Ihnen dieses Buch hier zu Hilfe.

## Woher das schlechte Gewissen kommt

Früher hatte die Kirche eine Art Monopol auf das schlechte Gewissen, zumindest in der westlichen Welt. Das war im Grunde ganz bequem für alle, schließlich änderten sich die Zehn Gebote ja nicht alle paar Monate. Es war also recht einfach, das richtige Leben zu führen. Doch je mehr der Glaube zerbröselte, desto beflissener übernahmen andere Instanzen die Deutungshoheit für das vermeintlich Richtige: verklärte Gemüse-Prediger, übereifrige Politiker und sinnsuchende Lebenspartner. Und natürlich unsere dauerbrabbelnden, hysterischen Medien. Was dabei herauskam, sehen wir jeden Tag. Statt nur Zehn Gebote hagelt es nun täglich gleich hunderte Mahnungen, Tipps und Warnungen wie:

3 Lebensmittel, die Sie das Leben kosten können
10 Dinge, die Sie jeden Tag
vor 10 Uhr machen sollten
Hygiene im Haushalt – diese Tipps
müssen Sie kennen
Ebola – wie gut sind Sie vorbereitet?
5 Dinge, die Sie beim Duschen falsch machen

Richtig gelesen, offensichtlich hält man uns sogar für zu blöd zum Duschen. Aber keine Sorge, direkt unter dem Werbebanner für Darmreinigung mit der Colon-Hydro-Therapie sagt man uns schon, wie wir diese schrecklichen Duschfehler vermeiden.

Ich fragte mich, was unser traditioneller Werteverwalter zu diesen neuen Geboten sagt, und besuchte Pfarrer Mike Shuck von der Paso Robles Community Church. Ich sagte: »Mike, ich frage dich als Mann der Kirche – welche Fehler machen Christen beim Duschen?«

Es ist so armselig wie wahr: Pastor Shuck hatte nicht den Hauch einer Idee. Stattdessen fragte er mich, ob meine Ehe mit Trisha nicht doch irgendwie zu retten sei, und bot sich als Mediator an. Traurig, wie die Kirche den Bezug zu den wichtigen Dingen unseres Daseins verloren hat. Ganz am Ende unseres Gesprächs glimmte dann doch ein Hoffnungsschimmer, denn der Gottesmann fragte mich: »Wie ist es denn nun, Sean?«

Ich erklärte Mike, dass es wichtig sei, das Duschgel vollständig abzubrausen und dass er beim Abtrocknen in jedem Fall tupfen sollte statt rubbeln.

»Verdammt, Sean, ich hab immer gerubbelt ...«

Es ist natürlich egal, wie Sie sich abtrocknen! Von mir aus können Sie sich auch auf dem Highway trockenrollen, wenn Ihnen danach ist. Tun Sie einfach das, was Sie wollen und nicht das, was ein magersüchtiger Lifestyle-Redakteur in die verkrustete Tastatur zittert.

Lassen Sie sich von keinem einreden, was Sie alles tun müssten! Das Ziel der plattformübergreifenden Werbeschaller ist nämlich nicht Ihre samtig weiche Haut nach dem Duschen, das Ziel ist Ihr permanent schlechtes Gewissen.

Und damit es schlecht bleibt, setzen Politiker, falsche
Freunde und Medien auf eine perfide Strategie: Sie hetzen
uns ein Muss-Monster nach dem anderen auf den Hals! Wer
das Muss-Monster ist?

### *Das Muss-Monster ist unser ärgster Feind!*

Das Muss-Monster ist ein kniehohes, zeterndes Zottelwesen,
das Ihnen nicht nur jeden Arbeitstag versauen kann, sondern den Feierabend gleich noch mit dazu, das
Wochenende und den Urlaub sowieso.
Schauen Sie mal, so sieht es aus:

Gar nicht mal so sympathisch,
oder? Na ja, ist halt auch ein Muss-
Monster. Und dieses Monster wird
niemals müde, Ihnen zu sagen, was
Sie alles tun müssen. Weigern Sie
sich, zupft, piekst und tritt es Sie
und verstrickt Sie in nie endende
Diskussionen.

Das Tragische ist: Jedes Mal, wenn
Sie es dem Muss-Monster recht machen, füttern Sie es, und dann wird
es noch hässlicher und fetter. Und je
fetter es wird, desto näher kommt es seinem eigentlichen
Ziel: Ihr komplettes Leben zu übernehmen. Dann denken Sie
ernsthaft, Sie müssten aufstehen, wenn der Wecker klingelt,
eine Meinung zum Nahost-Konflikt haben und rausgehen,
wenn die Sonne scheint. Schrecklich, oder? Der effektivste
Weg, das Muss-Monster zu schwächen, ist, ihm seine Leib-
speise zu verwehren: das schlechte Gewissen.

### Hungern Sie das Muss-Monster aus!

Fangen Sie mit den kleinen Dingen an, Sport zum Beispiel. Angenommen, Sie haben sich, aus welchen Gründen auch immer, vorgenommen, nach Feierabend noch ins Fitnessstudio zu gehen. Doch auf der Fahrt dorthin werden Sie im Autoradio daran erinnert, dass heute ein wichtiges Fußballspiel Ihrer Lieblingsmannschaft im Fernsehen übertragen wird. Wenn Sie ehrlich zu sich sind, dann würden Sie sich das gerne bei einem Bier ansehen auf der Couch. Schon geht das Geschrei des Muss-Monsters auf der Rückbank los: »Denk nicht mal dran, du musst in jedem Fall zum Sport! Couch statt Sport, das geht ja gar nicht, schäm dich! Pfui!«

Das ist der Punkt, an dem Sie stark bleiben müssen. Lächeln Sie und sagen Sie dem Muss-Monster laut und bestimmt: »Ich muss zum Sport? Einen Scheiß muss ich!«

### Töten Sie das Muss-Monster – mit ESMI!

ESMI? Ist nichts anderes als die Abkürzung für »Einen Scheiß muss ich!«. Denn so schön unser Mantra gegen maßloses Müssen auch ist, eintausend Mal lesen wollen Sie das Wort »Scheiß« sicher nicht, oder?

Wenn Sie das erste Mal mit ESMI gegen Ihr Muss-Monster kämpfen, wird es sich sicher komisch anfühlen, und natürlich wird Ihr Muss-Monster mit allen Mitteln versuchen, seinen Willen durchzusetzen mit Schein-Argumenten wie:

»Hast doch die Sporttasche schon gepackt!«

oder

»Heute ist der einzige Tag, an dem du Zeit für Sport hast!«

oder

»Nach dem Sport fühlst du dich besser!«

Das ist natürlich Unsinn, denn erstens haben Sie die Sporttasche nur deswegen gepackt, weil Ihr Muss-Monster Ihnen das am Abend vorher schon gesagt hat, zweitens sterben Sie nicht auf Ihrer Couch und können an jedem anderen Tag Sport treiben, und drittens fühlen Sie sich vermutlich nicht wirklich besser, wenn Sie nach dem Sport nackt und abgekämpft in einem See aus Shampooresten und Schamhaaren anderer Sportopfer stehen und auf dem Smartphone lesen, dass Sie DAS Fußballspiel des Jahrhunderts verpasst haben. Daher lautet die wichtigste Regel im Kampf gegen das Muss-Monster:

## *Rechtfertigen Sie sich nicht!*

Wenn Sie nicht zum Sport wollen, sagen Sie einfach laut »ESMI!«, fahren nach Hause und schauen das verdammte Spiel. Schlechtes Gewissen? Brauchen Sie nicht zu haben, oder glauben Sie ernsthaft, das Muss-Monster hätte Ruhe gegeben, selbst wenn Sie beim Sport gewesen wären? Niemals! Die Autotür wäre noch nicht zu gewesen, da hätte es schon krakeelt, jetzt müssten Sie die nassen Sportsachen aufhängen, was Vernünftiges essen, die Küche saubermachen und die Eltern anrufen. Und irgendwann wären Sie bleischwer ins Bett gefallen, ohne auch nur eine Sache gemacht zu haben, die Sie wirklich machen wollten. Vermutlich hören Sie dann beim Einschlafen ganz leise ein hämisches Lachen? Das ist das Lachen des feisten Muss-Monsters, dem Sie heute alles recht gemacht haben.

## *Beginnen Sie heute!*

Hungern Sie Ihr Muss-Monster frühzeitig aus, denn wenn Sie ihm die kleinen Sachen durchgehen lassen, dann wird es immer fetter und reißt irgendwann auch die großen Dinge an sich. Dann bringt es Sie z. B. dazu, zu glauben, Sie müssten sich Ziele setzen im Leben oder zu allem eine Meinung haben. Wissen Sie, was ich meine? Aus dem Functional-Fit-Kurs können Sie noch fliehen, aber wenn Sie irgendwann nach einem harten Arbeitstag (Ich muss vorwärtskommen im Job) mit einem teuren Sportwagen (… muss ich haben) an ihrer eigenen Villa vorbeifahren, weil Sie Ihren Ehepartner (… muss eine Familie gründen) ebenso hassen wie das gedünstete Gemüse (… muss mich besser ernähren), dann wird es schwierig, dann ist das Muss-Monster womöglich schon am Ziel. Dann hat es Ihr komplettes Leben im Griff.

Doch keine Sorge, dazu muss es nicht kommen. Denn mit zwei Dingen rechnet das Muss-Monster nicht: 1. dass Sie es enttarnen und 2. dass Sie sich dieses geniale Buch hier besorgt haben!

Auf meinen Seminaren von L. A. bis Albuquerque höre ich immer wieder diese Frage aus dem Publikum:

*»Hey Sean, wie erkenne ich denn so ein Muss-Monster? Ist es immer kniehoch und mit Zotteln und hat es immer so einen Finger auf dem Kopf?«*

## Die 1000 Gesichter des Muss-Monsters

Nun, dass Sie gerade eben ein kleines Bild von so einem Muss-Monster gesehen haben, bringt Ihnen leider gar nichts, denn: Das Muss-Monster ist enorm trickreich und kann sich so gut verkleiden, dass Unerfahrene es oft gar nicht erkennen. Das Muss-Monster kann überall sein! Es kann sich als Wecker verkleiden, als veganes Hacksteak, und wenn es Ihnen einreden will, dass man den Eiffelturm auf jeden Fall gesehen haben muss, wenn man schon mal in Paris ist, dann verkleidet es sich eben als Eiffelturm.

So gut es sich aber auch tarnt – wenn ein Muss-Monster auf Sie lauert, gibt es immer ein paar Hinweise darauf. Wenn Sie zum Beispiel flatterhaft und hibbelig sind und das sinnentleerte Gefühl haben, einfach irgendwas machen zu müssen, könnte ein Muss-Monster in der Nähe sein. Sie haben einen überladenen Schreibtisch mit zig Ordnern, Papieren und ungeöffneter Post? Rühren Sie nichts an, es ist ein verkleidetes Muss-Monster! Das Gleiche gilt für den Stapel gelesener Zeitungen, das Laub im Garten und die Steuererklärung. Sobald sie das Gefühl haben, dass Sie was erledigen oder unternehmen müssten, ist garantiert ein Muss-Monster im Spiel. Aber keine Angst, mit ESMI kriegen wir das in den Griff!

Falls Sie sich nun sorgen, dass Sie mit Ihrem neuen Mantra zum Egomanen werden, so nehme ich Ihnen diese Sorge gerne:

## Einen Scheiß zu müssen heißt nicht, nur noch nein zu sagen

Im Gegenteil. Nur die Dinge zu tun, auf die Sie wirklich Lust haben und dies Ihrer Umwelt auch mitzuteilen, ist viel aufrichtiger als ja zu sagen, wenn Sie eigentlich nein meinen. Glauben Sie, der liebe Gott hätte unsere schöne Erde in nur sechs Tagen erschaffen können, wenn er zu allem ja gesagt hätte? Nicht mal er kann Ozeane erschaffen, wenn er nebenbei noch das Altglas von Jesus wegbringt oder Petrus die Cloud einrichtet.

## Wie Sie dieses Buch nutzen sollen

Ganz ehrlich? Ist Ihre Sache. In herkömmlichen Ratgebern liest man zu Beginn ja gerne, dass bloßes Lesen gar nichts bringt, man solle das Buch vielmehr von A bis Z durcharbeiten und sich dann noch Notizen machen, denn die bloße Lektüre des Buches führe nicht zum gewünschten Erfolg. Was für ein Unsinn. Dieses Buch hier führt sogar dann zum Erfolg, wenn Sie nur die Hälfte lesen, das noch durcheinander und danach alles vergessen!

Lassen Sie uns nun gemeinsam herausfinden, wie Sie sich selbst und Ihrer Umgebung verklickern, dass Sie nicht mehr alles müssen. Wir tasten uns langsam vor, vom Einfachen bis zum nicht mehr ganz so Einfachen, vom Alltäglichen bis ins tiefste Innere Ihrer vermutlich viel zu komplizierten Glaubenssätze. Wir beginnen mit einfachen Alltagslügen wie »Ich muss mich besser ernähren« oder »Ich muss eine Familie gründen« bis hin zu manifesten Lebenslügen wie »Ich muss essreife Avocados kaufen«.

Und natürlich beginnen wir mit dem Bereich, in dem uns übereifrige Muss-Monster das Leben ganz besonders schwermachen, der Gesundheit. Denn jetzt mal ehrlich – was kann einem die schönen Dinge auf dieser Welt mehr vermiesen als der völlig unnatürliche und ständige Zwang, gesund leben zu müssen?

*Von Workout-Witwen,*
*albernen Alkoholmythen und*
*selbst ergoogelter Cholera*

Meine Großmutter lebte auf einer Farm bei Great Falls, Montana. Sie besaß nicht viel, aber was sie hatte, das teilte sie. Also bis auf ihr Bett, denn am liebsten schlief sie alleine. Sie rauchte, aß täglich Eier mit Speck zum Frühstück, und Sport kannte sie gar nicht. Wenn es dunkel wurde, gönnte sie sich eine halbe Flasche Rotwein. Jeden Abend? Natürlich nicht. Am Samstag trank sie eine ganze. Oma Margaret wurde 93 Jahre alt, und bis zum Tag, an dem sie starb, war sie stark wie ein Bär.

Gregg Plitt war einer der bekanntesten Fitness-Gurus der USA. Er war zertifizierter Personal Trainer, entwickelte Diät-Pläne und schmückte die Cover von *Men's Health*, *Muscle & Fitness* und *Maxim*. 2008 wurde er von der *Men's Fitness* zu einem der 25 fittesten Männer Amerikas gewählt. Als er versuchte, einem Zug davonzurennen, um die Effektivität eines Energy-Drinks zu beweisen, war der Zug schneller. Plitt verstarb mit 37 Jahren.

Verstehen Sie mich bitte nicht falsch – ich finde Greggs Tod nicht die Bohne komisch. Ich finde ihn überaus tragisch, schließlich tat er ja alles, um möglichst lange zu leben, zumindest glaubte er das. Das Schlimmste aber ist: Gregg Plitt ist gar nicht selbst schuld an seinem Tod, vielmehr ist ein Opfer des zwanghaften Gesundseinwollens. Hätte Gregg dieses Buch hier lesen können und sein Muss-Monster bekämpft, würde er vielleicht noch leben. Natürlich hätte er keine einzige Titelseite mehr bekommen, dafür aber Bier, Burger und lustige Abende mit seinen Freunden.

Was ich Ihnen damit sagen will: Machen Sie es bitte wie meine Großmutter.

# Ich muss mehr Sport treiben!

## Wenn Sie wie Diego Maradona
## enden wollen – nur zu!

*»Wenn Sitzen das neue Rauchen ist, ist dann
Liegen das neue Sitzen?«*
WAYNE GILBERT (WASTED WAYNE)

Viele glauben, Sport sei super und je öfter man ihn betreibe, desto besser. Und wenn man sich schon so grandios schindet, dann sollen auch alle erfahren, was man da wieder Tolles geleistet hat! Deswegen sind die Glanzleistungen vieler Sportler auch schneller auf Facebook als sie selbst unter der Dusche. Alles unter einem Halb-Marathon gilt dabei bestenfalls als körperliche Behinderung. Ein Unterwasser-Selfie vom letzten Ironman ist da schon das Mindeste oder zumindest ein kurzer Drohnen-Clip von der freihändigen Besteigung des Mount Whitney.

Aber warum tröten so viele Sportler jeden Schritt in die sozialen Netzwerke? Ist es Like-Catching? Leistungsdenken? Eitelkeit? Nein. Die Antwort, auf die ich kam, ist so einfach wie traurig: Sie tun es, weil zu Hause längst keiner mehr ist, dem sie davon erzählen könnten. Bevor uns nun aber die Tränen kommen, kehren wir lieber zurück zur Grundfrage, und die lautet: WARUM sind immer mehr Menschen geradezu besessen vom Gedanken, sie müssten immer mehr und immer anstrengenderen Sport treiben?

»Hey Sean, das ist doch klar: weil sie sich besser fühlen wollen!«

Echt? Also wenn ICH jogge, fühle ich mich sofort fett und alt. Wenn ich hingegen einfach nur sitze und kucke, dann fühl ich mich super.

### Tiere machen keinen Sport

Bei allem orientieren wir uns an der Natur, nur nicht beim Sport. Wundert es denn keinen, dass kein einziges Tier Sport macht? Und keine Pflanze? Nein, Rennmaus und Springkraut gelten nicht. Es gibt keinen Sport in der Natur, und wenn ich mir die Natur so anschaue, dann bemerke ich, dass sie auch ganz gut damit zurechtkommt. Nehmen wir das doch einfach mal zur Kenntnis und blenden aus, was uns schlecht informierte Ärzte, Sixpack-Magazine und sportsüchtige Kollegen seit Jahren einreden: dass Sport uns glücklich und schlank macht und dass er unser Leben nicht nur bereichert, sondern auch noch verlängert. Ha! Das genaue Gegenteil ist der Fall. Sport macht unglücklich, fördert Essstörungen, Gelenkverschleiß und Entzündungen. Er macht einsam, süchtig und impotent, führt zu unnötigem Stress, lässt einen vorzeitig altern, und als wäre das alles noch nicht schlimm genug, macht er auch noch dumm!

»Sport macht dumm??«

Absolut! Neulich hab ich gelesen: Wenn man als Läufer extreme Strecken absolviert, dann ist der Energiebedarf so gewaltig, dass irgendwann sogar das Hirn verstoffwechselt wird! Wahnsinn, oder? Da gewinnt man zwar den legendären Transeuropalauf, kann aber nur noch einen Pimmel unter den Sponsorenvertrag malen.

»Okay, Sean, aber wer ist schon Extrem-Läufer?«

Stimmt. Die meisten Menschen werden durch Sport natürlich nicht dumm, sondern fett.

»Moment mal, hast du gerade gesagt, Sport macht fett?«

Hab ich, und ich sag's sogar noch einmal:

### *Sport macht fett!*

Schauen Sie sich einfach mal Magic Johnson an, den ehemaligen Basketball-Superstar. Ist so in die Breite gegangen, dass er inzwischen zwei Ehrensitze bei den Lakers hat. Die Fußballlegende Diego Maradona – so dick, dass der argentinische Nationalzirkus unter seinem Trikot auftreten kann. Oder Boris Becker, der arme Kerl. Hat einen solchen Kopf bekommen, wenn der heute in eine Besenkammer will, muss vorher der Besen raus. Den bis zur Unkenntlichkeit aufgedunsenen Ex-Boxer Mike Tyson lasse ich an dieser Stelle mal absichtlich unerwähnt, denn sicher hat er gute Anwälte, und das ist mir der Gag dann doch nicht wert.

*»Okay, Sean, Profi-Sportler werden fett nach Karriereende. Aber was ist mit den normalen Leuten?«*

Die trifft es natürlich noch härter! Warum sonst sieht man in Fitnessstudios viel mehr dicke Menschen als in Bars und Restaurants? Eben. Ich hab sogar eine Studie gefunden, die meine Beobachtungen untermauert. So ließen Forscher der Arizona State University eine übergewichtige Frauengruppe dreimal die Woche auf ein Laufband. Das Ergebnis nach einigen Monaten: 70 Prozent der Frauen nahmen nicht ab, sondern sie legten ordentlich zu.[1] Ja, die Studie gibt es wirklich. Wenn Ihnen also mal unfassbar langweilig ist, dann können Sie die Sache nachprüfen. Einfacher wäre es freilich, wenn Sie mir glauben und sich ein Bier aufmachen. Aber zurück zur Studie.

Also, die sportlichen Moppelhoppel legten zu, aber nicht an Muskelmasse, sondern an Fett! Und dann auch noch am Arsch, was Karen furchtbar ungerecht fand. Was war da denn los? Arschvergrößerung statt Strandfigur? Trotz Sport? Oder wegen Sport? Die Antwort lautet: Wegen Sport! Denn tragischerweise sind die beleibten Sportfans auf ihren Laufbändern geradewegs in die sogenannte Verbrennungsfalle gehoppelt, soll heißen, sie ÜBERschätzten die Kalorien, die sie mit ihrer Hoppelei verbrannten, und UNTERschätzten die Kalorien, die sie vor lauter Freude über ihren Sport danach wieder in sich reinfutterten. Fazit: Hätten sie ohne Sport ganz normal weitergegessen, wären sie jetzt schlanker.

## *Sport ist die Fettfalle Nummer 1*

Können Sie nicht glauben? Ist aber so! Nehmen wir einfach mal an, wir machen uns eine volle Stunde lang auf einem handelsüblichen Cardiogerät zum Affen und verbrennen 400 Kalorien dabei. Super, sagen Sie?

Nun, dumm ist nur, dass das Fitnessgetränk, das wir dazu zischen, schon 200 Kalorien hat und der Eiweißriegel 150. In einer vollen Stunde Sport haben wir also unter dem Strich gerade mal 50 Kalorien verbrannt. 50 armselige Kalorien, die wir mit der allerersten Gabel des Abendessens schon wieder reingefuttert haben. Dazu kommt der Rest des sicherlich üppigen Mahls, denn heute Abend dürfen wir mal so richtig zulangen, wir haben ja Sport gemacht! Ja, haben wir, und genau das ist der Grund dafür, dass wir nicht schlanker werden, sondern fetter, genau das ist die Fettfalle Sport!

»*Und was schlägst du vor, Sean?*«

Was ich vorschlage? Bier trinken und Fernsehen natürlich! Damit verliere ich nicht nur an Gewicht, ich hab auch mehr Spaß, spare bares Geld und muss nicht mal duschen danach.

»*Du verlierst Gewicht? Wie denn? Du machst doch nix!*«

Doch. Ich lebe! Und weil das so ist, habe ich einen sogenannten Grundumsatz[2] von circa 100 Kalorien pro Stunde. Die anderen 50 Kalorien verbrenne ich durch komplexe Bewegungsabläufe wie Umschalten, pinkeln gehen und Bier holen.

»*Ah! Das Bier holst du aber nicht nur, du trinkst es auch, oder?*«

Na klar, ich will ja hier einen fairen und wissenschaftlichen Vergleich zwischen Fernsehen und Sport aufstellen und keine absurde Spaß-These. Also – eine kleine Flasche Bier hat genau 150 Kalorien, das ist exakt die Kalorienmenge, die ich durch Leben, Pinkeln und Umschalten stündlich auch verbrenne. Nach zwei Stunden Fernsehen und einem Bier hab ich also 300 Kalorien verbrannt, aber nur 150 zu mir genommen! Ich nehme jede Stunde 75 Kcal ab! Stellen Sie sich nur mal vor, wie viel Gewicht man bei einer Staffel *Game of Thrones* verlieren kann!

*»Okay, aber ein bisschen Sport muss man doch machen, oder?«*

Also meine Großmutter brauchte keinen und wurde 93. Sport gibt es doch nur deswegen, weil wir uns nicht mehr genug bewegen. Weil wir all die Bewegung nachholen müssen, die früher normal war. Da hieß es Waschtag statt Workout, Unkraut jähten statt RückenFit und Kühe melken statt Morning Yoga. Und auch heute muss keiner zum Sport, der sich bewegt am Tag, oder haben Sie jemals einen Kohlekumpel beim Nordic Mining gesehen oder einen Maurer bei Wall Workout II? Nein? Werden Sie auch nicht, weil sie sich schon genug bewegt haben. Könnten wir ja eigentlich auch machen, es gibt geradezu phantastische Alternativen zu Sport, bei denen Sie viel mehr Kalorien verbrennen und sogar noch Spaß haben. Hier nur ein paar wenige Beispiele, um Ihre Phantasie anzuregen:

| Aktivität | verbrannte Kalorien/ Stunde |
|---|---|
| Fernsehen | 100 |
| Billard | 125 |
| Tischfußball | 150 |
| Zocken auf Konsole | 175 |
| Einkaufen | 200 |
| Kochen | 225 |
| Sex passiv | 250 |
| Sex aktiv | 275 |
| Sex Orgie | 300 |
| Lachen | 325 |
| Katze vom Nachbarn zum Teufel jagen | 350 |
| Pole Dance | 500 |

Sie hassen Sport und wollen trotzdem Kalorien verbrennen?
Dann gehen Sie doch einfach einkaufen, und kochen Sie was
Leckeres für Leute, die Sie danach vögeln! Einkaufen, Kochen
und Orgie – das macht zusammen sensationelle 735 ver-
brannte Kalorien! Wenn Sie jetzt freilich sagen, dass Sie vor
einer Orgie grundsätzlich nichts kochen, dann gibt's ganz tolle
andere Möglichkeiten: Schauen Sie nach dem Frühstück einfach sechs Stunden Fernsehen, jagen danach die Katze vom
Nachbarn zum Teufel und lachen sich anschließend eine
halbe Stunde darüber tot, wie der in der Spitze des Ahorn-
baums klemmt, um sie zu retten – macht zusammen phantastische 1.112,5 Kalorien! Im Vergleich dazu verbrennen Sie bei
einer Stunde Bauch, Beine, Po gerade mal 450 Kalorien. Warum um alles in der Welt sollten Sie also mehr Sport treiben?

*»Äh … weil es gesund ist?«*

Was verstehen Sie denn bitte unter Gesundheit? Die Abwe-
senheit von Schmerz? Also wenn ich da an meinen letzten
Muskelkater denke (das Muss-Monster hat mich gelinkt und
ich hab Liegestütze probiert), dann ist Sport eine der gefähr-
lichsten Krankheiten der Welt. Schauen Sie sich nur mal eine
ganz normale Profi-Fußballmannschaft an: Andauernd ist
jemand verletzt! Und googeln Sie mal »Sportverletzung«:
208 000 Ergebnisse! Also, die Fitnessfreaks können mir erzählen, was sie wollen, ich finde:

## Sport macht krank

Und weil das so ist, schlucken inzwischen sogar Hobbysport-
ler Schmerzmittel wie Mentos und lassen sich zusammen-
flicken, nur damit sie die zehn Meilen schneller laufen als der

Kollege, und das möglichst schmerzfrei. Millionen von Bewegungssüchtigen lassen sich spritzen, massieren und mit so vielen bunten Tapes bekleben, dass man oft nicht mehr weiß, ob man beim Feierabend-Bierchen nun einen kränkelnden Jogger oder einen fußlahmen Papagei beobachtet.

*»Aber wenn ›viel Sport‹ so krank macht, macht ›kein Sport‹ dann auch gesund?«*

›Kein Sport‹ alleine ist tatsächlich schon sehr gesund, in Verbindung mit ›viel Alkohol‹ kann ›kein Sport‹ sogar echte Wunder bewirken, aber dazu später mehr. Zunächst sollten Sie Folgendes wissen:

## Sport ist brandgefährlich

Klar, ich weiß, auch vor dem Fernseher sterben die Leut', aber in der Regel schlafen sie dort friedlich ein, haben also einen recht angenehmen Tod. Hat man ja schon von gehört. Noch nicht gehört hat man jedoch von Menschen, die auf ihrer Couch in Flammen aufgehen, mit dieser zusammen eine Klippe herunterstürzten oder von einem ukrainischen Riesenboxer zwischen die Polster geprügelt werden.

Warum man davon nicht gehört hat? Weil bequeme Wohnzimmer sehr viel sicherer sind als Rennstrecken, Skipisten und Boxringe! Interessanterweise sind es aber gar nicht die Risiko-Sportarten, bei denen am häufigsten abgelebt wird, es ist der »ganz normale Sport«.

Laut einer aktuellen Statistik ist ausgerechnet Fußball die Sportart mit den meisten Todesfällen, dicht gefolgt von Laufsport und Schwimmen. Am sichersten ist – mit nur fünf Toten zwischen 1972 und 2014 – noch das Kegeln.[3] Nur für den Fall, dass es Ihnen nicht gerade selbst auffällt: Kegeln ist eine der wenigen Sportarten, bei denen Alkohol getrunken wird.

Auch das scheinbar harmlose Yoga kann Ihre Gesundheit ruinieren, berichtete die *New York Times*[4] und sammelte sich prompt 700 wütende Kommentare komplett unentspannter Yogis ein. Wobei ich mich freilich frage, wie man als stehende Schildkröte oder im Lotuspflug an die Tastatur kommt. Auch wenn Entspannungsextremisten es nicht gerne hören – Yoga kann sogar tödlich sein! So soll eine junge Frau während des Yogaunterrichts einen Schlaganfall erlitten haben.[5] Ja, ich weiß, wir hatten das schon, man kann auch beim Fernsehen sterben, aber das sieht dann wenigstens nicht so dämlich aus wie in der ›Heldenstellung‹.

## *Sport fördert Stress*

Ich hab's auch erst nicht glauben können, ist aber so. Früher hat man sich seine Laufschuhe angezogen und ist eine halbe Stunde durch den Park gelaufen. Duschen und fertig. Heute muss der iPod aufgeladen sein, die Playlist aufgespielt und die Fitness-App upgedatet. Der Energieriegel verspeist, der Pulsgurt umgeschnallt und der Gore-Tex-Windbreaker übergestreift. Sekunde mal. Wo sind denn die Kopfhörer? Da! Warum hat der iPod nur 9 Prozent Akku, und wie zum Teufel kommt das schreckliche ›The Final Countdown‹ in die Playlist? Wo ist die High-Tech-Unterhose, die nich so schubbern tut und wo die Carbon-Einlagen für den bösen Fuß? Wie krieg ich den Kopfhörer entknüddelt, und warum hat die Laufhose keine Tasche? Soll ich mir jetzt den Schlüssel umhängen wie ein Kleinkind den Bus-Ausweis? Wie auch immer – als ich noch der Meinung war, ich müsse regelmäßig laufen, war ich oft schon vor dem Joggen so fertig, dass ich erst gar nicht loslief, sondern gleich duschen ging.

Noch schlimmer war es, wenn ich mal zum Paso Robles Sports Club wollte, dann hieß es: Tasche packen, durch die Rushhour quälen, Parkplatz suchen, einchecken, freien Spind suchen, umziehen, freies Gerät suchen und duschen. Fragen Sie mal Chubby Charley am Check-In: Ich hatte sieben Nervenzusammenbrüche, ohne das Laufband auch nur betreten zu haben! Wie man es dreht und wendet – mag ja sein, dass Sport entstresst, während man ihn ausübt. Dumm nur, dass er genau diesen Stress vorher selbst ausgelöst hat.

Und die Entwicklung geht immer weiter. Neulich eröffnete in Paso Robles ein »24 Hour Fitness« – wer zum Teufel hat so viel Zeit?

## Sport macht einsam

»Hinter jeder großen Leistung steckt ein noch größeres Problem«, heißt es ja immer. Denken Sie an diesen Satz, wenn sich bei Ihnen mal wieder ein Ausdauerjunkie mit seinen Leistungen brüstet. Für viele ist Sport nämlich nichts anderes, als der verzweifelte Versuch, ein wenig Kontrolle über ihr Leben zu erlangen. Sie wollen sich selbst und anderen zeigen, dass sie zumindest irgendetwas im Griff haben. Probleme im Job, Ehe im Arsch, Haus überschuldet, aber hey, 'ne Marathonzeit von unter drei Stunden! Aber vielleicht wäre die Ehe ohne Sport gar nicht im Arsch, vielleicht hat man ja einfach nur seinen Partner wegtrainiert. Das ist jetzt keine Idee von mir, sondern ein unter Triathleten durchaus bekanntes Phänomen. Triathlontrainer Pete Simon schreibt dazu in seinem Blog *Divorce by Triathlon*: »Ich frag mich oft, wie viele einsame Ehefrauen und -männer es da draußen gibt, die sich fragen, wann der ganze Irrsinn aufhört.«[6] Kann ich Ihnen sagen: NIE. Irgendwann ist der Partner dann halt weg.

Was man by the way auch prima ausnutzen kann, wenn man zu feige ist, eine unglückliche Beziehung zu beenden. Trainieren Sie einfach so lange exzessiv auf ein sinnloses Sportziel hin, bis der Partner das Handtuch wirft. Laufen Sie noch im Morgengrauen Ihre 10 Meilen und am Wochenende 20. Gehen Sie direkt nach der Arbeit ins Fitnessstudio. Sagen Sie Abendessen mit Freunden ohne Vorwarnung ab, und legen Sie Wettkämpfe stets auf sensible Termine, wie z. B. den Geburtstag Ihres Partners. Schwärmen Sie gleichzeitig von attraktiven Sportlern des anderen Geschlechts. Machen Sie Ihren Partner zum Workout-Witwer bzw. zur Workout-Witwe! Es ist nur eine Frage der Zeit, bis Ihr Partner aufgibt. Ist dies geschafft, kommt der schwerste Schritt: Stellen Sie das Training unverzüglich ein! Denn wenn Sie zwar Ihren Partner los sind, dafür dann aber sportsüchtig, wäre nicht wirklich viel gewonnen.

## *Sportsucht ist schlimmer als Alkoholismus*

Alkohol trinken und Sport treiben haben mehr gemeinsam, als man auf das erste Glas denken mag. Beides gilt als sozial erwünschtes Verhalten, und genau deswegen fällt es meist viel zu spät auf, wenn wir es mit dem einen oder anderen übertrieben haben. Das Problem ist nur: Wenn wir uns wegen zu viel Sprit aus dem Leben katapultiert haben, rufen wir in der Betty Ford Klinik an. Was aber, wenn wir regelmäßig nach dem »Dynamic Deep Workout« und »Fab Dance« auch noch für den dritten Hüpfkurs wie tot am verschwitzten Parkett kleben bleiben? Eine Betty Hops Klinik gibt es nicht.

Und es gibt auch sonst keine Hilfe, weil es nämlich noch

gar kein Bewusstsein dafür gibt, dass man bei zu viel Sport welche bräuchte. Anders bei Alkohol, da wissen alle sofort Bescheid. Als ich neulich im Molly's nach sechs Brummelbock noch einen Gin Tonic bestellen wollte und dabei einen Außerirdischen mit Tourette-Syndrom imitierte, riet mir Barkeeperin Rebecca: »Lass gut sein, Sean, hattest genug …« Hab ich eingesehen. Und weil ich vernünftig bin, hab ich sofort bezahlt, bin ins Auto gestiegen und nach Hause gerast. Aber wie ist es beim Sport? Wer sagt Ihnen hier, wann es genug ist? Hat Ihnen jemals ein Fitnesstrainer die Matte unterm Arsch weggezogen und gesagt, dass es reicht für heute? Sie vom Kurs in die Dusche geprügelt, zu Ihrer eigenen Sicherheit? Und wann bekam eigentlich das letzte Magermodell Hausverbot im Fitnessclub?

Und genau das ist es, was die Sportsucht noch viel gefährlicher macht als die Alkoholsucht: das nicht vorhandene Bewusstsein! Eine Runde Joggen nach Feierabend, ein Tennismatch mit dem Kollegen oder die blödsinnige Frage, ob Golf nicht doch was für Sie sei – seien wir realistisch: Sport gehört für viele einfach dazu. Die Ausreden sind dabei immer die gleichen: »Es entspannt mich halt!«, »Ich kann jederzeit aufhören« oder »Andere machen noch viel mehr Sport!«.

Aber ab wann ist es zu viel? Können Sie überhaupt noch aufhören? Was glauben Sie z. B., was passiert, wenn Sie einem Triathleten nur für einen Tag das Training verbieten? Kann ich Ihnen sagen: Erst gerät er ins Schwimmen, dreht am Rad, und schließlich läuft er Amok, der typische Entzugstriathlon. Ein Extremfall? Sicher nicht. Wer seine Probleme im Leben mit Sport einfach »wegtrainieren« will, ist ebenso gefährdet wie jemand, der regelmäßig Sport treibt, um sich zu entspannen. Man kann sich seinen Partner nicht schönlaufen und sein Leben schon gar nicht.

Falls Sie jemanden kennen, der schon in die Sportsucht gerutscht ist, oder fürchten, Sie selbst könnten betroffen sein,
stellen Sie sich einfach die folgenden Kontrollfragen:

## SEANS SPORTSUCHT-TEST

1. Treiben Sie mehr als einmal im Monat Sport?
2. Hatten Sie bereits das Gefühl, dass Sie
   nicht mehr mit dem Sport aufhören können,
   nachdem Sie einmal angefangen haben?
3. Haben Sie bereits Verpflichtungen im
   Freundeskreis oder in Ihrer Lieblingsbar
   nicht erfüllen können, weil Sie Sport
   getrieben haben?
4. Hatten Sie schon mal am Morgen das Bedürf-
   nis nach Sport oder haben Sie morgens schon
   Sport getrieben, um » besser in den Tag zu
   starten« ?
5. Haben Sie sich schon einmal bereits während
   des Tages gefreut, dass Sie am Abend Sport
   treiben können?
6. Haben Sie immer einen Vorrat an frischen
   Sportklamotten zur Hand, um bei Bedarf
   gleich loslegen zu können?
7. Hat sich ein Freund, Sexualpartner oder
   Barkeeper schon einmal Sorgen gemacht oder
   Ihnen geraten, weniger Sport zu treiben?

Wenn Sie mehr als zweimal mit Ja antworten konnten, spielt Sport für Sie wahrscheinlich schon eine viel zu große Rolle – möglicherweise haben Sie bereits ein ernsthaftes Problem oder Sie laufen Gefahr, Ihr Leben aus der Hand zu geben. Tut mir leid, wenn ich hier kurz ernsthaft werde, aber mir liegt wirklich jeder Leser am Herzen, und wenn Sie bemerken, dass Sie ohne Sport nicht mehr auskommen, dann sollten Sie dringend etwas unternehmen.

## *Hilfe für Sportsüchtige*

Bestimmt sind Ihnen schon einmal Jogger aufgefallen, die in einer Art Kreis durch den Park laufen und sich währenddessen unterhalten. Das sind Treffen der anonymen Sportsüchtigen. Gesellen Sie sich dazu, vertrauen Sie sich an. Partner und Freunde können Ihnen ebenfalls zur Seite stehen, darüber hinaus gibt es jede Menge Raucherclubs, Cocktail-Bars und Fast-Food-Restaurants, in denen man ganz offen über das Thema Sport sprechen kann. Damit wir uns nicht falsch verstehen – ich rate Ihnen hier nicht, gar keinen Sport zu treiben, um Himmels willen. Es hat noch niemandem geschadet, mal mit Freunden zum Basketball zu gehen, gerade die Play-Offs sind ja höllisch interessant. Fragen Sie sich einfach, ob Sport Ihnen wirklich all das zurückgeben kann, was Sie ihm geben: Ihre Zeit, Ihre Kraft und manchmal sogar Ihre Beziehung.

Sie haben nur ein Leben. Laufen Sie ihm nicht davon. Sie müssen mehr Sport treiben? Einen Scheiß müssen Sie!

# ☆ SAG'S NOCH MAL, **SEAN!** ☆

☑ Sport macht fett. Schauen Sie sich nur mal ehemalige Sportlegenden an.

☑ Vorbild Natur: Tiere machen auch keinen Sport.

☑ Es gibt tolle Alternativen zu Sport, z.B. Shopping, Kochen, Orgien.

☑ Eine Staffel *Game of Thrones* ersetzt drei Stunden Joggen!

☑ Vorsicht Sportsucht! Probleme kann man sich nicht schönlaufen.

Ach, und wenn Sie so nett wären, zu unterschreiben. Besten Dank!

Ich, _____, muss nicht mehr Sport treiben.

# Ich muss weniger Alkohol trinken!

## Einen Scheiß müssen Sie!
## Und wetten, dass Sie sich nach diesem Kapitel
## ein Bier aufmachen? Oder zwei?

*»Packen Sie zwanzig Fremde mit Wasser in einen
Raum und Sie haben ein paar angestrengte
Gespräche. Machen Sie das Gleiche mit Alkohol
und Sie haben eine Party.«*
FRANK KELLY RICH, GRÜNDER DES MODERN
DRUNKARD MAGAZINE

Nach Einschätzung der Weltgesundheitsorganisation
(WHO) trinkt jeder fünfte Erwachsene viel zu viel Alkohol. Stimmt. Bei uns in Paso Robles ist das Wasted Wayne,
und wie soll ich sagen – wir sind alle verdammt stolz auf den
Burschen! Natürlich muss man heutzutage stets darauf achten, wer was sagt. In diesem Fall warnte einmal wieder die
WHO. Die gleiche Organisation also, die alle paar Jahre in
schierer Panik den weltweiten Gesundheitsnotstand ausruft.
Die Organisation, die regelmäßig die komplette Menschheit
dahingerafft sieht, wegen SARS, Schweinegrippe, Vogelgrippe, Heuschnupfen und Rücken. Seltsamerweise sind wir
aber alle noch da. Trotz der WHO. Daher meine vorsichtige
Frage: Warum sollten wir uns in unserer Lebensweise nach einer Organisation richten, die aus dem jämmerlichsten Hühnerfurz die höchste Pandemie-Stufe macht?
Doch nicht nur die WHO hetzt gegen unsere leckeren

Bierchen, das wäre ja auch zu einfach. Alle wettern sie: der Staat, die Ärzte, die Medien, und auch für Trisha war Alkohol der »Feind im Glas« und Bars die Vorhölle. Dabei sind Bars so wichtig! Wie oft haben wir in den Nachrichten gehört, dass Menschen sich bei Unwettern oder Verfolgungsjagden in eine Bar retten konnten! Und auch auf der Titanic überlebten fast alle, die sich an einem Gin Tonic festhalten konnten – weil sie oben an der Bar saßen statt unten in ihrer Kabine.

Dennoch werden uns Bars und Bierchen immer madiger gemacht, neulich sah ich vor einem Fußballspiel sogar eine Werbung für alkoholfreies Bier! Ich hab mich so erschreckt, dass ich sofort auf eine mexikanische Seifenoper umgeschaltet habe. Alkoholfreies Bier! Leute, als Heimbrauer sage ich Euch: Wer mit viel Liebe ein Bier braut, um ihm danach den Alkohol wieder zu entziehen, der kann sich auch sein Traumhaus bauen und wenn es fertig ist, die komplette Inneneinrichtung wieder rausreißen.

## Von der »tödlichen« Gefahr des Feierabend-Bierchens

Neulich las ich, wer sich während der Arbeit schon auf sein Bierchen am Abend freut, der hat bereits ein Alkoholproblem! Ich war so sauer, dass mir fast der Flachmann auf die Tastatur gefallen ist.

Also wenn das so ist, hab ich mich gefragt, hab ich dann auch sexuelle Probleme, wenn ich mich während der Arbeit auf eine Nummer mit Karen freue? Oder eine schwere Essstörung, wenn ich schon tagsüber darüber nachdenke, in welches Restaurant ich abends möchte?

Es ist ein Jammer, wie Alkohol schlechtgeredet wird, dabei ist es doch gerade in der heutigen Zeit so wichtig, sich in netter Gesellschaft die Lampen auszuknipsen. Warum? Na, wegen des Stroms natürlich. War nur ein Spaß. Nein, gemeinsamer Genuss von Alkohol ist deswegen so wichtig, weil wir eh schon den ganzen Tag damit verbringen, auf Bildschirme in verschiedenen Größen zu starren.

## *Alkohol öffnet unser Herz*

Gehen wir hingegen einen trinken, begeben wir uns unter echte Leute. Echte Leute? Ja, das sind diese 70 Zoll großen Dinger, die auf Klicken und Wischgesten so seltsam reagieren. Egal. Wenn wir einen trinken gehen, dann treffen wir die, und je mehr wir trinken, desto mehr lernen wir die kennen. Trinken ist also das neue Facebook! Es ist sogar besser als Facebook, denn die meisten neuen Freunde haben wir am nächsten Tag wieder vergessen!

Alle reden ständig über die negativen Aspekte von Alkohol, dabei gibt es so viele positive! Alkohol befreit unsere Gefühle und spült dabei geschickterweise exakt die Emotionen hoch, die sich viele mit Sport, Stress und veganem Essen zuschütten. Ja … saufen kann jeder, heißt es immer. Finde ich nicht, denn für das bewusste Freilassen der Gefühle braucht es einen starken und reifen Menschen, der damit auch umgehen kann. Mich zum Beispiel. Ja, sogar mir, der ich hier mit geschliffenen Worten um mich schmeiße, hilft Alkohol manchmal noch, mein Herz zu öffnen. Mit ihm bin ich zu den ganz großen Gefühlen fähig und verteile die weltbesten Komplimente. Oder glauben Sie etwa ernsthaft, ich hätte folgende Nachricht NÜCHTERN verschickt?

Ja, belächeln Sie mich ruhig, aber mit Alkohol sagen, simsen und posten wir einfach Dinge, die wir ohne niemals sagen würden. Wir sind offener für Neues, mutiger und sogar kreativer.

## Bessere Ideen mit Alkohol

Nach ein paar Bier oder Wein kommen uns einfach die tollsten Einfälle. Wenn ich an all die Dinge denke, die wir in alkoholisiertem Zustand erlebt haben, möchte ich keinen einzigen Drink missen. Unvergessen, wie wir im Molly's die schwedische Barkeeperin Rebecca mit Paketband an die Decke klebten. Wie wir den preisgekrönten Porno *Gay Bitches in Uniform II* auf die Fassade des Paso Robles Police Departments projizierten – und natürlich wie wir im Hafen von

Los Angeles den miesepetrigen Aaron rotzbesoffen in einen Schiffscontainer sperrten. Blöderweise war der Container am nächsten Tag weg und das Frachtschiff *CSCL Globe* auch. Haben wir gelacht!

Recht amüsant war auch, wie der bereits ordentlich zugedröhnte Wasted Wayne im Molly's wettete, er könne durch die verschlossene Klotür rennen wie in einem Action-Film. Er schaffte es sogar (amerikanische Türen sind von keiner besonders guten Qualität), blieb dann aber hinter seinem ausgestanzten Umriss regungslos auf den Fliesen liegen wie eine plattgewalzte Comicfigur.

Ja, ich weiß, all das ist pubertärer, gefährlicher und völlig unvernünftiger Unsinn, aber ist die Welt um uns herum nicht schon vernünftig und erwachsen genug? Läuft nicht sonst schon alles nach Plan, und ist es deshalb nicht die Pflicht eines jeden Erdenmenschen, ab und an etwas Sinnloses und Unvernünftiges zu tun? Ich denke, ja. Solange keiner zu Schaden kommt natürlich, das ist mir sehr wichtig. Als sich Rebecca nach vier Minuten und neun Sekunden mit einem lauten *Ratsch!* von der Decke löste und in unser selbstgebasteltes Rettungstuch krachte, hatte sie sich satte 350 Dollar an Wetteinsätzen verdient. Die Cops des PRPD sind seit unserem Porno-Streich im Besitz eines lichtstarken HD-Beamers, und Angry Aaron hat die Wochen auf dem Schiff und die Zeit in Shanghai letztendlich sehr genossen. Er hat sogar ein wenig Chinesisch gelernt und kann im Golden Gong die 37 noch heute in der Landessprache bestellen!

### *Geniale Nebenwirkungen*

Unsere Kneipenabende blieben freilich nicht immer folgenlos. Einmal z.B. ist mir am Morgen nach einer premium-eskalierten Free Til U Pee Nite im Molly's aufgefallen, dass 2000 Dollar auf meinem Konto fehlen. Ich geriet in Panik und rief alle an, die mit mir trinken waren. Keiner wusste was. Ich zitterte mein Portemonnaie nach Belegen durch und fand keinen einzigen. Was zum Teufel hatte ich nur gemacht? Nun, es stellte sich heraus, dass ich nachts all meine fälligen Rechnungen bezahlt, eine Krankenversicherung abgeschlossen und den Rest in Netflix-Aktien angelegt hatte. Aktien, die einen Monat später so durch die Decke gingen, dass ich eine zweite Brau-Hummel davon kaufen konnte. »Wahnsinn ...«, gratulierte mir Wasted Wayne beeindruckt, »besoffen bist du ja ein verdammtes Finanzgenie!«

Da hatte er verdammt nochmal recht. Natürlich ist es nicht so, dass man unter Alkohol ausschließlich geistige Glanzleistungen produziert. So kamen John und Judy Collins 1977[7] nach ein paar Bier auf die unfassbar dämliche Idee, Schwimmen und Radfahren mit einem Marathon zu kombinieren und erfanden so den Ironman Triathlon. Und David Hasselhoff ist ganz bestimmt auch nicht nüchtern auf »I've Been Looking for Freedom« gekommen, zumindest hoffe ich das für ihn.

*»Okay Sean, aber jetzt mal ehrlich – gesund ist das doch alles nicht, oder?«*

Entschuldigung? Es gibt auf der ganzen Welt nichts Gesünderes als Alkohol! Mir ist das nicht so wichtig, ich persönlich trinke mein Brummelbock, weil es knallt und schmeckt und nicht, um länger zu leben oder um Krebs zu hemmen. Dann müsste ich ja beim Anstoßen auch »Nimm dies, Krebs!« sagen und nicht »Cheers!« oder »Prost!«.

Dass Alkohol gut fürs Herz ist, ist mir auch ohne eine Studie der Harvard University klar,[8] ich weiß ja, wie mir die Pumpe geht, wenn kein Bier im Haus ist. Außerdem verbessert Alkohol die Libido[9], hilft im Kampf gegen Erkältungen[10] und vermindert das Diabetes-Risiko[11].

LEIDER gilt für alle genannten Vorteile von Alkohol der Ergänzungs-Downer: »wenn er in Maßen getrunken wird«. Was ein gesundes Maß an Alkohol ist, kann ich Ihnen beim besten Willen nicht sagen, da sind sich nämlich nicht einmal die Experten einig. Im Zweifelsfall nehmen Sie einfach die Empfehlung des österreichischen Gesundheitsministeriums, nach der sind Sie als Mann nämlich erst dann gesundheitsgefährdet, wenn Sie sich mehr als 63 Drinks[12] die Woche in den Schlund kippen. Ja, Sie haben richtig gelesen: 63 alkoholische Getränke! Darf ich Ihnen was beichten? So viele schaffe ich gar nicht! In jedem Fall sollten wir schon jetzt festhalten, dass von allen Ländern der Erde Österreich das großartigste ist.

## Schmerzfrei dank Alkohol

Als ich noch mit Trisha verheiratet war, hatte ich jahrelang schlimme Rückenschmerzen. Meist vor dem Sex. Doch je mehr Pillen ich nahm und je mehr Sport ich machte, desto schlimmer wurden sie. Irgendwann tat mir der Rücken so weh, dass ich gar keinen Sport mehr machen konnte. Die Online Symptom Checker von Mayo Clinic und Netdoctor waren sich einig: Ich hatte eine Spondylarthrose und würde ohne Operation vermutlich im Rollstuhl enden. Und auch mein Körper sagte mir: Stop, Sean, du merkst doch, dass es so nicht geht mit Tennis, Jogging und den albernen Kursen im PRSC. Probier mal was ganz anderes!

Also bin ich mit Wasted Wayne runter nach Tijuana gefahren, eine heruntergekommene Partystadt an der mexikanisch-kalifornischen Grenze. Ob wir's da haben krachen lassen? Ja, leck mich am Arsch! An zwei der drei Tage kann ich mich gar nicht mehr erinnern, es gibt nur eine armselige Plastik-Trophäe von einer »Total Terror Tequila-Competition« und einen Wisch über 50 000 Pesos Strafe, weil wir angeblich splitterfasernackt das Fußballspiel Xolos gegen Chiapas zum Abbruch brachten. Gott sei Dank bewies ein Fan-Foto, dass wir gar nicht wirklich nackt waren, weil wir uns nämlich zur Tarnung rote Tequila-Hütchen auf unsere Pillemänner gesteckt hatten.

Jetzt aber mal Spaß beiseite, denn wissen Sie, was auf der verdammten Rückfahrt geschah: MEINE SCHMERZEN WAREN WEG! Ich war so fassungslos, dass ich Wayne bat, anzuhalten und mir in den Rücken zu treten. Nichts! Ich war überglücklich. Das war das »Wunder von Tijuana«! Ich fragte meinen deutschstämmigen Physiotherapeuten Kurt, und der bestätigte das Phänomen: Offenbar hatten die großen Mengen an Alkohol und der viele Spaß meine verhärteten Muskeln entspannt und sämtliche Blockaden gelöst. Gleichzeitig hatte ich durch das Feiern und Tanzen neue Muskelkraft aufgebaut. Ich will nicht zu viel versprechen, aber da fast die Hälfte aller Amerikaner an Rückenschmerzen leiden[13], sehe ich hier durchaus Stoff für ein neues Buch von mir: Das Tijuana-Prinzip – Feiern Sie den Schmerz weg!

*»Ganz amüsant, Sean, aber was hast du von einem gesunden Rücken, wenn dein Hirn nur noch Matsche ist?«*

## Die unfassbaren Reservekapazitäten
## unseres Gehirns

Wieso denn jetzt Matsche? Sie ahnen ja nicht, was für Reservekapazitäten unser Gehirn hat! Also, wenn Sie wüssten, wie groß diese Reservekapazitäten sind, Sie würden sofort ein Fenster zur Straße aufreißen und brüllen: »Ja, leckt mich am Arsch, das hätte ich jetzt aber nicht gedacht, wie verdammt groß die Reservekapazitäten von meinem Hirn sind!«

Jetzt mal ohne Flachs: Es gibt Berichte über Menschen, deren Gehirn bis zu 90 Prozent geschädigt wurde und die nur mit den restlichen 10 Prozent sehr effektiv funktionierten. Ich denke, George W. Bush war so ein Fall. Was? Lebt noch? Sorry: Ist so ein Fall. Und als ich neulich bei Dr. Dotter auf meine Harnsäurewerte warten musste, habe ich in einer *Readers Digest*-Anzeige gelesen, dass der durchschnittliche Mensch sowieso nur 10 Prozent seines Gehirns überhaupt nutzt. Ist das nicht phantastisch? Nur 10 Prozent! Das bedeutet, dass wir uns bis zu 90 Prozent unserer Gehirnzellen zu lebloser, grauer Matsche saufen können und trotzdem noch eine Boeing 747 von Hawaii nach Los Angeles steuern (eine entsprechende Ausbildung vorausgesetzt) oder Kisuaheli lernen, meine Lieblingsbantusprache.

*»Sorry Sean, aber das ist jetzt echt albern, und ich glaub dir kein Wort mehr!«*

Zu Recht. Es ist mir ein wenig unangenehm, aber ich muss zugeben, dass ich eine wichtige Info aus niederträchtigen dramaturgischen Gründen unterschlagen habe: Alkohol tötet nämlich gar keine Gehirnzellen ab![14] Dass wir mit jedem Drink Millionen von grauen Zellen verlieren, ist nichts anderes als ein albernes Gerücht aus den Zeiten der Prohibition. Blöderweise hält sich dieses Gerücht noch immer wacker, und das, obwohl Forscher längst das Gegenteil bewiesen haben, indem sie Gehirnzellen von amtlichen Sprittern mit Abstinenzlern verglichen haben. Was sie festgestellt haben? Richtig: keinen Unterschied!

## The Top 5 Regrets of the Drinking

Vielleicht kennen Sie das Buch *The Top 5 Regrets of the Drinking*, auf Deutsch erschienen unter dem Titel *Was Barbesucher am meisten bedauern*. Geschrieben hat es die Taxifahrerin Bonnie Room und das aus einem einzigen Grund: Auf den Fahrten von den Bars nach Hause hörte sie jede Nacht die immer gleichen bitteren Selbstvorwürfe. »Wenn der Abend zu Ende geht, kommt eine Menge Frust in den Leuten hoch«, berichtet Room, »sie wissen dann halt einfach, dass der Abend für sie ein für alle Mal vorbei ist.« Und das sind die Dinge, die Barbesucher am meisten bedauern:

1. Ich wünschte, ich wäre länger geblieben.
2. Ich wünschte, ich hätte bei der Jägermeister-Runde mitgemacht.
3. Ich wünschte, ich hätte den Barkeeper/die Barkeeperin angemacht.
4. Ich wünschte, die anderen wären auch schon zu Hause.
5. Ich wünschte, ich wäre noch mal aufs Klo gegangen.

Denken Sie einfach an diese traurigen Sätze, wenn Sie das nächste Mal in einer Bar sind und überlegen nach Hause zu gehen. Genießen Sie den Gedanken, dass Sie noch nicht im Taxi sitzen und noch alles richtig machen können.

### *Früher war Alkohol cool!*

Es ist noch gar nicht so lange her, da hätte man einen Li-
monadentrinker einfach so aus der Bar geprügelt. Noch vor
wenigen Jahrzehnten war es nämlich der Inbegriff von Cool-
ness, sich mit Kollegen und Freunden nach der Arbeit ein
paar Drinks zu gönnen. Und während der Arbeit natürlich.

Vielleicht kennen Sie ja die TV-Serie *Mad Men*, die mit der
New Yorker Werbeagentur, Ende der 60er Jahre. Da waren
doch eigentlich von der ersten bis hin zur siebten und letzten
Staffel sämtliche Hauptfiguren die ganze Zeit besoffen. Kam
der stets elegant gekleidete Agenturboss Don Draper früh-
morgens in sein Büro, goss er sich erst mal eine Handbreit
Bourbon ein. Jeder, der ihn dort besuchte und auch nur die
winzigste Frage hatte, kriegte auch einen.

Tatsache ist, dass Trinken früher so richtig cool war, und
heute wird dem Alkohol so ziemlich jedes Problem in die
Schuhe geschoben, das es gibt, angeblich steigt durch Alkohol sogar die Kriminalität. Was für eine respektlose Unterstel-
lung! Das letzte Mal, dass in den USA die Kriminalität durch
Alkohol stieg, war zu Zeiten der Prohibition, und da hatte
man ihn verboten. Ich jedenfalls glaube fest daran, dass die
Kriminalität sinkt, je mehr die Leute trinken, aber das ist natürlich nur eine Vermutung.

## *Fördert Alkohol die Kriminalität?*

Ich hab daher nachgehakt und Deputy Chief Robert Burton vom Paso Robles Police Department gefragt: »Robert, du als Strafverfolgungsbeamter: Hast du jemals betrunken einen unbescholtenen Bürger niedergeknüppelt?«

»Niemals! Wir sind immer nüchtern.«

»Und wie viel Prozent der Straftaten in Paso Robles werden nach deiner Erfahrung unter Alkoholeinfluss begangen?«

»Gut ein Viertel, würde ich mal sagen.«

»Danke. Und können wir unseren Beamer wiederhaben?«

»Nein.«

Sehen Sie den sozialen Sprengstoff in der Aussage von Deputy Chief Robert Burton? Selbst zwei Jahre nach dem Zwischenfall mit dem Schwulenporno kriegen wir unseren Beamer nicht wieder! Interessant ist freilich auch: Dreiviertel aller Straftaten werden von nüchternen Idioten begangen. Warum das so ist, liegt auf der Hand – nach einem Sixpack Brummelbock und drei Gläsern Rum wäre selbst ich nicht mehr in der Lage, eine Bank zu überfallen, geschweige denn, mich durch die Laserstrahlen vor dem Tresor zu winden, so wie in *Sneakers – die Lautlosen.* Und wie zum Teufel sollte ich nach fünf Bier und drei Mai Tai einen Fluchtwagen fahren? Wieso um alles in der Welt sollte Alkoholkonsum also die Kriminalität fördern? Schaut man auf die harten Fakten, so sind es unsere nüchternen Mitmenschen, die eine Gefahr für die Gesellschaft darstellen.

## *Ein schreckliches Vorbild zur Mahnung*

Meine zukünftige Ex-Frau Trisha trank grundsätzlich keinen Tropfen Alkohol aus Angst, dies könne ihre Persönlichkeit verändern. Schade eigentlich, denn vielleicht hätte gerade das unsere Ehe gerettet. Eines Abends eröffnete sie mir in einem ernsten Gespräch, sie sei sich sicher, dass ich zu viel trinke. Sie zwang mich sogar, einen Test aus dem *Readers Digest* zu machen, und nach diesem bewegte sich mein Alkoholkonsum angeblich im riskanten Bereich. So wie unsere Ehe. Hab ich natürlich nicht gesagt, denn trotz aller Spannungen bemühte ich mich, sachlich und fair zu bleiben. Also sagte ich:

»Weißt du, Trish, wer auch nie einen Tropfen Alkohol angerührt hat?«

»Nein.«

»Hitler. Nur mal so.«

## ☆ SAG'S NOCH MAL, SEAN! ☆

- ☑ Früher wurde viel mehr gesoffen
- ☑ Rückenschmerzen? Feiern Sie den Schmerz einfach weg, nach dem Tijuana-Prinzip
- ☑ Gehen Sie nicht zu früh nach Hause, denken Sie an *The Top 5 Regrets of the Drinking*
- ☑ Dreiviertel aller Straftaten werden von nüchternen Idioten begangen
- ☑ Hitler mochte auch keinen Alkohol.

Und wenn Sie so freundlich wären, das hier zu unterschreiben:

Ich, _____, muss nicht weniger trinken!

# Ich muss doch was haben!

## Ja? Warum es durchaus sein kann, dass Sie gesund sind

*»Der Tod betrifft uns gar nicht. Wenn wir noch am Leben sind, ist der Tod nicht da, und wenn der Tod kommt, sind wir nicht mehr am Leben.«*

EPIKUR, GRIECHISCHER HOBBY-PHILOSOPH UND PROFIGÄRTNER

Ich gebe es gerne zu: Ich war mal einer der schlimmsten Hypochonder Kaliforniens. Ständig war ich in Angst, dass ich irgendwas hatte, warum, weiß ich nicht. Auf den Gedanken, dass ich auch gesund sein könnte, kam ich jedenfalls lange nicht. Ich sah meinen Körper nicht als Freund, sondern als tickende Zeitbombe. Eine Zeitbombe, die es zu entschärfen galt. Und wenn ich die Bombe nicht entschärfen konnte, wollte ich zumindest wissen, wann sie hochging und was für eine Bombe es war. Ich gab »Niesen« bei Netdoctor ein, noch bevor ich mir ein Taschentuch holte. Hatte ich Durst, trank ich nicht etwa ein Glas Wasser, sondern kaufte mir einen Diabetes-Test. Vergaß ich meine Handy-PIN, meldete ich mich im Demenzforum an. Um das Demenzforum nutzen zu können, braucht man übrigens einen Nutzernamen und ein Passwort. Man kann sogar auf »Passwort vergessen?« klicken – eine zynische Frechheit, wenn Sie mich fragen.

Am meisten Angst hatte ich vor ausländischen Seuchen. Brach in irgendeinem weit entfernten Erdteil eine Krankheit aus, unternahm ich sofort alle Anstrengungen, mich davor zu schützen. Ebola hatte es noch nicht mal in die Hauptnachrichten geschafft, da stapelten sich schon die gelben Schutzoveralls in unserer Garage. Und ich wechselte meinen Hausarzt, weil er einfach nicht akzeptieren wollte, dass ich unter einer besonders schlimmen Form der Cholera litt und nicht unter einer Glutamat-Unverträglichkeit.

»Da musst du mal den Begriff Hypochondrie googeln für dein Buch!«, riet mir mein Lektor Bob von Broner Books.

»Einen Scheiß muss ich!«

»Stimmt auch wieder.«

Natürlich hab ich den Begriff trotzdem gegoogelt. Ich bin zwar nur ein einfacher Mann, aber ganz ohne wissenschaftlichen Background sollte mein Buch natürlich auch nicht daherkommen. Also ging ich auf Wikipedia und las, dass das Wort ›Hypochonder‹ irgendwie griechisch ist und übersetzt in etwa so viel bedeutet wie ›Gegend unter den Rippen‹.[15] Die alten Griechen dachten nämlich, dass der Ursprung aller Gemütskrankheiten genau dort liegt. Heute wissen wir: Der Ursprung aller Gemütskrankheiten liegt nicht unter den Rippen, sondern genau drei Autostunden nördlich von Paso Robles, im 1600 Amphitheatre Parkway, Mountain View – dem Hauptsitz von Google.

## Die Angst aus Mountain View

Google wirkt auf Hypochonder wie ein Magnet, ich behaupte das aus eigener Erfahrung. Die Suchmaschine aus Mountain View hat die unbegründete Sorge vor ernsthaften Krankheiten geradezu explodieren lassen, ja man spricht sogar schon von einer neuen Krankheit, der Googleitis. Ich

fragte Dr. Dotter, ob es diese Googleitis wirklich gäbe, und er
meinte, dass Googleitis schon mal deswegen Unsinn sei, weil
die Nachsilbe -itis in der Medizin immer eine Entzündung
beschreibe, was dann ja hieße, dass bei einer Googleitis nicht
der Nutzer, sondern Google selbst entzündet wäre. Stimmt,
dachte ich und überlegte, wie viele Krankenschwestern es
wohl bräuchte, das 287 999 m² große Google-Hauptquartier
mit Voltaren zu reiben.

Doch noch mal kurz zurück zu der Zeit, in der ich unter jeder einzelnen Krankheit der Welt litt, teilweise gleichzeitig.
Eines Nachts, als ich von einer langen und sehr lustigen Kneipentour mit Wasted Wayne zurückkam, fühlte ich mich
plötzlich unwohl. Ich wankte, mir war schlecht, ich war besorgt. Also griff ich zum iPad und rief den Online Symptom
Checker der renommierten Mayo Clinic auf. (Die Seite der
Mayo Clinic war einfach die beste, sie hatte mit Abstand die
schlimmsten Krankheiten.) Ich klickte das Symptom ›Schwin-
del‹ an, und wie immer wurde mir eine Reihe von Fragen gestellt:

**Symptom schon länger da oder eben erst aufgetreten?**
Eben erst.
**Wird schlimmer bei Kopfbewegung?**
Ja!
**Verwirrung?**
Vermutlich.
**Verwaschene Aussprache?**
Bestimmt!
**Schwierigkeiten beim Gehen?**
Hallo? Ich hab mich eben ZWEIMAL auf die Fresse gelegt!
**Unregelmäßiger Herzschlag? Kurzatmigkeit? Angst?**

Ja. Ja. Ja. Ich ging auf ›Ursache finden‹, und dann sah ich meine Todesursache so groß vor mir wie ein Billboard in Hollywood: SCHLAGANFALL! Mir wurde heiß, und ich schwitzte. Der ganze Raum drehte sich. Und ich wusste, jetzt zählt jede Minute. Da bemerkte ich, dass Trisha in der Tür stand und mich in ihrem Nachthemd abschätzig ansah.

»Trish! Ich hab einen Schlaganfall! Wir müssen sofort ins Krankenhaus!«

»Lass mich raten: Mayo Clinic Symptom Checker?«

»Wie kommst du darauf?«

»Weil du vorgestern Ebola hattest und die Woche davor Cholera. Und meine Geburtstagsparty hast du wegen der Pest abgesagt.«

»Schweinegrippe war das, nicht Pest!« Ich hasste es, wenn Trish meine Krankheiten durcheinanderbrachte!

»Du bist betrunken, Sean. Gute Nacht. Und trink Wasser!«

»Okay …«

Es gelang mir, mich zu beruhigen und ich zapfte mir sogar ein wenig Wasser in ein Glas. Als ich jedoch einen Schluck davon nehmen wollte, war mein Hals wie zugeschnürt. Ich bekam einfach nichts runter! Ängstlich tippte ich ›Schluckbeschwerden‹ in den Symptom Checker und beantwortete die üblichen Fragen. Dann klickte ich auf ›Ursache finden‹ und hielt die Luft an. »Ohhhh meeeeeeiiin Goootttttt!!!«, japste ich und wusste, ich würde alles absagen müssen: das Abendessen mit den Andersons, den Mexiko-Urlaub und vermutlich auch Weihnachten. Wenn ich Weihnachten überhaupt noch erleben würde! Ich würde meine Eltern anrufen müssen, nicht dass sie voreilig Geschenke kauften, und zwar sofort. Ich fingerte nach meinem Handy und …

»Sean?« Ich zuckte zusammen und starrte zu Trish, die abermals genervt in der Tür stand.

»Was ist es JETZT, Sean?«
»RACHENKREBS!!!«
»Gute Nacht.«

Im Nachhinein muss ich Trisha natürlich dankbar sein, dass sie mich nicht ernst nahm (sie nahm mich nie ernst, was ein anderes Problem war, nur hier machte es halt ausnahmsweise mal Sinn). Natürlich fragte ich mich, woher meine andauernde Angst vor schlimmen Krankheiten wohl kam. Wasted Wayne meinte, meine Angst wäre ein unterdrückter Wunsch zu sterben, schließlich würde ich umso mehr Zeit mit Trisha verbringen, je länger ich lebte. Das war natürlich Unsinn: Trisha konnte ja auch vor mir sterben, in einem tragischen Autounfall zum Beispiel, am besten mit den Andersons und am allerbesten kurz vor dem nächsten Bierfest. Dr. Dotter sagte mir, dass neun von zehn Wikipedia-Artikeln zu Gesundheitsthemen fehlerhaft waren.[16] Ich konterte, dass diese Artikel für mich nicht relevant wären, weil ich stets nur die Artikel ohne Fehler las. Irgendwann gab er doch auf und meine Freunde auch, es brachte ja nichts mit mir. Stattdessen gingen die ersten Witze im Molly's um wie: »Sean geht's gut, er erfreut sich schlechtester Gesundheit!«

Heute weiß ich, dass ich gar nicht gesund sein wollte. Wäre ich nämlich gesund gewesen, hätte ich meine tatsächlichen Probleme angehen müssen: Schulden, Job und Trisha.

Wissen Sie, was mich schließlich geheilt hat? Nein, nicht die Trennung von Trish, das wäre zu billig. Ich wurde vorher geheilt, und der Grund war eine Störung meines unfähigen Internetproviders AT&T. Fünf verdammte Tage lang hatte ich weder Internet noch Telefon, und fernsehen konnte ich auch nicht. Triple-Play nennt sich so was. Und das in Kalifornien, dem Epizentrum der technischen Innovation! Ich konnte also

weder ›dunkle Flecken auf der Haut‹ googeln noch im Demenzforum nach meinem Passwort für das Schlaganfall-
Forum fragen. Ich tobte, ich rannte in den AT&T Store und
zahlte im Molly's jedem ein Bier, der mir kurz sein Smartphone lieh. Als ich endlich wieder online war, machte ich folgende Feststellung: Ich lebte.

Und das trotz Ebola, Vogelgrippe und SARS! Offensichtlich hatten sich die Krankheiten offline nicht weiterentwi-
ckeln können. In jedem Fall fühlte ich mich gut. So gut, dass
ich zu Dr. Dotter ging und ihm von meiner Heilung erzählte.
Ich ließ mich sogar untersuchen, mit dem Ergebnis, dass ich
für mein Alter und meinen Lebenswandel recht gesund war.
Doch Dr. Dotter blieb skeptisch und gab mir ein Merkblatt
mit, welches er eigens für mich erstellt hatte.

```
Dr. Dotter's Reality Check for Hypochondriacs
(Sean Brummel)
```

| Symptom: | Angst vor: | wahrscheinlicher: |
|---|---|---|
| Kopf-schmerzen | Gehirntumor | Kater |
| Husten | Lungenkrebs | Erkältung |
| Brust-schmerzen | Herzinfarkt | Sodbrennen |
| Rücken-schmerzen | Nierenversagen | Verspannung |
| Müdigkeit | Schilddrüsen-unterfunktion | zu wenig Schlaf |
| Harndrang | Diabetes | Free Til U Pee Nite |
| Fieber | Ebola | Klimaanlage aus |
| Durchfall | Cholera | mehr als sechs Bier |
| Atemnot | Lungenkollaps | zu enges T-Shirt |

Verstehen Sie, was ich Ihnen sagen möchte? Seit mich die unfähigen Tulpengesichter bei AT&T aus dem Internet geschmissen haben, weiß ich, dass die alten Griechen sich getäuscht haben und die Ursache für meine ganze Angst tatsächlich in Mountain View liegt. Wo sie natürlich gerne bleiben kann. Wenn auch Sie rasend schnelles Internet haben und sich viel zu viele Gedanken um Ihre Gesundheit machen, dann halten Sie sich bitte an folgende Ratschläge. Ich habe sie unter größter Sorgfalt zusammen mit Karen, Wayne und Barkeeperin Rebecca im Molly's entwickelt.

**Googeln Sie NIEMALS Ihre Symptome!**
Wenn Sie sich an Dr. Google wenden, sind Sie IMMER kranker als bei einem richtigen Arzt. Bedenken Sie: Jeder Idiot kann ins Internet, aber nur manche Ärzte sind Idioten. Grundregel: Jedes Symptom bringt Sie zu jeder Krankheit, und wenn Sie Pech haben noch auf Nerd-Seiten wie Yahoo! Answers oder WikiHow. Das Googeln von Symptomen ist eine so unfassbar schlechte Idee, dass das belgische Gesundheitsministerium sogar eine großangelegte Kampagne dagegen gestartet hat. Googeln Sie einfach mal ›don't google it‹!

**Vertrauen Sie Ihrem Körper!**
Ihr Körper ist Ihr Freund! Ihr bester Freund! Wenn er sich nicht so rührend um Sie kümmern würde, wären Sie nämlich gar nicht mehr da. Misstrauen Sie Ihrem besten Freund also nicht alle Nase lang. Behandeln Sie ihn lieber so, wie Sie Ihren besten Freund behandeln würden. Geben Sie ihm ein Bier, wenn er Durst hat. Braten Sie ihm ein Steak, wenn er Hunger hat. Und wenn er mal meckert, dann schauen Sie lächelnd darüber hinweg.

**Entspannen Sie sich!**

Wenn Sie in einem Flugzeug sitzen, bimmeln Sie dann alle paar Minuten panisch die Stewardess zu sich und fragen japsend: »Was war das denn eben für ein Geräusch? Was Schlimmes? Sterben wir?« Ich weiß, das tun Sie nicht. Sie steigen nämlich einfach ins Flugzeug, fragen, wie der Pilot heute so drauf ist, und kommen dann entspannt an Ihr Ziel. Sie wissen, Flugzeuge machen Geräusche, und diese Geräusche bedeuten vor allem eines: dass Sie fliegen. Warum machen Sie es mit Ihrem Körper nicht ganz genauso? Der macht schließlich auch dauernd Geräusche. Da grummelt es im Magen, es knackst der Fuß, es summt im Ohr – ja und? Körper machen nun mal Geräusche, und diese Geräusche bedeuten vor allem eines: dass Sie leben. Oder haben Sie jemals eine Leiche furzen hören?

**Haben Sie nicht ständig Angst!**

Ich weiß, dass sich das erst mal nach einem dämlichen Allerweltsratschlag anhört, aber da kennen Sie meine sensationelle Sei-Kein-Opfer-Und-Dreh-Den-Verdammten-Spieß-Schon-Im-Kopf-Rum-Übung noch nicht! Ich kam auf diese Übung, als Karen und ich weit nach Mitternacht den Paso Robles City Park durchqueren mussten, was Karen wegen der ein oder anderen zwielichtigen Gestalt immer ein wenig Angst machte. Da fragte ich sie: »Mensch, Karen, warum fühlst du dich denn schon als Opfer, obwohl noch gar nichts passiert ist? So was spüren die doch! Überleg mal, nicht nur DIE können DICH überfallen. DU kannst DIE genauso gut überfallen!«

Karen schaute mich kurz verwundert an und sagte »Klar! Stimmt!« Und dann lief sie erhobenen Hauptes und schnellen Schrittes auf eine Gruppe finster dreinblickender Kapuzenköpfe zu, zückte ihren Elektroschocker und brüllte: »Hey, ihr dummen Wichser! Kohle und Handys her, oder ich frittier euch die Scheiße ausm Hirn mit meinem Taser!«

Ich war recht beeindruckt. Karen erbeutete insgesamt zwei Samsung Galaxy S6, ein iPhone 5 und 311 Dollar. Die Typen haben wir übrigens nie wiedergesehen im City Park, und das, obwohl wir dem demütig zitternden Pack die Kohle und Smartphones sofort zurückgegeben haben.

## ☆ SAG'S NOCH MAL, SEAN! ☆

☑ Sie haben kein Ebola, Ihnen ist einfach
  nur heiß.
☑ Jeder Idiot kann googeln, aber nur manche
  Ärzte sind Idioten.
☑ Behandeln Sie Ihren Körper wie Ihren
  besten Freund! (Burger, Bier, Lächeln bei
  Kritik)
☑ Schmerzen und Geräusche bedeuten vor allem
  eines: dass Sie leben.
☑ Googeln Sie NIEMALS Symptome. Nutzen Sie
  Yahoo.

Und, wie schaut's aus? Meinen Sie immer noch,
dass Sie was haben müssen? Super. Wenn Sie
sich nach diesem Kapitel besser fühlen als
davor, unterschreiben Sie bitte hier:

Ich, _____, muss irgendwas haben?
Einen Scheiß muss ich!

# Ich muss das Bett mit meinem Partner teilen

## Warum geteiltes Bett doppeltes Leid ist und Sie alleine viel besser schlafen

*»Lache und die Welt lacht mit dir, schnarche und du schläfst alleine.«*

ANTHONY BURGESS, THEORETIKER

Wenn es um Schlaf geht, kenne ich eigentlich nur zwei Gruppen von Leuten: die, die gut schlafen, und die, die sich ständig Gedanken darüber machen. Als ich noch mit Trisha verheiratet war, Sport machte und einen Job hatte, gehörte ich zur zweiten Gruppe – ich war der ›King of Insomnia‹, der König der Schlafgestörten!

Egal wie müde ich war, kaum hatte ich meinen Kopf ins Kissen gepresst, kreisten meine Gedanken wie Polizeihelikopter über Los Angeles. Was, wenn mein hässlicher Boss den letzten 60-Zoll-Panasonic verkaufen wollte und herausfand, dass ich mir ein Bett aus dem Karton gebaut hatte? Was, wenn das Molly McGregor's pleiteging und zu einem Veggie-Restaurant wurde? Was, wenn die Demokratie am Ende des Tages doch nicht die richtige Staatsform für den arabischen Raum war? Es gab kein Problem der Welt, auf das ich nicht gekommen wäre in meinem Bett, dabei lag das tatsächliche direkt neben mir. Und je näher der Morgen kam, desto mehr ärgerte ich mich über mich selbst, und immer wieder sagte ich den schlimmsten Satz, den man dann sagen kann: »Aber jetzt muss ich echt mal schlafen!«

## *Was man alles falsch machen kann, während man schläft*

Die tausend Gedanken waren das eine Problem, das andere war natürlich meine zukünftige Exfrau Trisha. Doch damals konnte ich mir das nicht eingestehen, denn wie pervers und wider die Natur wären denn getrennte Schlafzimmer? Wurde man da nicht sofort verhaftet? Nun, vielleicht wäre das ja gar nicht so schlecht gewesen, denn wie Sie wissen, schlief ich während meiner Nacht im Knast durch. Ohne Trisha. O ja, es war schlimm: Ständig zog sie an der Decke mit der Begründung, ich hätte mir zu viel davon gemopst, außerdem schlief sie jeden zweiten Abend über ihrem Esoterik-Buch ein und ließ das Leselicht an. Knipste ich es aus, wurde sie wach und rief: »Sean! Ich lese!«

Wenn ich großes Pech hatte, wollte sie vor dem Lesen sogar noch ihre kalten Füße an meinen aufwärmen. War ich dann tatsächlich mal eingeschlafen, zwickte sie mich wieder wach und sagte Sachen wie: »Du atmest auf mich drauf!«, »Du liegst in meiner Hälfte« oder »Du schnarchst!«

Bald schon hatte ich regelrecht Angst vor der Nacht neben meiner Frau, denn sobald ich eingeschlafen war, fing ich an zu schnarchen, und dann wurde ich gezwickt. Ich fand das unfair, aber aus Trishas Sicht war ich die Person, die etwas falsch machte und musste mit Hilfe der Schnarch-Zwickung darauf hingewiesen werden, da war es ganz egal, dass ich der Meinung war, dass ein Mensch gar nichts falsch machen konnte, wenn er schläft. Genauso sagte ich es auch Trisha, und sie entgegnete, wenn ich dieser Mensch sei, dann halt schon: »DU schnarchst und ich nicht, also bin ICH das Opfer!«

Um mir die Angst vor dem Einschlafen zu nehmen, einigten wir uns schließlich darauf, dass Trisha mich nicht mehr zwicken, sondern streicheln sollte, wenn sie etwas störte. Was sich erst mal ganz vernünftig anhörte, dann aber leider noch schlimmer war, denn nun erschrak ich zu Tode, weil ich dachte, Trisha wollte Sex mit mir.

## Schlaf ist keine Leistung

Ich bat Trisha also, mich in Zukunft wieder zu zwicken, und überlegte, wie ich es sonst schaffen könnte, besser zu schlafen. Wahnsinn, oder? Als wäre Schlaf eine Leistung! Ich bekam viele Tipps zu meinem Problem, sogar vom Problem selbst. Trisha meinte nämlich, das Beste wäre es, wenn ich erst dann ins Bett ginge, wenn sie schon schlief. Erst war ich froh und dachte »Immerhin, sie kümmert sich ...«. Als ich aber das dritte Mal mit dem Kopf auf dem Esstisch aufwachte und sie friedlich schlummernd im Ehebett vorfand, merkte ich, dass das gar kein Tipp für mich war, sondern einer für sie.

Sogar Wasted Wayne machte sich Sorgen. Er sagte, Schlaf sei unfassbar wichtig für die Gesundheit und riet mir, am Abend einfach zwei Valium mit einer Flasche billigem Rotwein runterzuspülen sowie ein paar Joints zu rauchen. Ich sagte ihm, dass ich schlafen wolle und nicht sterben. Und offenbar hatte auch mein Nachbar Joe Anderson mitbekommen, wie ich nachts durchs Haus wanderte. Jedenfalls erzählte er mir ungefragt von seinem Trick gegen Schlafstörungen: »Bei mir ist das so, Sean: Wenn ich einschlafen will, gehe ich einfach noch einmal meinen kompletten Tag im Kopf durch. Wie ich aufgestanden bin, mir die Zähne geputzt habe, geduscht und mich angezogen habe. Wie ich meine Cornflakes zum Frühstücksfernsehen gefuttert habe und in den Wagen zur Arbeit gestiegen bin.«

»Und?«, fragte ich, »das klappt?«

»Absolut. Weißt du, Sean, mein Leben ist so langweilig, meistens bin ich schon eingeschlafen, bevor ich in mein Auto steige.«

Leider war mein Leben gar nicht langweilig. Es war frustrierend, und genau deswegen klappte Joe's Trick bei mir auch nicht. Noch bevor ich mir überhaupt vorstellen konnte, wie ich zur Arbeit fuhr, rissen meine Fingernägel schon lange Furchen ins Bettzeug. Selbst meiner Mutter fielen irgendwann die dunklen Ringe unter meinen Augen auf. Sie sagte, ich solle mal versuchen, nichts Belastendes mit ins Bett zu nehmen. Das war natürlich lieb gemeint, aber wie hätte ich Trisha verklickern sollen, dass sie ab sofort auf der Couch schläft?

Natürlich las ich jede Menge Tipps auf naseweisen Gesundheits-Webseiten. Es waren die Tipps, die wir alle kennen: Es soll dunkel sein im Schlafzimmer, nicht zu warm und nicht zu laut. Dann soll man elektrische Geräte ausschalten, Haustiere rausschicken und nichts Schweres essen oder gar Anregendes trinken vor dem Schlafengehen. Wie bescheuert müssen wir sein? Als würden wir alle kurz vor Mitternacht noch ein Kilo Spareribs mit Red Bull runterspülen, Fernseher, Heizung und alle Lichter einschalten und uns dann mit dem Kampfhund ins Bett setzen. Leute!

Ich begann Schlaftabletten zu nehmen. Damit schlief ich zwar, aber offensichtlich nicht nur im Bett. Eines Morgens entdeckte Trisha meine Zahnabdrücke auf der Folie einer Tiefkühlpizza. Ein anderes Mal postete ich um 4 Uhr 23 auf

Facebook »Auf die Fresse gefallen, nix passiert!« und hängte ein verwackeltes Foto unserer Treppe an.

Als Trisha mir nach einer Schlaftabletten-Nacht glaubwürdig erzählte, dass ich nachts mehrfach versucht hatte, Sex mit ihr zu haben, war ich so entsetzt, dass ich Dr. Dotter anrief. Hatte ich durch die Tabletten vielleicht so etwas wie ein ›Restless Dick Syndrom‹?

Dr. Dotter meinte, dass er von einem Restless Dick Syndrom noch nie gehört hätte, und riet mir, die Schlaftabletten abzusetzen. Also hielt ich mich wieder an Bier. Viel Bier. Unfassbar viel Bier. Damit schlief ich zwar wie ein Sandsack, nur leider musste ich mitten in der Nacht raus und weckte Trisha. Ich wechselte zu Wein. Das Ergebnis: Nun wachte ich mitten in der Nacht auf, und zwar grundlos, denn ich musste ja nicht mal pinkeln. Ich probierte es mit härteren Sachen, und eines Nachts googelte ich bei einem White Russian »Aufwachen durch Alkohol«. Auf einer renommierten bulgarischen Webseite stand, dass Alkohol das Einschlafen zwar beschleunigt, aber eben auch zu Wachzuständen führt, und zwar genau dann, wenn der Alkohol abgebaut ist! Was das hieß, war klar: Wenn ich mitten in der Nacht aufwachte, dann hatte ich einfach nicht genug gesoffen!

### Meine ultimative Schlaf-Formel

Ich war so begeistert, dass ich sofort Wasted Wayne anrief, doch der schien sich gerade zwei Valium mit einer Flasche billigem Rotwein heruntergespült zu haben und ging nicht ran. Schon am nächsten Tag machte ich mich unter dem kritischen Blick meiner zukünftigen Ex-Frau daran, auszutesten, wie viel exakt man trinken musste, um die gewünschte Menge Schlaf zu bekommen.

Es dauerte ein paar Abende, und es gab das ein oder andere Wortgefecht mit Trisha, aber schließlich konnte ich meine Erfahrungen auf eine simple Formel reduzieren:

```
  Schlafstunden gewünscht
+ Stunden bis zum Schlafen
= Anzahl der Drinks
```

Ein Beispiel: Wenn Sie insgesamt acht Stunden schlafen möchten und in vier Stunden ins Bett wollen, addieren Sie einfach 8 und 4 und erhalten 12! Ist das nicht phantastisch? Mit nur zwölf köstlichen alkoholischen Getränken, also z. B. einem Glas Sekt, neun Bier und zwei Gin Tonic schlafen Sie endlich wieder durch! Die Ehefrauen führender Internisten können das jederzeit bestätigen. Meine Alkohol-Durchschlaf-Wochen waren jedenfalls ebenso spaßig wie wirkungsvoll, allerdings war ich nicht mehr oft in der Lage, die Zusammenfassung des NBA-Spieltages unter der Decke bis zum Schluss zu verfolgen, und dann hatte die Sache einen weiteren, klitzekleinen Haken. So kam es immer öfter vor, dass ich komplexere Aufgaben wie Aufstehen, Fernseher ausschalten oder den Nachbarn grüßen entweder gar nicht oder nur unter größter Kraftanstrengung angehen konnte. Trisha hatte sich inzwischen Ohrstöpsel gekauft gegen das Schnarchen. Als ich jedoch bemerkte, dass sie die nicht nur zum Schlafen trug, sondern immer dann, wenn ich in der Nähe war, fuhr ich meinen Alkoholkonsum radikal zurück.

## *Ich träumte Rezensionen*

Sie ahnen es: Ich schlief sofort so beschissen wie vor meiner bulgarischen Zauberformel. Na ja, um ehrlich zu sein, schlief ich sogar noch beschissener, und bald ging ich mit so viel Druck ins Bett, als würde jede meiner Nächte bei Amazon bewertet. Überlegen Sie mal – ich war damals noch gar kein Autor, träumte aber schon Rezensionen! Über meinen Schlaf!

**\* das war ja wohl nix**
**Rezension bezieht sich auf: Seans Schlaf, 11. 9. 14**
**Von: STEPHAN M.**
Bin so ein Brummel-Fan gewesen, aber diese Nacht hat mich ganz und gar nicht überzeugt. Unambitioniertes Herumgewälze, Licht an und wieder aus, hektisches Smartphone-Getippe... da hat sich Brummel keinen Gefallen getan!

**\* oberflächlich, die Zeit nicht wert**
**Rezension bezieht sich auf: Seans Schlaf, 14. 9. 14**
**Von: WULFBERGER**
Was ist nur mit Brummel los? Bin maßlos enttäuscht von der Nacht!
Der Tiefpunkt wird erreicht, als Brummel das zweite Mal aufs Klo geht, sich dann aber nur die Nase putzt. Arme Trish! Wirklich schade!

**\* mit Abstand die schlechteste Nacht ever!!!**
**Rezension bezieht sich auf: Seans Schlaf, 17. 9. 14**
**Von: M. BARTH**
Hab mir alle bisherigen Brummel-Nächte reingezogen, aber das war definitiv das letzte Mal! Habe mich bis zum Morgengrauen durchgekämpft in der Hoffnung, dass es irgendwann noch besser wird... Definitiv mein letzter Brummel!

Dreimal nur einen Stern für die letzte Nacht! Als ob ich nicht selber wüsste, dass ich scheiße geschlafen habe! Ich war am Ende. Gott sei Dank war es meine Ehe auch, und – um die Sache zeitlich einzuordnen für Sie – die letzte Rezension träumte ich exakt eine Woche, bevor Trisha mich verließ.

Plötzlich war ich – alleine. Die erste einsame Nacht im gemeinsamen Bett werde ich so schnell nicht vergessen. Ich schlief fast so gut wie in der Ausnüchterungszelle!

Niemand stahl mir die Decke, niemand wollte seine eiskalten Füße an mir aufwärmen, und ich fühlte mich nicht mal schuldig, als ich zum Pinkeln rausmusste. Es herrschte Frieden zwischen den Laken! So viel Platz, so viel Ruhe, so wenig Frau!

## Ein klarer Verstoß gegen die Genfer Konvention

Ich las noch einmal all die Tipps zum besseren Schlafen. Und jetzt halten Sie sich fest: In keinem einzigen Artikel zum Thema besseres Schlafen wurde erwähnt, dass meistens der Partner die Schlafstörung ist! Die Matratze, der Alkohol, mangelnde Bewegung, schweres Essen, das Licht, die Temperatur, ja sogar die bucklige Hauskatze wurden ausgemacht, nur eben der Partner nicht. Der Partner war offenbar tabu. Aber warum? War dies eine Verschwörung von Ur-Christen, die die Ehe schützen wollten? Eine Verschwörung, die bis in die Redaktionsräume von *Men's Health* und *American Woman* reichte? Oder ging man einfach nur stillschweigend davon aus, dass ein normaler Mensch in jedem Fall schläft, wenn man sich ganz, ganz eng an seinen geliebten Partner schmiegt? Also für mich ist Schlafentzug Folter, und da läge ich gar nicht so falsch, denn das stünde sogar in der Genfer Konvention, hat Karen gesagt. Hatte also meine Ex-Frau gegen die Genfer Konvention verstoßen? Eine Frage, die ich in jedem Fall noch mit meinem Anwalt besprechen muss.

Und heute? Sie glauben mir sicher, wie glücklich ich darüber bin, dass Karen und ich nicht nur getrennte Schlafzimmer haben, sondern sogar getrennte Wohnungen. Also zumindest meistens. Nur weil man jemanden liebt, muss man doch nicht jeden Morgen so aussehen, als hätte einen gerade die CIA aus einem schwarzen Van geworfen. Das sehen auch führende Schlaf- und Beziehungsforscher so, neueste Studien beweisen nämlich, dass die meisten von uns besser schlafen, wenn keiner neben ihnen liegt.[17]

*»Das mag ja alles sein, aber man schläft doch nicht nur im Bett – was ist mit Kuscheln, was ist mit Sex?«*

Sicherlich waren Sie in Ihrem Leben noch auf keiner einzigen Pornoseite und ich natürlich auch nicht, aber was ich mir hab sagen lassen, ist: Es gibt da unfassbar viele Kategorien, nur eine gibt es nicht: »Sex im Bett.« Wenn Sie Angst haben, bei getrennten Betten keinen Sex mehr zu haben, dann fragen Sie doch einfach mal den Sitcom-Star Charlie Sheen, immerhin hat der eine ganze Weile mit gleich zwei scharfen Pornostars unter einem Dach gelebt. Und jetzt raten Sie mal, was die drei Spießer hatten, also außer schmutzigem Sex in jeder nur erdenklichen Position? Richtig: getrennte Betten!

## ☆ SAG'S NOCH MAL, SEAN! ☆

☑ Nehmen Sie nichts Belastendes mit ins
Bett: Schlafen Sie getrennt!

☑ Nur weil man jemanden liebt, muss man doch
nicht jeden Morgen so aussehen, als wäre
man gerade gefoltert worden.

☑ Sich das Bett zu teilen verstößt gegen die
Genfer Konvention.

☑ Keine Pornoseite der Welt hat die
Kategorie »Sex im Bett«.

☑ Wenn Sie mitten in der Nacht aufwachen,
haben Sie einfach nicht genug gesoffen.

Eine Unterschrift bräuchte ich noch von Ihnen,
wenn Sie zufällig wach sind.

Ich, _____, muss das Bett nicht
mit meinem Partner teilen!

# Ernährung

*Von ökotrunkenen Gemüsesalafisten,
unfassbar alten Kubanern und Veganern,
die nicht bremsen dürfen*

Wir leben in einer Zeit, in der über Ernährung ebenso hitzig diskutiert wird, wie früher über Sex. Der Unterschied ist: Damals konnten wir essen, was wir wollten, aber wenn wir den oder die Falsche vögelten, waren wir gesellschaftlich am Arsch. Heute können wir vögeln, wen wir wollen, aber wenn wir das Falsche essen, werden wir von schnappatmenden Gemüse-Gurus als stumpfe Allesfresser verachtet. Was zum Teufel ist passiert? Ganz einfach:

## Essen ist das neue Vögeln

Mehr noch – für manche ist Essen sogar zu einer Art Religion geworden, zumindest glauben sie ganz doll, dass es ein Leben nach der Kürbis-Ingwer-Suppe gibt. Warum auch nicht – richtig essen ist ja auch viel praktischer als eine Religion,

schließlich ist man selbst das Küchenoberhaupt und darf entscheiden, was dem erleuchteten Körper gespendet werden
darf. Seltsamerweise ist es nie ein Bacon-Cheeseburger. Genau das aber ist das Problem, denn nicht selten fühlen sich
frisch erleuchtete Besseresser in Ernährungsfragen haushoch
überlegen. Meist kann man diese Überlegenheit sogar spüren,
in meinen Seminaren nenne ich diesen Effekt gerne die Au-
berginen-Aura.

So löst die bloße Anwesenheit eines Veganers bei mir das
gleiche beklemmende Gefühl aus wie ein Salafist auf dem
Nachbarsitz im Flugzeug. Keiner von beiden braucht was zu
sagen, damit ich mich mies fühle. Es genügt der mahnende
Blick des Veganers auf mein Hacksteak und der des Salafisten
auf meinen *Playboy*. Der stumme Vorwurf lautet beim Veganer: »Das arme Schwein!« Und beim Salafisten: »Du armes
Schwein!« Was beide Gruppen leider so gar nicht auf ihrem
beschlagenen Gesinnungsvisier haben: Ich wurde bereits erzogen! Von meinen eigenen Eltern! Und schauen Sie nur, was
aus mir geworden ist! Genau darum geht es auf den folgenden Seiten: nachzuhaken, ob wir wirklich die Welt retten,
wenn wir stets das essen, was ökologisch korrekt zu sein
scheint, oder ob wir vielleicht das genaue Gegenteil tun.

Daher sage ich, Sean Brummel: Es ist höchste Zeit, selbst-
gefälligen Esstremisten ein paar Hackklöpse vor den fair pro-
duzierten Latz zu werfen. Wollen wir doch mal sehen, wer
von uns hier die Essstörung hat.

### Kein Fleisch, kein Gluten, keine Ahnung

Kein Fleisch, kein Alkohol, keine Laktose, kein Gluten, kein
Aluminium, keine gute Laune, die Liste ist endlos. Immer
mehr verwirrte Individuen suchen ihr Glück in gesunder Er-

nährung, Diäten und Veganismus. Ehe sie sich versehen, sind sie dann Mitglied einer militanten Ernährungssekte wie z. B. der Steinzeitdiät. Aber warum?

Nun, fast immer liegt einer solchen Entscheidung ein einschneidendes Erlebnis zugrunde wie z. B. eine Scheidung, Führerscheinverlust oder der Anblick eines putzig tollenden Lamms auf der grünen Wiese. Aber so ist das halt mit Sekten, die Schwächsten sind die leichteste Beute! All das wissen wir Allesfresser natürlich, und doch bleibt beim Verzehr eines konventionellen Burgers manchmal ein schaler Zweifel. Haben die Sekten-Esser vielleicht doch recht und müssen wir ihnen nachfolgen? Müssen auch wir uns besser ernähren, abnehmen und das mit dem Veganessen demnächst unbedingt auch mal probieren? Oder doch lieber Clean Eating, Rohkost, Paleo, die Steinzeitdiät? Sie kennen die Antwort, sonst hätten Sie dieses Buch nicht in der Hand: Einen Scheiß müssen wir! Und warum das so ist, erfahren Sie jetzt.

# Ich muss mich besser ernähren!

## Echt? Warum gesunde Ernährung krank und einsam macht

*»Es gibt zwei Dinge, die ein Bundy nicht tut:*
*Wir essen kein Gemüse, und wir klopfen nicht an.«*
AL BUNDY, PHILOSOPH UND SCHUHVERKÄUFER

Wenn Sie erlauben, möchte ich gerne mit einer einfachen Frage beginnen: Was würden Sie von einem Restaurant halten, in dem Sie eine leckere Salami-Pizza mit extra Käse bestellen, stattdessen aber einen faden Rohkostteller serviert bekommen? Von einem arroganten Kellner, mit der Begründung, er wüsste schon, was er täte!?

»Eine Frechheit!«, würden Sie sagen und: »Da gehe ich nie wieder hin!«

Verstehe. Nur leider müssen Sie da wieder hingehen, dieses Restaurant ist nämlich das einzige, das es weit und breit gibt. Was? Dann würden Sie sich einen anderen Kellner winken, sagen Sie? Das geht leider auch nicht, weil Ihr Kellner nämlich der einzige Kellner ist, der in diesem Restaurant arbeitet, und das seit Jahrzehnten, jeden Tag. »Trotzdem ein Idiot!«, sagen Sie, »wenn er was anderes bringt, als ich will!«

Da haben Sie natürlich recht, aber vielleicht haben Sie ja mehr Verständnis für diesen Kerl, wenn Sie sich fragen, ob Sie selbst nicht auch schon mal was anderes gegessen haben als das, worauf Sie tatsächlich Lust hatten. Weil Sie glaubten, Sie wüssten es besser. Nein? Denken Sie noch mal nach, bitte.

Haben Sie noch nie einen Salat gegessen, obwohl Sie so richtig Appetit auf Steak und Fritten hatten? Oder eine aspartamverseuchte Industrielimonade getrunken, obwohl Ihr Körper ein taufrisches Bier aus der Region bestellt hat? Dann wissen Sie ja jetzt, worauf ich hinaus will: Der arrogante Kellner, über den Sie sich eben noch aufgeregt haben, der sind Sie!

### Sie sind der Kellner Ihres Körpers

Und entsprechend fühlt er sich, wenn Sie mal wieder einfach so seine Essensbestellungen ignorieren, nur weil gerade Low Carb, Grünkohl oder die Dukan-Diät angesagt ist. Im Gegensatz zu Ihnen kann Ihr Körper nämlich in kein anderes Restaurant gehen, er ist Ihnen auf Gedeih und Verderb ausgeliefert.

*»Okay Sean, aber woher weiß ich denn, was mein Körper bestellt hat?«*

Nun, das ist unfassbar einfach: Ihr Körper bestellt immer das, worauf Sie am meisten Lust haben. Wissenschaftler von Weltruf sprechen hier von »somatischer Intelligenz«. Somatische, also körpereigene Intelligenz, heißt im Grunde genommen nichts anderes, als dass Ihr Körper am besten weiß, welche Nährstoffe er gerade braucht und in welcher Zubereitungsform, und Ihnen diese Bestellung in der Regel auch mitteilt. Ob Sie seine Bestellung auch hören, hängt davon ab, wie laut die Nachbartische sind. An diesen Tischen sitzen schnatternde Food-Blogger, Coke-Zero-Models und Triathleten, und wenn Sie ganz viel Pech haben, läuft im Fernseher noch eine vegane Kochshow. In einem solchen Fall halten Sie sich einfach die Ohren zu und hören Sie stattdessen tief in sich hinein. Je öfter Sie das tun, desto lauter und deutlicher hören Sie die verzweifelten Schreie Ihres Körpers, also z. B.: »Häagen Dazs! Pommes! Cola!«

Somatische Intelligenz ist der Grund dafür, dass Schwangere plötzlich Erdbeeren in sich hineinstopfen und Betrunkene um drei Uhr früh in eine schmierige Fast-Food-Kette taumeln auf der Suche nach Fett, Salz und Glück. Die meisten folgen zu diesen Uhrzeiten den Rufen ihres Körpers, aber, ob Sie es glauben oder nicht, sogar sternhagelvoll schaffen es einige Enthaltsamkeitsopfer noch, ihrem Körper seine Wünsche zu verwehren. Da schreit Ihr Körper »Friiittttten!«, und Sie sagen mit nachhaltig bedeckter Stimme: »Sorry, aber nach 20 Uhr esse ich grundsätzlich nichts mehr.« Ahnen Sie, wie arrogant und unfair Sie sich in einem solchen Moment Ihrem Organismus gegenüber verhalten? Also hören Sie besser auf ihn, denn wenn er »Pinkeln!« schreit, dann meint er auch »Pinkeln!«, und dann sagen Sie ja auch nicht: »Sorry, aber nach 20 Uhr pinkel ich grundsätzlich nicht mehr.«

## Spiegeleier aus Respekt vor sich selbst

Ich gebe es an dieser Stelle gerne zu: Ich hab früher auch nicht wirklich auf meinen Körper gehört, aber jetzt schäme ich mich dafür. Ich schäme mich für all die nicht aufgegessenen Eisbecher, angebissenen Big Macs und leichtfertig bestellten Light-Biere. Da sagte mir mein eigener Körper: »Hey Sean, das Eis ist wirklich unfassbar lecker, iss es bitte auf!« – und was hab ich gemacht? Den Becher zurück ins Eisfach gequetscht. Heute weiß ich, dass ich mir selbst gegenüber respektloser und arroganter nicht hätte sein können. Ich war ein somatischer Idiot.

Heute weiß ich es Gott sei Dank besser. Ich esse drei Spiegeleier mit Speck, schaue Frühstücksfernsehen, und sollte ich während der Werbung Lust auf einen Nutella-Toast bekommen, dann mach ich mir einen. Wenn nicht, dann lasse ich es. Unvernünftig? Nein. Ich habe ganz einfach Respekt vor den Wünschen meines Körpers.

Wenn Sie also das nächste Mal was Leckeres sehen, dann gehen Sie diesem ersten Gefühl nach, und verkneifen Sie es sich nicht! Denn wenn Sie was lecker finden, dann hat das schon seinen Grund. Sie sind der Kellner Ihres Körpers! Wenn er also noch heute Fritten mit Mayo bei Ihnen bestellt, zwei Bier und ein Erdnussbutter-Eis, dann bringen Sie's ihm gefälligst! Sie wollen doch nicht krank werden, oder?

## Gesunde Ernährung macht einsam und krank

Zahlreiche Studien renommierter Wissenschaftler beweisen: Wer sich zu sehr damit beschäftigt, sich gesund zu ernähren, der setzt seine Gesundheit aufs Spiel! Orthorexie nennt man diese Essstörung. Oft fällt sie erst dann auf, wenn Ihr Einkauf plötzlich vier Stunden dauert, weil Sie die meiste Zeit mit dem Lesen von Etiketten verbringen. Auch wenn es sich erst mal paradox anhört, aber so sinnvoll der Wunsch nach gesunder Ernährung auf den ersten Blick sein mag, so schnell kann er ins Gegenteil umschlagen. So sind die Folgen zwanghaft gesunden Essens oftmals ein dramatischer Verlust an Lebensqualität, soziale Isolation und schwerste Gesundheitsschäden. So wie bei meinem guten Freund Angry Aaron, der mich eines sonnigen Sonntagnachmittags mit zitternder Stimme anrief und bat, ihn sofort in eine Klinik für Essstörungen zu fahren.

»Warum fährst du nicht selbst hin«, scherzte ich noch, »kriegst du die Autotür nicht mehr auf?«

»Nein«, fiepte es zurück, »der Schlüssel is zu schwer …!«

## *Die traurige Geschichte von Angry Aaron*

Das letzte Mal hatte ich Aaron vor gut einem halben Jahr auf der Geburtstagsparty von Wasted Wayne gesehen, kurz nachdem Tiny Tina ihn verlassen hatte. Ich war mir damals sicher, dass Aaron sich wegen der Trennung so richtig besaufen würde, aber es kam anders. Statt seine Lebenskrise mit altbewährten Strategien wie reichlich Alkohol, Sex mit Fremden und vorübergehender Verwahrlosung zu bewältigen, ließ er sich auf ein ebenso einfallsloses wie waghalsiges Experiment ein: gesunde Ernährung! Was sich normale Menschen nur schwer vorstellen können, sah an jenem Abend so aus: Der sonst so trinkfeste Aaron rührte keinen Tropfen Alkohol an und mied das Buffet, als sei es eine mexikanische Sondermülldeponie. Warum? Nun, die Hamburger enthielten Fleisch (Gott sei Dank), die Brötchen Weizen (ja, Brötchen halt) und die Donuts Industriezucker (na so was). Karens phantastischen Nudelsalat konnte Aaron nicht essen, weil Käse drin war und die Chips nicht wegen der Geschmacksverstärker. Alkohol bezeichnete er jetzt als Zellgift, das die Persönlichkeit veränderte. Da hatte Aaron recht: seit er keinen Alkohol mehr trank, war er zu einem paranoiden Kauz mutiert. Wir behandelten Aaron dennoch mit Respekt, er war ja immer noch unser Freund.

»'ne Cola vielleicht, Aaron?«, fragte ich.

»Sorry, aber da ist Glucose-Fructose-Sirup drin.«

»Wir haben auch 'ne Zero!«, bot Karen an.

»Zuviel Aspartam, is' krebsfördernd.«

»Dann ein Glas Wasser vielleicht?« Ich reichte ihm eine Plastikflasche *Arrowhead*.

»Oh … Plastik. Is schlecht wegen Bisphenol-A.«

»Und das macht was?«, fragte Wasted Wayne genervt.

»Titten!«

»Na, is doch super für dich, jetzt wo Tina weg ist!«, lachte Wayne, doch Aaron fand das gar nicht komisch und deutete auf den Wasserhahn.

»Habt ihr denn Umkehr-Osmose?«

»Nee, aber drei Minuten von hier ist der Fluss!«, sagte ich.

»Jetzt mal ehrlich, du gehörst doch in die Klinik!«, schimpfte Wayne, während er sich rauchend einen Gin Tonic mischte.

»Und ihr bringt euch noch um mit der ganzen Scheiße, die ihr fresst und sauft!«, tobte Aaron, »informiert euch mal!« Dann tippte er auf sein Fitnessarmband, stieg auf sein brandneues Carbon-Sportrad und raste davon. Zum Fluss, dachten alle. Zwanzig Minuten später konnten wir dann allerdings bei Facebook sehen, dass Aaron zu Hause war, 231 Kalorien verbrannt hatte und gerade »Owner of a Lonely Heart« bei Spotify hörte. Wie gesagt, das war das letzte Mal, dass ich Aaron gesehen hatte.

Umso entsetzter war ich, als ich Aaron an jenem Sonntag wiedertraf. Fast hätte ich ihn nicht erkannt, so abgemagert war er. Das Gesicht eingefallen mit dunklen Augenringen, die Haltung geduckt, der Blick so hektisch, als verfolge er den Flug einer Wespe. Ich versuchte ihn zu umarmen, aber er war so dünn, dass meine Hände meine eigenen Schultern berührten. Aaron sammelte Kraft, um einen Satz zu formen, doch es kam nichts. Also hievte ich das schlotternde Nichts auf meinen Beifahrersitz und gab ihm einen Mars-Riegel. Ich war entsetzt. Klar wusste ich, was passieren konnte, wenn man sich zu gesund ernährt, aber dass gesunde Ernährung einen Menschen schlimmer zurichten konnte als Crystal Meth oder Heroin, das überraschte mich doch. Und wenn es einen Freund trifft, ist es natürlich doppelt schlimm.

Nach ein paar Bissen formte Aaron die ersten Worte.

»Ich war Umbrarier …«, gestand er leise.

»Kenn ich nicht, ist das schlimmer als Veganer?«

»Lies!« Mit bleichem Gesicht reichte mir Aaron folgende Liste.

```
Abwärtsspirale menschlicher Ernährung
nach Dr. Dotter

    Omnivor        Isst alles worauf er Lust hat,
                   also auch Fleisch.

    Flexitarier    Isst Fleisch, aber auch mal
                   vegetarisch oder vegan, aber
                   halt nur, wenn er Lust hat
                   (somatische Intelligenz)

    Pescetarier    Isst kein Fleisch, dafür aber
                   Fisch, sonst Pflanzliches

    Vegetarier     Isst weder Fleisch noch Fisch,
                   aber Produkte tierischer Her-
                   kunft wie Milch, Käse, Eier,
                   Honig

    Veganer        Isst keinerlei tierische Pro-
                   dukte (außer B12-Pillen)

    Frutarier      Isst nur das, was die Natur
                   freiwillig hergibt
                   (Fallobst, Nüsse, Kürbisse aus
                   Windwurf)

    Fructo-        Isst nur Pflanzen, die keinen
    Umbrarier      Schatten werfen
                   (weißer Spargel, Kartoffeln,
                   Trüffel)

    Umbrarier        Isst nur den Schatten
```

»O mein Gott, Umbrarier!«, sagte ich und parkte den Wagen vor der Klinik, »wenn du wenigstens den Schatten von Rindern gegessen hättest!« Doch Aaron war schon zu schwach, um zu antworten.

Aaron verbrachte insgesamt vier Wochen im Central Coast Treatment Center, wo er in einer gemischten Gruppe lernte, richtige Lebensmittel wie Burger, Wagenrad-Bacon-Pizza mit Käserand und 16-Ounce-T-Bone-Steaks zu essen. Bald schon fand Aaron zu seinem normalen Übergewicht zurück, und auch seine Blutwerte waren nach kurzer Zeit wieder so beschissen wie die eines durchschnittlichen US-Bürgers. Wir waren erleichtert – er auch. Aaron war wieder er selbst und ein wertvoller Teil unserer Gesellschaft.

Wenn auch Sie Freunde wie Aaron haben, helfen Sie bitte nicht erst, wenn es zu spät ist. Schlagen Sie Ihren Liebsten den Dinkel-Riegel aus der Hand, kippen Sie die Pastinaken-Kürbissuppe auf den Boden und husten Sie ins glutenfreie Dinkelbier – irgendwann wird man es Ihnen danken, denn je dogmatischer sich jemand ernährt, desto größer ist die Gefahr der Unterversorgung, sagen auch Ernährungsexperten von Weltruf.[18]

Es gibt einfach ziemlich viele Dinge, die unserem Körper mehr bringen als ein kleines Plus an Nährstoffen. Was glauben Sie, wirkt sich positiver auf unser Wohlbefinden aus: ein sinnloser Lachanfall unter Freunden nach dem siebten Gin Tonic oder der einsame Verzehr eines fair gehandelten Bio-Apfels? Richtig. Mit Ihrer Erlaubnis möchte ich aber gerne noch einen Schritt weitergehen. Ich sage nicht »Gesunde Ernährung ist gar nicht so wichtig«, ich sage:

## *Alles ist wichtiger als gesunde Ernährung*

Es gibt dabei nur zwei Ausnahmen für mich. Die erste: wir essen gerade. Die zweite: wir haben nichts zu essen. Sonst ist alles wichtiger als gesunde Ernährung. Wenn Sie mir nicht glauben, dann fliegen Sie mal nach Kuba, ich darf leider noch nicht, weil ich Amerikaner bin. Deutsche Freunde von mir waren aber dort und berichteten, dass sie in ihrem ganzen Leben noch nicht so beschissen gegessen hätten. Drei Wochen lang gab es Reis mit Bohnen, Bohnen mit Reis, und wenn man Pech hatte: Reisbohnen. Dazu Zigarren und Rum. Viel Rum. Und viele Zigarren.

Und jetzt machen Sie mal eine Google-Bildersuche mit ›unfassbar alte Kubaner‹ und schauen sich die Ergebnisse an! Sie sehen nichts als unfassbar alte Kubaner, die alle glücklich und gesund ausschauen. Und das nach jahrzehntelangem Scheißessen. Daher meine Frage: Wenn man sich nur von Bohnen und Reis mit Rum und Zigarren ernährt und damit 100 Jahre alt wird, wie wichtig kann gesunde Ernährung dann wohl sein?

Falls Ihnen das jetzt zu wissenschaftlich ist, gebe ich Ihnen ein Beispiel, das die Unwichtigkeit von gesundem Essen unterstreicht. Genaugenommen sind es drei Fragen, bei denen Sie jeweils die Wahl haben – entscheiden Sie einfach, ob Sie

das Essen vorziehen würden oder die Tätigkeit. Also, was nehmen Sie?

```
Eine Gratis-Strandparty mit DJ für
all Ihre Freunde ODER ein lauwarmes
Dinkelmüsli mit Flohsamen?
```

```
Eine Nacht mit Ihrem Lieblings-Pornostar
ODER ein veganes Erdnusspfännchen mit
Grünkohl und Soja?
```

```
Eine Million Dollar, überreicht von David
Hasselhoff ODER ein basisches Seitan-
Chili ohne Bohnen und Salz?
```

Da sehen Sie mal: ALLES ist wichtiger als gesunde Ernährung! Und wissen Sie, was Angry Aaron in seiner Klinik noch erfahren hat? Er hat erfahren, dass missmutige, negative oder gar depressive Menschen eine bis zu neun Jahre geringere Lebenserwartung haben. Und jetzt gehen Sie mal in einen veganen Supermarkt und schauen Sie in die Gesichter der Leute, die dort einkaufen. Neun Jahre! Man darf sich gar nicht vorstellen, was passiert, wenn so eine Depression wegen der Steinzeit-Diät kommt. Die Lebenserwartung lag vor 10 000 Jahren nämlich bei gerade mal 25 Jahren.[19] Soll heißen: Wenn Steinzeit-Diätler scheiße drauf sind, sterben sie mit 16! Also, ganz ehrlich, ich finde das jetzt gerade so schrecklich, dass ich mir gleich mal ein Bier aufmachen muss. Und den Grill vorheizen für Karen, Wayne, Charley und Aaron. Bin ich froh, dass der wieder alles isst. Bis zum ersten Schluck würde ich allerdings gerne noch einmal die wichtigsten Erkenntnisse dieses Kapitels zusammenfassen.

# ☆ SAG'S NOCH MAL, SEAN! ☆

☑ Sie sind der Kellner Ihres Körpers! Also bringen Sie ihm gefälligst, was er bestellt hat (somatische Intelligenz).

☑ Gesunde Ernährung macht krank und einsam.

☑ Helfen Sie Schattenessern, bevor es zu spät ist! (Aaron)

☑ Trinken Sie lieber ein Bier statt aus dem Fluss!

☑ Je beschissener das Essen, desto älter wird man! (Kuba)

Wenn Sie so nett wären, hier zu unterschreiben, während der Grill heiß wird.

Ich, _____, muss mich nicht gesünder ernähren!

# Ich muss abnehmen!

## Unsinn! Warum Sie Ihr Idealgewicht schon haben und alle Diäten fett machen

*»Meine Bierdiät läuft gut, hab schon zwei Tage
verloren!«*

BRYAN BRUMMEL, VATER VON SEAN

Sie müssen abnehmen? Echt? Warum eigentlich? Ich glaube nicht, dass Sie zu dick sind, womöglich haben Sie da nur die falschen Bilder im Kopf. Jeder ist irgendwie schlank. Ich bin es zum Beispiel direkt nach dem Aufwachen, wenn ich gestreckt im Bett liege. Ohne Kontaktlinsen. Und mit nicht allzu viel Licht. Dann schau ich mich an und sage: »Respekt Sean, astreine Figur für Ende dreißig!«

Meine Zähne putze ich dann halt wieder im T-Shirt.

Woher aber kommt dieses ewige und ständige, dieses nervige Abnehmenmüssen? Also, ich hab mal »ich muss abnehmen« bei Google eingegeben und nicht schlecht gestaunt über die verwandten Suchanfragen. Sie lauten: ›ich muss abnehmen dringend‹, ›ich muss abnehmen schnell‹ und ›ich muss abnehmen hilfe‹. Eine Suchanfrage, die bei Google seltsamerweise nie auftaucht ist: ›ich muss abnehmen warum‹.

Ist das nicht seltsam, dass alle glauben, etwas tun zu müssen, ohne zu wissen, warum? Also wenn zu mir jemand sagt: »Sean, schau dir dein Leben mal an, du solltest wirklich mal für den Islamischen Staat kämpfen!«, dann google ich doch auch nicht »ich muss für den IS kämpfen hilfe!«, sondern »ich muss für den IS kämpfen warum?«.

Weshalb also kein »warum« beim Abnehmen? Weil wir »abnehmen« seltsamerweise nicht wirklich hinterfragen! »Abzunehmen« scheint immer eine gute Sache zu sein, egal wie viel man wiegt. Tatsache ist natürlich, dass es nie eine gute Sache ist. Meistens, eigentlich fast immer, müssen wir nämlich gar nicht abnehmen, oft essen wir einfach nur zu viel Luft, so wie Chubby Charley vom Paso Robles Sports Club. Jahrelang fühlte er sich dick und aufgebläht, bis Dr. Dotter nach einem Routine-Ultraschall sah, dass der größte Teil von Chubbys Kugelbauch aus Luft bestand!

*»Sekunde mal, Sean. Willst du mir hier erzählen, dein Kumpel war gar nicht dick, sondern hat einfach nur zu viel Luft gegessen?«*

Aber klar. Die Luft-Esserei wird völlig unterschätzt, das sagt auch Dr. Dotter. Und am meisten Luft isst man, wenn man sein Essen runterschlingt und dabei noch quatscht[20], so wie es Chubby Tag für Tag gemacht hat. Daher mein Rat:

### *Essen Sie statt Luft lieber was Richtiges!*

Seit nämlich Chubby diesen simplen Ratschlag befolgt, ist er gar nicht mehr ›chubby‹, er ist viel schlanker, und abnehmen muss er schon gar nicht mehr. Was Charley am meisten freut: Weil er nicht mehr so viel Luft futtert, kann er viel mehr richtige Sachen essen! Natürlich muss er ein wenig darauf achten, dass er nicht zu viel abnimmt.

*»Warum? Schlank ist doch gut!«*

Das kommt ganz darauf an, wie lange Sie noch auf dieser Welt sein wollen. Menschen mit leichtem Übergewicht leben nämlich einfach länger als Normalgewichtige.[21] Kam gestern noch im Fernsehen, direkt nach dem Houston Rocket Spiel. Während also die Gruppe bewegungskranker Spinning-Opfer im Paso Robles Sports Club gerade ihrem verfrühten Tod entgegenrast, können Chubby Charley und ich noch jahrelang in herzhafte Bacon-Cheeseburger mit Extra Bacon beißen. Die natürlich umso leckerer schmecken, weil wir wissen, dass mit unserem Gewicht alles in bester Ordnung ist. Und mit Ihrem auch!

*»Wie kannst du denn bitte sagen, mein Gewicht wäre in Ordnung, du kennst mich doch gar nicht ...«*

Gut, okay, vielleicht eine winzige Einschränkung aus medizinischer Sicht: Wenn Sie so viel wiegen, dass ein Schwerlast-Gabelstapler Sie in die Buchhandlung fahren musste, um *Einen Scheiß muss ich* zu kaufen, dann sollten Sie vielleicht mit dem nächsten Kapitel weitermachen. Wenn Sie so dünn sind, dass Sie vom kleinsten Furz gegen Ihre Zimmerdecke geschossen werden, dann auch. Wenn jedoch beides nicht auf Sie zutrifft, dann würde ich Sie gerne mit der Set-Point-Theorie vertraut machen. In Verbindung mit unserer somatischen Intelligenz ist sie nämlich die Erklärung dafür, warum wir 1. nicht abnehmen müssen und 2. alle Diäten immer schiefgehen.

## Ihr Körper als Kühlschrank

Die Set-Point-Theorie besagt im Wesentlichen, dass jeder von uns auf ein ganz bestimmtes Gewicht programmiert ist, das unser Körper wahnsinnig gerne beibehalten möchte.[22] Um diese Theorie besser zu verstehen, bitte ich meine Seminarteilnehmer immer, sich in die Rolle ihres Körpers hineinzuversetzen. Die Frauen sollen sich bitte ihren Körper als Schuhschrank mit zehn Paar Schuhen vorstellen und die Männer als einen Kühlschrank mit zehn Bier drin. Nehmen wir weiter an, dass genau diese Menge der persönliche Schuh- und Bier-Set-Point ist, d. h. mit dieser Menge an Schuhen und Bieren fühlen wir uns wohl.

Was aber passiert, wenn wir eines Abends nach vollbrachtem Tagwerk nach Hause kommen und feststellen, dass drei Paar Schuhe fehlen? Was, wenn wir den Kühlschrank öffnen und nur noch fünf armselige Flaschen vorfinden statt zehn? Wir ärgern uns und beschließen, dass uns so etwas nicht wieder passiert. Wir kaufen mehr Schuhe und mehr Bier, und schon bald stopfen wir die Schränke so voll, wie es eben geht, denn selbst wenn jemand mal zu viel rausnimmt, haben wir immer noch genug.

Ganz genauso wie wir mit Schuhen und Bier macht es unser Körper mit dem Gewicht! Ob Sie nun also eimerweise Diät-Pulver in sich reintrichtern, in engen, bunten Klamotten lächerliche Bewegungen zu affiger Musik machen oder sich zum zweiten Big Mac mit Pommes auch noch einen Milchshake gönnen, ist für Ihr Gewicht letztendlich zweitrangig. Ihr Körper wird ohnehin alles daransetzen, sein Lieblingsgewicht zu halten. Ob Diät und Sport oder Burger und Shakes – Ihr Körper lässt sich nicht verarschen! Und wenn Sie's doch versuchen, wird er sein Gewicht ganz genauso verteidigen wie Sie

Ihren Kühl- und Schuhschrank. So wie Sie dort zehn Bier oder zehn Paar Schuhe drin haben wollen, will er 100 Kilo wiegen.

*»Heißt das etwa, wir haben gar keine Kontrolle über unser Gewicht? Das ist ja schrecklich!«*

Schrecklich? Das ist phantastisch! Dass wir keine Kontrolle über unser Gewicht haben, heißt nichts anderes, als dass wir so viel essen können, wie wir wollen. Und dass wir Diäten ein für alle Mal vergessen können. Denn:

### *Diäten sind Sabotage an Ihrem Körper*

Jeder, der schon einmal den Fehler gemacht hat, eine Diät zu beginnen, weiß: Erst nimmt man tatsächlich ab, aber dann passiert gar nichts mehr, und schon bald wiegt man wieder genauso viel wie vor der Diät.[23] Oder sogar noch mehr, das ist dann der bekannte Oho-Effekt. Das passiert, weil Ihr Körper den selten dämlichen Plan mit ›weniger essen‹ und ›mehr Sport‹ durchschaut hat und sein Set-Point-Gewicht verteidigt, indem er bei der nächstbesten Gelegenheit Reserven anlegt für den Fall, dass Sie so eine Scheiße allen Ernstes noch einmal durchziehen wollen.

Verstehen Sie, wie anmaßend und wider die Natur es ist, das natürliche Lieblingsgewicht des eigenen Körpers zu sabotieren durch unnatürliche und sinnlose Bewegungsabläufe wie Sport oder lustentleerte Nahrungsergänzungsmittel wie Power-Riegel? Natürlich ist die Set-Point-Theorie umstritten, aber das ist David Hasselhoff auch. Und der Urknall. Überlegen Sie mal, was los wäre, wenn sich das, was ich hier behaupte, als richtig erweisen würde? Wenn uns allen klar wäre, dass unser Gewicht in Ordnung ist?

*»Lass mich raten, Sean! Die Fitnessstudios würden pleitegehen?«*

Worauf Sie Ihren fetten Arsch verwetten können! Denn:

## Zufriedenheit ist der Tod der Fitness-Industrie

Würden wir uns wohl fühlen, so wie wir sind, gäbe es weder Flexi Workout noch Power Yoga und schon gar kein Manager-Boxen, aber das ist noch gar nicht alles. Auch die Auflagen von Frauen- und Männerzeitschriften würden in den Keller gehen, denn was sollten sie auch schreiben auf dem Cover? *Bleiben Sie, wie Sie sind, in 10 Tagen?* oder *Ohne Burpees zur Couchfigur!* Wenn alle der Set-Point-Theorie folgten, würde es keine Protein-Smoothies mehr geben, keine Personal Trainer und keine Climber oder Stepper. Es gäbe lediglich einen milliardenschweren Umsatzeinbruch in der Fitness- und Lebensmittelbranche und ... ziemlich viele glückliche Menschen!

## Ihr Idealgewicht haben Sie schon

Woher wissen Sie aber nun, wo Ihr genetisch festgelegtes Körpergewicht liegt? Nehmen wir einmal an, Ihr Idealgewicht wäre exakt das Gewicht, das Sie in diesem Augenblick haben. Wäre das nicht phantastisch? Dass Sie so bleiben können, wie Sie sind? Dass Sie Ihr Buch kurz zur Seite legen könnten, um sich mit bestem Gewissen ein noch dickeres Nutella-Brot zu schmieren? Wenn das Gewicht, das Sie gerade haben, das Gewicht ist, das Sie schon eine ganze Weile haben, wenn Sie also weder unfassbar viel zu- oder abgenommen haben, dann lesen Sie diese Zeilen hier mit dem verdammten Wunschgewicht Ihres eigenen Körpers! Dann ha-

ben Sie in genau diesem Augenblick, jetzt und hier, Applaus
und Fanfare, dann haben Sie JETZT Ihr genetisch fixiertes
Set-Point-Weight und somit Idealgewicht! Woher ich das
weiß? Ganz einfach: Ich ahne es aus tiefstem Herzen.[24]

## Es gibt kein falsches Gewicht, es gibt nur falsche Klamotten

Bestimmt zwei Jahrzehnte lang hab ich mir zu enge Klamotten gekauft in der festen Überzeugung, dass diese schon bald
passen würden. Ich musste ja ohnehin abnehmen, dachte ich
damals, und wäre dann eine sensationell passende Diesel-
Jeans nicht eine phantastische Belohnung für meinen Erfolg?
Ja, verdammt. Wäre es gewesen. WENN ich abgenommen
hätte. Gepasst hat die Jeans natürlich nie. De facto bin ich
zwanzig Jahre in zu engen Klamotten herumgelaufen. Zwei
Jahrzehnte lang sah ich aus wie ein Sandwich in Frischhalte-
folie, und das lag ausnahmsweise mal nicht daran, dass meine
Ex-Frau Trisha das Trocknerprogramm manipuliert hatte. Es
lag an mir!

Statt mich wohl zu fühlen, so wie ich war, stopfte ich mich
jahrelang mit überteuerten und gesundheitsschädlichen Light-
Produkten voll, wälzte mich mit einem Puls von 180 durch
den Park und machte mich zum Körper-Joe im Sports Club.
Einen einzigen positiven Effekt hatte das Ganze: Zusammengerechnet pumpte mein kranker Gedanke, ich sei zu dick,
mindestens 25 000 Dollar in die marode US-Wirtschaft. Da
merkte ich – ich war eine wandelnde Konjunkturspritze!
Doch leider hatten von meinen Investitionen nur die anderen
etwas, denn das Ergebnis meiner Bemühungen war stets das
Gleiche: 100 Kilo und zu enge Klamotten. Bis ich neulich
stolz aus der Umkleidekabine eines angesagten Ladens im Be-

verly Center trat, und eine freche Verkäuferin Folgendes zu mir sagte:

»Cool, aber ... warum kaufen Sie das Polo nicht in Ihrer Größe?«
»Das tue ich doch: XL!«
»XL ist aber nicht Ihre Größe. Ihre Größe ist XXL.«
»Aber ist XXL nicht für total fette Menschen?«
»Nein. XXL ist für Menschen, die in XL-Polos fett aussehen.«

Verdammt, da sagte sie die verdammte Wahrheit! Ich kaufte gleich zehn XXL-Polos und lud Karen zum Abendessen ein, wo ich ein 300-Gramm-Steak mit köstlichen Süßkartoffel-Wedges vertilgte und zwei große Gläser ganz normale Cola dazu trank. Ich war so glücklich! Und auch Karen schien meine Wandlung zu gefallen. Sie blickte auf mein brandneues, schickes Polo und in mein strahlendes Gesicht und sagte nur ein Wort: »Endlich!«

# ☆ SAG'S NOCH MAL, SEAN! ☆

☑ Abnehmen ist immer eine schlechte Idee!

☑ Essen Sie statt Luft lieber was Richtiges!

☑ Zufriedenheit ist der Tod der
   Fitness-Industrie.

☑ Vergessen Sie Diäten. Ihr Körper weiß
   selber, was er wiegen will.
   (Set-Point-Theorie)

☑ Es gibt kein falsches Gewicht. Es gibt nur
   falsche Klamotten. (Seans Theorie)


Sie wollen nicht wirklich abnehmen, oder?
Prima, wenn Sie dann bitte hier unterschreiben
möchten:


Ich, _____, hätte gerne eine
Wagenrad-Pizza Käse mit Extra Käse und einen
3-Liter-Eimer Ben & Jerrys Peanut Butter
Cream, denn ich muss NICHT abnehmen!

# Da muss ich mehr von essen![25]

## Sicher? Eine Rote-Bete-Vergiftung ist kein schöner Tod!

Ich frag mich, warum einige Lebensmittel so gehypt werden und andere nicht. Der Apfel zum Beispiel taucht in den Medien öfter auf als Rihanna, dabei kann er nicht mal singen. Oder Soja, der geschmacklose Shooting-Star der entfleischten Küche. Sogar die eine oder andere Rinderrasse nervt so langsam, das Angus-Rind zum Beispiel. Kann das überhaupt was, dieses Rind? Kann es nicht, Hüttenkäse kann aber noch weniger. Mann, wie ich Hüttenkäse hasse! Und dennoch zieht mir das Muss-Monster jedes Mal an der Hose, wenn ich im Supermarkt dran vorbeikomme und schreit: »Schau mal, Hüttenkäse! Wie gesund! Den musst du mitnehmen!«

»Einen Scheiß muss ich!«

Hüttenkäse ist nämlich nicht nur ekelhaft, sondern auch noch ungesund. So wie viele andere Lebensmittel, von denen wir glauben, dass wir sie öfter essen müssen. Die meisten dieser Lebensmittel sind nämlich nichts anderes als getarnte Muss-Monster. Gott sei Dank sind sie leicht zu erkennen. Wie? Nun, halten Sie im Supermarkt einfach kurz inne und fragen sich, ob Sie dieses Lebensmittel tatsächlich freiwillig kaufen oder weil es gerade im Trend ist. Wenn Sie tatsächlich Hunger darauf haben, dann kaufen Sie es. Wenn nicht, werfen Sie es dem Marktleiter gegen seine verspiegelte Ladendiebstahl-Beobachtungsscheibe.

Hier meine Liste der meist überschätzten Lebensmittel der Welt:

## Hüttenkäse

ist ebenso nutzlos wie widerlich und wird nur deshalb gegessen, weil er satt macht. Mein Kopfkissen macht auch satt. Und wenn Sie wüssten, wie Hüttenkäse hergestellt wird, würden Sie ohnehin die Finger davon lassen. An genau dieser Stelle rufen viele Seminarteilnehmern immer:

*»Wie wird er denn hergestellt, Sean?«*

Wollen Sie es wirklich wissen? Also gut: Zunächst wird Milch mit Bakterien, Calciumchlorid und einem schleimigen Gemisch aus dem Labmagen junger Wiederkäuer bei 30 Grad so lange dickgelegt, bis sich eine schwabbelige Gallerte bildet.[26, 27] Diese Gallerte ... –

*»Daaaaaanke, reicht!«*

Prima, ich wusste, dass es so laufen würde. Hüttenkäse ist übrigens SO widerlich, dass er es bei Facebook und Twitter zu einer eigenen Gruppe gebracht hat: »We hate Cottage-Cheese« heißt eine davon, schauen Sie ruhig mal rein. Also Hüttenkäse, den müssen wir wirklich nicht öfter essen.

**Alternative:** ein frisches Landbrot mit ordentlich Salzbutter drauf

## Fisch

Müsste man öfter essen, so heißt es immer wieder. Warum denn? Die Weltmeere sind doch schon leergefischt! Zuchtfische wie der Lachs sind nicht viel besser, denn die werden mit Fischen aus dem Meer gefüttert, für ein Lachsfilet z. B. lassen drei kleinere Fische ihr Leben.[28] Sie essen einen Fisch, es sterben aber vier, eine im Vergleich zu einem ehrlichen Steak verheerende Ökobilanz, denn da stirbt nur ein Tier für sehr, sehr viele Steaks.

»Aber Fisch ist doch so gesund!«, hört man alle naselang. Was bitte ist an Fisch gesund? Das Quecksilber? Macht schreckliche Sachen mit Ihrem Gehirn: Persönlichkeitsveränderungen, Zittern, Gedächtnisprobleme. Sie wissen keine Antwort auf die einfache Frage: »Welcher Hit stand am 11. 11. 1964 auf Platz 56 der US-Single-Charts?« Dann könnte es sich bereits um eine Quecksilbervergiftung handeln!

Außerdem fressen Fische den ganzen Tag lang Plastik, weil sie es für Plankton halten. Das ist in etwa so, als äßen Sie den ganzen Tag Gartenschlauch, weil Sie ihn für Bratwurst halten. Ist das schlau? Vermutlich nicht.[29] Also retten Sie die Weltmeere und Ihr Gehirn gleich mit.

**Alternative zum Fisch:** ein quecksilberfreies ›bistecca alla fiorentina‹ vom florentinischen Chianina-Rind. Aber kein Angus!

## Angus-Beef

Eines der Lebensmittel, von dem wir seit Jahren grundlos glauben, es sei irgendwas Besonderes, ohne mal genau nachgefragt zu haben. Was an Angus-Beef besonders ist? GAR NICHTS! Das Angus-Steak ist weder Bio noch in einem besonders glücklichen Tier gereift, das Angus-Rind ist einfach nur eine schnellwüchsige, kurzbeinige Rinderrasse, die beim

Fressen genauso bescheuert glotzt wie alle anderen Rassen auch. Haben wir alle gegessen und bezahlt, bis die nächste Fleisch-Sensation auftaucht: das fein marmorierte Wagyu-Beef, für das man pro Steak schon mal zweihundert Dollar hinlegen kann. Ich möchte gar nicht wissen, wie wenig von diesem Geld beim Rind selbst noch ankommt …

**Alternative zum Angus-Beef:** eine saftige Schweinsbratwurst

## Auberginen

Schmecken zuverlässig nach gekochter Joggingschuh-Sohle, ohne dass man auf ihnen laufen könnte, und eignen sich dabei nicht mal zur Ernährung. Der Brennwert von Auberginen ist mit 22 kcal bei 100 Gramm gleich null. Um den Tagesbedarf eines Erwachsenen zu decken, müsste man also 9 Kilogramm Auberginen essen! Täte man dies mit rohen Auberginen, würde man an einer Solanin-Vergiftung sterben. Was die wenigsten wissen: Auberginen können sogar Nikotin enthalten.[30] Leider sind sie zu groß, um sie zu rauchen. Ein unfassbar nichtsnutziger Gemüse-Eklat, den man garantiert nicht öfter essen muss!

**Alternative zu Auberginen:** eine ehrliche Packung Marlboro

## Hühnerbrust

Diese überteuerte Bakterienschleuder verstopft seit Jahren zuverlässig die Speisekarten unserer Restaurants, es gibt sie auf Salat, mit Gemüse und auf Sandwiches. Weil Hühnerbrust nach absolut gar nichts schmeckt, muss man so viele Gewürze, Marinaden und Salz in sie trümmern, dass man gleich ein Steak essen könnte. Muss man definitiv nicht mehr von essen.

**Alternative zur Hühnerbrust:** Peking-Ente (unbedingt vorbestellen!)

## Tofu

Geschmackloser Schmodder, für dessen Anbau der Lebensraum ganzer Indianervölker dem Erdboden gleichgemacht wird. Fruchtbares Land, auf dem früher zufriedene Rinder für unsere Steaks grasten, ist inzwischen überzogen mit kargen Sojafeldern. Was viele nicht wissen: Für jeden fleischfreien Grillabend ethisch korrekter Pflanzenesser gehen bis zu zehn Quadratmeter Regenwald in Südamerika in Flammen auf.[31] Wer also nur einen Funken Ehre in der Brust hat, lässt die Finger von der neo-kolonialistischen Nazi-Bohne. Sie wollen den Regenwald retten?

**Alternative:** Bestellen Sie sich ein American Porterhouse Steak vom Hereford-Rind, das hat nämlich fast nur Gras gefressen.

## Äpfel

Als ich noch bei Radioshack arbeitete, kaufte ich mir für die Arbeit jede Woche einen Sechserpack Äpfel, weil ich dachte: »Jetzt komm schon, die sind gesund, und einen am Tag wirste schaffen.«

Ich schaffte einen halben pro Woche, die anderen schmiss ich weg. So ging das jahrelang, bis ich mir endlich eingestand: Ich hasse Äpfel! Sie schmecken entweder fad oder bitter, außerdem bleibt immer Schale in den Zähnen hängen, und wenn man aus Versehen das Innere mitfuttert, stirbt man einen qualvollen Tod. Apfelkerne enthalten nämlich Amygdalin, ein cyanogenes Glycosid, das sich in Ihrem Gaumen zu Blausäure (HCN) abspalten kann. Ein Apfel hat also die gleiche Gefahrgutklasse wie Arsen. Die niedrigste tödliche Dosis liegt bei nur vierzig Kernen.[32] Noch heute erschaudere ich, wenn ich mir vorstelle, wie oft und oft ich damals am Tod vorbeigeschrammt bin.

**Alternative zu Äpfeln:** eine Tüte BBQ-Chips

## Rote Bete

Rote Bete, diiiee müsse man essen, hört man auch noch viel zu oft, sie sei ja so gesund. Mag sein, aber halt nicht für jeden. Rote Bete enthält nämlich eine beachtliche Menge an gesundheitsschädlicher Oxalsäure[33], welche in größerer Menge zu Lähmungserscheinungen und Nierenschäden führen kann. Die tödliche Dosis Oxalsäure liegt übrigens bei 600 mg pro kg Körpergewicht. »Da musst du auf jeden Fall ausrechnen, nach wie viel Rote Bete man stirbt!«, hat mein Lektor Bob angeregt. Ach Bob, du weißt doch, was ich muss …

**Alternative zu Roter Bete:** lecker Würstchen mit Kartoffelsalat

## Sojamilch

Ich hatte meinen ersten allergischen Schock mit Sojamilch, daher gehe ich vermutlich nicht ganz neutral an diese nutzlose Getränkekotze heran. Es gibt keinen Grund, Sojamilch zu trinken – sie hat weniger Nährstoffe als Kuhmilch und enthält dabei fast fünfmal so viele Purine wie die gleiche Menge Bier. Purine? Sind in der Nahrung enthaltene Substanzen, welche beim Abbau in Harnsäure umgewandelt werden. Was Harnsäure macht? Ganz einfach: Sie löst Gicht aus. Gicht[34] bis hin zur Invalidität! Sie wollen sich nachhaltig in den Rollstuhl saufen? Trinken Sie Sojamilch! Der Purinwert von Kuhmilch liegt übrigens bei 0. Und der von Wein? Auch bei 0.

**Alternative:** Eine Flasche 2011er Chardonnay Private Reserve vom Weingut Beringer, Napa Valley

*»Unfassbar, Sean, wie du dir die Welt zurechtbiegst. Wein statt Sojamilch! Es gibt halt einfach Leute, die nichts trinken wollen, was schon durch eine Kuh durch ist.«*

Und es gibt Leute, die nichts essen wollen, auf das schon eine Kuh gepisst haben könnte! Grünkohl zum Beispiel.

### Grünkohl (»Kale« bei uns)
… ist noch immer der letzte Schrei, als Salat oder geschreddert im Smoothie:

*»Komm schon Sean, trink deinen Kale-Kickstarter!«*

»Oh … aus der Hand gerutscht. Ich bin so schusselig, wenn ich keine Eier mit Bacon hatte …«

Muss man wirklich mehr Grünkohl essen? Einen Scheiß muss man! Vor Jahren hat man mit dem Zeugs nämlich noch Hotel-Buffets dekoriert, weil man mit den großen grünen Blättern die Amselkacke auf dem Edelstahl überdecken konnte. Viele sagen, wenn man Grünkohl richtig würzt, dann schmeckt er. Wenn man das Futter meiner alten Fernsehcouch richtig würzt, dann schmeckt die auch.

**Alternative:** ein leckeres Reuben-Sandwich mit Corned Beef, Schweizer Käse, Cole Slaw, Russian Dressing und Fritten

## ☆ SAG'S NOCH MAL, SEAN! ☆

☑ Retten Sie die Weltmeere, essen Sie
  Fleisch!
☑ Auberginen enthalten Nikotin, aber man
  kann sie nicht rauchen.
☑ Äpfel haben die gleiche Gefahrgutklasse
  wie Arsen.
☑ Sojamilch enthält siebenmal mehr
  gichtfördernde Harnsäure als mein
  Bockbier!
☑ Essen Sie nichts, auf das schon eine Kuh
  gepisst haben könnte!

Jetzt, wo Sie verstanden haben, dass fast
nichts von dem stimmt, was Sie die ganze Zeit
über Lebensmittel dachten, dürfte ich Sie um
eine Unterschrift bitten? Danke sehr.

Ich, _____, muss nicht mehr
Hüttenkäse, Fisch, Angus-Beef, Auberginen,
Hühnerbrust, Tofu, Äpfel, rote Bete,
Sojamilch und Grünkohl essen!

# Vegan essen, das muss ich mal probieren!

## Müssen Sie nicht! Wenn Tiere nicht wollten, dass wir sie essen, würden sie scheiße schmecken

*»Der Mörder ist immer der Gärtner«*
VERMEINTLICHES SPRICHWORT AUS DER HEIMAT
MEINER UROMA

Wenn die Wände von Schlachthäusern aus Glas wären, wären wir alle Veganer«, höre ich oft. Soso. Also, mein Freund Wayne arbeitet an der Salatbar im Wholefoods, und er sagt: »Wenn die Veganer wüssten, was wir mit ihrem Salat machen, wären alle Metzger!«

Wissen sie aber nicht. Etwa fünf Prozent aller Amerikaner ernähren sich inzwischen vegan[35], im Land meiner Vorfahren ist es nur jeder Hundertste.[36] Blickt man auf die Türme veganer Kochbücher in den Buchläden, meint man allerdings, dass es längst schon alle sind: Vegan for fit, Vegan for fun und Vegan for what. Es gibt so viele Bücher über vegane Ernährung, dass sogar dem Gemüse schwindelig wird.

Aber fragen Sie dort mal nach einem Buch über das Bierbrauen. Ich hab's gemacht und wurde angestarrt, als hätte ich mich nach der Bauanleitung für ein Meth-Labor erkundigt. Es gab kein Buch übers Bierbrauen, nicht mal ›Vegan for Brewers‹. Aber 1000 Bücher über vegane Ernährung. Und das in Deutschland, dem Bierland überhaupt, also, gleich nach den USA! Da habe ich mich gefragt, ob es beim Veggie-Hype nicht vielleicht um etwas ganz anderes geht.

Also der Kernsatz von Bill Clintons Präsidentschaftswahl-
kampagne von 1992 war: »It's the economy, stupid!« In Ihrer
Sprache heißt das so viel wie: »Es geht um die Kooooohle,
Dumpfbacke!« Wirklich? Rechnen wir doch einfach mal ein
wenig herum. Fakt ist:

## Wenn nur jeder Hundertste Veganer ist, dann sind es 99 Prozent nicht!

Was für ein gigantischer Markt! 99 Prozent der Verbraucher
als potentielle Kunden für vegane Kochbücher, gefälschte
Wurst und B12-Tabletten! Das ist in etwa so, als würden Nike
und Adidas ein Land entdecken, in dem es noch keine Turn-
schuhe gibt! Fakt ist: Vegane Ernährung und alles, was damit
zusammenhängt, ist ein Millionengeschäft, alleine im Jahr
2012 stieg der Umsatz mit veganen Lebensmitteln in Deutschland um 19 Prozent im Vergleich zum Vorjahr und lag im Fol-
gejahr bei 232 Millionen[37], da kann man sich als Tofu-Taliban
schon mal ein paar Lederbezüge in seinen Porsche tackern
lassen. Und weil die esstremistische Glaubensoffensive so
bombastisch eingeschlagen hat, glauben immer mehr Menschen, das mit dem Veganessen auch mal probieren zu müssen. Ich denke schon, dass man da einfach mal folgende Frage
stellen sollte: WARUM JETZT GENAU?

»Aber ist doch klar, Sean! Der Tiere wegen!«

Der Tiere wegen? Ganz ehrlich? Ich kann mich gar nicht
vegan ernähren, dafür hab ich Tiere viel zu lieb!

»Sekunde mal, wenn du Tiere lieb hast, dann MUSST du dich
vegan ernähren!«

Bei allem Respekt für gesellschaftlich akzeptierte Essstörungen: Einen Scheiß muss ich! Seit einem Vierteljahr pflege ich nämlich Legless Larry, einen einbeinigen Zaunkönig. Der Typ muss irgendwie in die Erntemaschinen der Windcreek-Farm nebenan geraten sein. Ich kann das nicht beweisen, jedenfalls war es genau zur Erntezeit, als Larry sich einbeinig und mit letzter Kraft unter meinen Grill auf der Terrasse rettete. Larry hatte ein so krasses Ernte-Trauma, dass er erst nach Tagen wieder sang. Leider. Ich hab gestern 90 Dezibel gemessen mit meiner Lärm-App. Um vier Uhr früh! Seitdem gebe ich ihm ein paar Tropfen Brummelbock vorm Schlafen, dann pennt er bis acht. Aber was will ich machen, ich liebe den winzigen Larry einfach, deswegen finde ich es ja so schlimm, dass so viele süße Lebewesen eiskalt und brutal verstümmelt werden für veganes Essen.

*»Wie bitte?«*

Der Hase zum Beispiel, dieses knuffige Hoppelwesen mit den großen Ohren! Eben noch wohlgemut durchs Weizenfeld gehoppelt, Sekunden später geschreddert von einer riesigen Erntemaschine. Für was er sein Leben ließ? Für einen Teller Paprika-Rote-Bete-Salat! Oder die putzige Feldmaus, die sich auf dem Heimweg zu ihrer Familie so süß die Öhrchen rubbelt – eben noch munter durch die Halme geflitzt und dann über Tage hin qualvoll verreckt an einer üblen Herbizid-Vergiftung. Wofür das drollige Gottesgeschöpf gestorben ist? Für einen halben Buchweizen-Donut der kleinen Lisa-Marie aus Beverly Hills. Was für ein sinnloser Tod.

*»Also Sean, echt, ich krieg gleich das Kotzen!«*

Verstehe ich völlig. Die armen Tiere.

*»WEGEN DIR!«*

Dann aber bitte nicht auf eine Wiese kotzen, viele Kleinst-lebewesen haben nämlich keinen Schirm und reagieren sensibel auf Magensäure.

Es tut mir leid, dass Sie das nun ausgerechnet von mir erfahren, aber Millionen von Tieren lassen ihr Leben durch den Anbau von Pflanzen. Entweder sie verenden durch Pflanzenschutzmittel oder werden geschreddert beim Abernten, Mähen und Pflügen.[38] Professor Mike Archer von der UNSW Australia schreibt sogar, dass durch konventionellen Pflanzenanbau bis zu 25-mal mehr fühlende Wesen das Zeitliche segneten als durch nachhaltige Fleischproduktion.[39] Sollte es doch mal eine ganz besonders tapfere Fruchtfliege bis in Ihre nachhaltige Öko-Küche geschafft haben, waterboarden Sie sie beim Salatwaschen in den Abguss. Und da soll ich mehr Pflanzen essen? Beziehungsweise nur noch? Tut mir leid, aber das bring ich nicht übers Herz. Ich versuch' daher in letzter Zeit auch ganz bewusst, ein bisschen mehr Fleisch zu essen.

*»Willst du etwa andeuten, Veganer sind Massenmörder?«*

Um Himmels willen! Ich sage nur: Auch wer kein Stück totes Tier auf dem Teller hat, muss tote Tiere verantworten.

*»Aber DU halt auch, wenn du Fleisch isst.«*

Klar, aber überlegen Sie mal, wie viele Steaks in so einem Rind drin sind. Hundert? Zweihundert? Mein Steak kostet also gerade mal ein 200stel Rind das Leben. Wenn ich daran

*Diese putzigen Geschöpfe sterben qualvoll bei Anbau und Ernte von veganem Essen.*

denke, wie viele Lebewesen für eine Portion Spinat sterben, wird mir ganz schlecht.

*»Isst du denn keine Beilagen?«*

Doch, aber die sind mir als echtem Fleischesser natürlich nicht so wichtig, es fällt mir also recht leicht, sie aus Tierliebe wegzulassen.

*»Vielleicht wäre es ja am besten, wenn du gar nichts mehr isst …«*

Stimmt, für unseren Planeten wäre es vermutlich die sauberste Lösung. Es liegt halt einfach mal in der Natur der Sache, dass beim Essen immer jemand das Nachsehen hat. Pflückt man eine Beere, kann ein Vogel sie nicht mehr essen. Erntet man einen Salat, schauen Kaninchen und Schnecke in die Röhre. Und legt man einen Getreideacker an, zerstört man den Lebensraum für all die Tiere, die bisher dort wohnten. Sage nicht ich, sagt der tapfere Ernährungsblogger Felix Olschewski.[40]

Wenn Sie also aus Tierliebe darüber nachdenken, das mit

*Und diese hässlichen Kreaturen werden von Fleischessern konsequent eliminiert.*

dem Veganessen mal zu probieren, sollten Sie Ihr Gemüse wenigstens selbst anbauen, und zwar dort, wo noch nie ein Tier gelebt hat und auch nie eines leben wird: in Ihrem Gefrierschrank zum Beispiel, in einer leeren Domestos-Flasche oder im Kühlturm eines Kernkraftwerkes. Aber ernten Sie bitte achtsam von Hand!

## Warum Veganer keine Menschen sind

Mir wird oft vorgeworfen, dass ich mit alten Vorurteilen auf Veganern herumhacke und dabei vergesse, dass Veganer letztendlich auch nur Menschen sind. Das stimmt so natürlich nicht. Ich hab den Begriff »Mensch« mal nachgeschlagen bei Wikipedia, und da heißt es, dass der Mensch ein Allesfresser sei. Veganer sind aber keine Allesfresser. Daher gehören sie per Definition auch nicht der Spezies Homo Sapiens an. Soll heißen: Veganer sind gar keine Menschen. Diese Feststellung sorgt auf meinen Seminaren regelmäßig für ein Raunen im Saal. In Santa Barbara fragte mich neulich ein blasser, kleiner Mann in einer unmodischen Jeans aufgesetzt freundlich:

»Wo wohnst du eigentlich, Sean?«

»In Paso Robles, wieso?«

»Weil ich dein Haus anzünden will!«

»Ich hab aber Fledermäuse im Dachstuhl.«

»Dann … das Auto!«

»Schläft ein Marder drin.«

»Dann zünde ich DICH an?«

»Schlecht. Ich hab noch 'n Anschlusstermin und deswegen ganz schön Hummeln im Arsch.

### Warum keine Tiere essen, sie essen uns ja auch!

Wenn wir Fleisch essen, dann ist vorher ein Tier gestorben. Wenn Sie jetzt aber deswegen gleich ein schlechtes Gewissen haben, dann denken Sie ruhig auch mal daran, dass Tiere uns ja ebenfalls essen. Erst heute Morgen las ich bei Spiegelei, Buttertoast und Speck in der *Huffington Post*, dass menschenfressende Horror-Krokodile in Uganda bereits über 300 Menschen auf dem Gewissen haben. Ich fand das eine recht seltsame Formulierung, denn natürlich haben Reptilien kein Gewissen, schon gar nicht in Uganda. Sie haben einfach nur Hunger, und dann fressen sie halt einen Fischer. So wie wir einen Fisch. Warum also sollten wir keine Tiere essen?

*»Weil nur der Mensch abwägen und sich entscheiden kann und Tiere ihrem Instinkt folgen?«*

Sorry, aber wenn ich mir nach zehn Bier noch einen Burger bei Denny's in den Rachen schieben kann, folge ich auch meinem Instinkt. Und dann sind Tiere auch nicht so doof, wie Veganer sie gerne machen.

Bestimmt kennen Sie das Buch *Menschen fressen*, in der Tierwelt jedenfalls war es ein echter Bestseller. Mehr noch – die meisten Tiere, die die widerwärtigen Geschichten über Menschen vernommen hatte, wollten danach nie wieder einen Menschen fressen. Natürlich waren nicht alle Tiere begeistert. »So einen Scheiß les ich nicht!«, schimpften Tigerhai, Krokodil und Braunbär, einige nicht so selbstbewusste Tiere glaubten dem üblen Propagandawerk jedoch und empfahlen es sogar weiter. Das war nicht besonders gut für die Tierwelt, es kam zu ernsten Zwischenfällen. So musste sich ein grönländischer Eisbär auf seiner eigenen Scholle (!) übergeben, als er erfuhr, dass jeder fünfte Mensch entweder Scheidenpilz oder Hämorrhoiden hat. Mehreren Krokodilen auf Kuba war monatelang flau in der Magengegend, als sie hörten, dass über 50 Prozent aller Touristen ihre Flipflops grundsätzlich nie reinigen, und an der mexikanischen Pazifikküste konnten sich viele Haie erst nach einer langjährigen Verhaltenstherapie wieder den Stränden nähern. Ihnen war zu Kiemen gekommen, dass vor allem kleine Menschen beim Baden durch ihre eigene Badehose urinieren.

Nach unzähligen Protesten wurde *Menschen fressen* vom Markt genommen. Die Tiere vergaßen ihre Vorbehalte und folgten bald schon wieder ihren ganz natürlichen Instinkten. Fakt ist: Tiere fressen Menschen. Der Löwe fragt sich auch nicht, ob der Rentner glücklich war. Er zerfetzt ihn einfach. Warum zum Teufel sollten wir also keine Tiere essen? Die Natur hat doch im Grunde genommen schon alles so eingerichtet, dass es Sinn macht. Daher behaupte ich mal:

## Wenn Tiere nicht wollten, dass wir sie essen, würden sie scheiße schmecken

So wie der Schwan, die Kakerlake und das Stinktier. Die wollen definitiv nicht von uns gegessen werden.

*»Okay, dann reden wir doch einfach mal über die Gesundheit, Sean. Du kannst ja wohl nicht leugnen, dass es Veganern bessergeht als Fleischessern.«*

Eine Frage: Wie oft haben Sie die Geschichte vom kerngesunden 90-jährigen Kettenraucher gehört. Aha. Und die vom kerngesunden 90-jährigen Veganer? Soso. Danke. Und was meinen Gesundheitszustand betrifft: Ich komme selbständig zu meinem Auto, kann meine Schuhe noch zubinden und gehe bis zu zweimal auf die Toilette im Monat. Warum sollte ich also meine Ernährung umstellen? »If it ain't broken, don't fix it«, sagt man bei uns in Amerika, also: »Wenn's nicht kaputt ist, reparier's nicht!« Soll heißen: Ohne Not keine tierischen Produkte mehr zu sich nehmen, um die fehlenden Nährstoffe dann chemisch zuzuführen, ist in etwa so sinnvoll wie Fernsehkartons zu futtern und sich dann die fehlenden Vitamine und Vitalstoffe mit dem Spezialpräparat »Centrum A-Z für Fernsehkarton-Fresser« reinzuknattern.

Die meisten veganen Supermarkt-Produkte haben nämlich auch nicht mehr Nährstoffe als Papier. Haben Sie mal auf die Packung eines veganen Fertigproduktes geschaut, von gefälschter Wurst zum Beispiel? Das sind keine Lebensmittel, das sind Monster-Kreationen.[41] Die wichtigste Zutat: Kein Tier. Der Rest ist egal. Schauen Sie mal auf die Rückseite von so einem Frankenstein-Produkt, aber nicht zu lange, sonst wird Ihnen schlecht: Eiklar, Pflanzenöl, Kochsalz, Xanthan,

Carrageen, Kaliumlactat, Natriumacetate und und und ...
Wissen Sie, was in Parmaschinken so alles drin ist? Parmaschinken. Nur mal so nebenbei.

Aus Pflanzen Produkte zu pressen, die aussehen wie Tier-
teile und sie dann »Wie Wurst« zu nennen, finde ich ohnehin
schon recht pervers. Ich jedenfalls käme nicht auf die Idee,
mir aus Hackfleisch einen Brokkoli zu kneten, damit ich auch
mal ein bisschen Gemüse auf dem Teller habe. »Wie Gemüse«, meinte ich natürlich.

*»Aber ist vegane Ernährung nicht die natürlichste Ernährungs-
form?«*

Nun, überlegen Sie mal, wie natürlich eine Ernährungsform
sein kann, bei der man sich kiloweise künstliche B12-Tablet-
ten reinschaufeln muss, um nicht unter Müdigkeit, Verstopfung, Nervenproblemen, Depressionen und Appetitverlust
zu leiden? Und diese Pillen sind dann oft nicht mal vegan,
weil Milchzucker und Gelatine drin ist. Gelatine? Klingt gar
nicht so schlimm, ist aber ein Stoffgemisch, das aus schlabb-
riger Schweineschwarte, geschroteten Rinderknochen und
Tierhäuten herausgekocht wird. Also ehrlich, das ess ja nicht
mal ich!

*»Aber früher haben die Menschen ...«*

Früher! Haben Sie jemals eine Höhlenzeichnung gesehen,
auf der ein mit Pfeilen bewaffneter Jäger einer Horde Auberginen hinterherrennt? Nicht? Tut mir leid, aber dann haben
unsere Vorfahren vermutlich auch kein Gemüse gejagt. Dabei wäre dies sehr viel leichter gewesen als z. B. ein Reh zu er-
legen, denn wie wir wissen, verhält sich Gemüse sehr unge-

schickt auf der Flucht. Ich bin mir sicher: Wären unser Vorfahren Veganer gewesen, gäb's uns gar nicht mehr.

Und heute? Nun, in einigen Internetforen taucht die Frage auf, ob heute wohl ein Veganer in der Wildnis überleben würde. Ich sage »nein«, denn wer jahrelang nur das isst, was nicht weglaufen kann, muss ein verdammt schlechter Jäger sein.

## Lieber kein Fleisch als schlechtes Fleisch

Hört man oft, oder? Ich frage: Warum das denn? Ja, ich weiß, bei den nachhaltigen Nutristen setzt jetzt die Schnappatmung ein. Daher sage ich: Natürlich ist Massentierhaltung scheiße und gehört verboten. Ein Rind gehört auf die Weide, ein Schwein in den Schlamm und ein Huhn auf den Hof. Wenig Geld zu haben ist aber auch scheiße. Am beschissensten ist freilich die herablassende Attitüde reicher Richtigesser den Menschen gegenüber, die keine fünfzig Dollar für zwei Bio-Rinderfilets übrig haben. Da hört man dann oft, die sollen doch bitteschön lieber gar kein Fleisch essen, statt schlechtes. Okay, aber dann gehen Sie bitte auch zur Kassiererin und sagen ihr, sie solle lieber gar keinen Job machen, statt so einen schlechten.

## Warum Veganer nicht bremsen dürfen

Keine Dinge zu essen, die tierische Bestandteile enthalten, ist natürlich nur die erste Stufe des Veganismus. Auf der zweiten Stufe sind diejenigen Veganer, die auch ihre Haustiere vegan ernähren und unbescholtenen Bürgern dumme Fragen stellen. Erst letzte Woche wollte im Brummelstore ein Kunde von mir wissen, ob meine Bieretiketten Kasein enthielten. In diesem Fall würde nämlich Tierleid an meinem Bier kleben.

Nach einem kurzen aber heftigen Menschenleid flog der Mann aus dem Laden. Ohne Bier. Seitdem weiß ich: Es gibt Veganer, die essen nicht nur nichts Tierisches, die machen auch um alle nicht essbaren Dinge tierischen Ursprungs einen großen Bogen. Dinge wie Ledersitze, Daunenkissen und LCD-Fernseher. Ja richtig, nicht mal Fernsehschauen ist drin, denn viele Flüssigkeitskristalle basieren auf Cholesterin. Dann soll der Veganer ins Kino fahren, sagen Sie? Um was zu tun? Einen Film darf sich ein ethisch-moralisch getriebener Veganer nicht anschauen, Filmmaterial basiert oft noch auf Gelatine. Die Frage stellt sich aber ohnehin nicht, weil ein 1000-Prozent-Veganer ja ohne Reifen nicht ins Kino kommt. Viele Reifen enthalten zur Festigung tierische Stearinsäure. Doch selbst wenn der 1000-Prozent-Veganer langsam auf seinen Felgen fährt, so wäre es doch zu gefährlich für ihn, weil er gar nicht bremsen dürfte. In Bremsflüssigkeit ist nämlich Glyzerol. Das ist natürlich umso tragischer, weil immer mehr unschuldige Tierchen an der Windschutzscheibe verenden, je schneller der Veganer wird, und was, wenn plötzlich ein Reh auf der Straße auftaucht? Was? Wie bitte? Wenn das so ist, kann man sich gleich aufhängen? Sicherlich ein diskussionswürdiger Vorschlag, aber bitte nicht mit einem Wollseil. Das arme Schaf!

## ☆ SAG'S NOCH MAL, SEAN! ☆

- ☑ Es gibt mehr alte Kettenraucher als alte Veganer.
- ☑ Für veganes Essen sterben ganz besonders putzige Geschöpfe!
- ☑ Fleischersatzprodukte sind schlimme Monsterkreationen.
- ☑ Veganer dürfen weder bremsen noch ins Kino.
- ☑ Wenn Tiere nicht wollten, dass wir sie essen, würden sie scheiße schmecken.

Wenn also auch Sie ohne Verstopfung und Depressionen 90 Jahre alt werden wollen und putzige Tiere lieben, dann unterschreiben Sie bitte hier:

Ich, _____, muss das nicht probieren mit dem veganen Essen!

*Warum Sie ohne Ziele besser fahren und letztendlich nicht mal einen Job brauchen*

Für die meisten Leute bedeutet Erfolg noch immer, unfassbar viel Kohle zu haben. Das ist natürlich ihr gutes Recht. Deswegen frage ich jetzt mal einfach so: Kennen Sie echte Millionäre? Ich schon.

Sie trinken billigen Wein aus geklauten Gläsern, meckern über schlechte Business-Class-Sitze und feilschen sogar beim Kauf von iPhone-Ladekabeln. Sie fahren einen 7er BMW auf Firmenkosten und spendieren ihrer jüngeren Partnerin widerwillig einen koreanischen Kleinwagen ohne Airbags. Sie knausern beim Trinkgeld, sind dauernd vor Gericht und machen in der Nacht ohne Beruhigungsmittel kein Auge mehr zu. Warum sie so geworden sind, diese armen Schweine? Ganz einfach: weil sie Angst haben, ihre ganzen verschissenen Millionen wieder zu verlieren.

Und jetzt kommen wir ins Spiel, die bräsigen Fitnessclub-

Karteileichen, deren Fernseher größer sind als ihre Ziele. Wir leisten uns leckere Rotweine in netten Restaurants, sind begeistert, wenn wir in der Premium Economy ein Glas Sekt bekommen und kaufen uns auch schon mal das dritte Ladekabel, weil wir die ersten beiden verbummelt haben. Wir geben viel zu viel Trinkgeld und schlafen beim Fernsehen auf unserer bequemen Couch ein statt beim Meeting in Peking. Warum wir so geblieben sind? Weil wir unser Leben nicht auf einen wackeligen Stapel Dollarscheine gebaut haben. Weil wir wissen, dass uns mehr Arbeit, mehr Geld und weniger Zeit nicht glücklich machen. »Weiß ich doch«, höre ich Sie gerade denken, aber weiß es Ihr Muss-Monster auch? Oder flüstert es nicht doch ab und zu: Was gammelst du so vor dich hin, was lungerst du nur rum? Du musst dir Ziele setzen, die Dinge sofort angehen und endlich mal weiterkommen im Job! Eine bessere Wohnung haben, eine goldene Vielfliegerkarte und ein schickes Auto!

Gut, dass Ihnen Ihr »ESMI!« schon viel leichter von den Lippen geht als noch zu Beginn des Buches. Denn genau diese Dinge müssen Sie nicht haben. Und wenn Sie kurz Zeit haben, dann erzähle ich Ihnen gerne, warum.

# Ich muss mir Ziele setzen!

## Einen Scheiß müssen Sie! Warum Ziele mutwillige Glücksverschiebung sind und das beste Ziel kein Ziel ist

> *»Ein guter Reisender hat weder starre Pläne noch die Absicht anzukommen.«*
>
> Weisheit von einer Zitate-Seite im Internet

Wenn mich jemand fragt, wo ich mich in fünf Jahren sehe, antworte ich meist: »In der Betty Ford Klinik!« In der Regel ist die Fragerei dann beendet. Natürlich sehe ich mich nicht wirklich dort, ich hab nur einfach keine Lust, eine Diskussion über die Sinnlosigkeit von Zielen loszutreten, wenn ich gerade bei der Free Til U Pee Nite im Molly's erwartet werde (Sie ahnen ja nicht, wie sauer meine Kumpels sind, wenn ich den Moment verpasse, an dem der Erste aufs Klo muss).

Wo wir gerade über Ziele reden: Kennen Sie den?

»Wenn du nicht weißt, wo du hinwillst, kannst du auch nirgendwo ankommen!«

Arrrrgghhhhh! Natürlich kennen Sie den, und vermutlich haben Sie ihn genauso oft gehört wie ich, nämlich eintausendmal. Was die Aussage nicht richtiger macht. Genaugenommen ist sie sogar kompletter Unfug. Erlauben Sie mir ein kurzes Gedankenexperiment:

Angenommen, Sie setzen sich jetzt in Ihr Auto und fahren

einfach so los, also ohne Ziel. Stellen Sie sich das doch einfach mal vor. Sie starten also den Motor und rollen los, ohne zu wissen wohin. Sie fahren auf den Highway oder auch nicht, dann wieder runter oder auch nicht, mal links, mal rechts, mal schnell, mal langsam, ganz wie Sie wollen. Sie fahren, solange Sie Lust haben. Sie biegen ab oder lassen es. Wenn Sie einen schönen Berg sehen, dann fahren Sie hoch. Wenn Sie an einem See vorbeikommen und Ihnen heiß ist, dann springen Sie hinein. Und wenn Sie an einen anderen schönen Ort kommen, dann halten Sie an und spazieren umher. Wo Sie sind? Keine Ahnung. Vielleicht ja in einer Weingegend. Oder in San Francisco. Oder am Meer.

Nehmen wir jetzt einfach mal an, dass es Sie an einen kleinen Ort an der Küste verschlagen hat und Sie vor einem hübschen Restaurant geparkt haben, dem Ventana Inn, Pismo Beach. Pismo Beach an der kalifornischen Pazifikküste? Ja, genau dort sind Sie. Wie war das eben noch? Wenn Sie nicht wissen, wo Sie hinwollen, können Sie auch nirgendwo ankommen? Schauen Sie sich um, treten Sie auf den Sand und fragen Sie den Parkboy mit der komischen Mütze:

»Entschuldigen Sie, aber: BIN ICH IRGENDWO?«

»Aber klar, Sir, Sie sind in Pismo Beach, Sir.«

»Also nicht ›NIRGENDWO‹?«

»Nein, Sir, Pismo Beach, Sir!«

Halten wir fest: Sie sind nicht nirgendwo, Sie sind in Pismo Beach! Einem fabelhaften Ort mit atemberaubendem Blick auf den tosenden Pazifik, bezahlbarem Merlot by the glass und sensationellen Heilbutt-Fish-Tacos! Sie sind an einem Ort, an dem Sie niemals wären, wenn Sie ein Ziel gehabt hätten. Wo Sie wären, wenn Sie ein Ziel gehabt hätten? Nun, dann wären Sie vermutlich dort, wo andere Sie hingeschickt hätten. In einem faden Hotelwürfel zum Beispiel, weil der bei tripadvisor am besten bewertet wurde. Oder bei Wasted Wayne an der Wholefoods-Salatbar. Sie aber hatten kein Ziel, doch statt nirgendwo sind Sie da, wo es Ihnen am besten gefallen hat. Und jetzt mal ehrlich – ist das nicht großartig? Einigen wir uns also einfach mal darauf, dass wir auch ohne Ziele ankommen können, wir wissen halt einfach nur nicht wo.

»*Okay Sean, aber vielleicht gibt es ja Leute, die wissen, wo sie hinwollen. Was ist da falsch an Zielen?*«

An Zielen ist falsch, dass wir sie meist nicht erreichen und dann unzufrieden sind. Deswegen sagen namhafte Psychologen anerkannter Institute ja auch:

## Ziele nicht zu erreichen ist viel schlimmer, als keine zu haben!

Jetzt wäre es doch mal interessant zu wissen, wie viele Menschen ihre Ziele erreichen und wie viele nicht. Deswegen hab ich nachgeschaut und im Netz die New Years Resolution Statistics[1] der University of Scranton gefunden. Dort wurde meine These nicht nur untermauert, sie wurde unterkellert. In der New Years Resolution Statistics steht nämlich, dass im letzten Jahr nur acht Prozent aller Amerikaner ihre guten Vorsätze zum neuen Jahr tatsächlich umgesetzt haben. ACHT PROZENT! Da braucht man nur eine gute Taschenrechner-App, um zu erkennen: 92 Prozent aller Amerikaner sind an ihren Vorsätzen gescheitert! Und jetzt raten Sie mal, wie die sich fühlen! Beschissen natürlich. Wie sie sich gefühlt hätten, wenn sie keine Ziele gehabt hätten? Sie hätten sich großartig gefühlt. Warum lassen wir das mit den Zielen dann nicht einfach und schließen so die Möglichkeit des Scheiterns von vornherein aus? Letztendlich ist es so simpel, wie es wahr ist:

### Wer keine Ziele hat, kann auch nicht scheitern!

Lassen Sie das ruhig kurz sacken, es wäre ein Jammer, wenn Sie es vergessen. Denn hier ist schon ein weiterer Nachteil, den alle Ziele haben: Wir haben nur bedingt Einfluss auf sie.

Immer wieder muss ich hier an die tragische Geschichte des dänischstämmigen Gebäudereinigers Harvey Olson denken. Jahrelang hatte er sich eisern hochgearbeitet und jeden Cent gespart, bis er irgendwann seine eigene Reinigungsfirma gründen konnte. Doch die Aufträge waren rar, die Konkurrenz groß, die Firma überlebte mehr schlecht als recht. Bis zu jenem Herbsttag, an dem Harvey von der Möglichkeit hörte, die Grundreinigung von gleich zwei Bürohochhäusern zu übernehmen. Harvey bekam den Großauftrag, denn er sicherte als Einziger fest zu, dass die beiden Gebäude bis zum 12. September vor Sauberkeit nur so blitzen und blinken. Der fleißige Harvey Olson hatte ein so klares Ziel – und doch wartet er bis heute auf sein Geld. Die beiden Bürotürme standen nämlich in Manhattan, und es war das Jahr 2001. Diese kleine Geschichte zeigt: Was immer Ihr Ziel ist und so hart Sie auch dafür arbeiten, manchmal haben Sie einfach keinen Einfluss darauf, ob Sie es erreichen. Daher kann ich Ihnen nicht eindringlicher raten, das mit den Zielen sein zu lassen, und zwar so früh wie möglich, denn …

## Ziele sind mutwillige Glücksverschiebung

Wenn wir uns Ziele setzen, geschieht folgendes: Statt uns im Hier und Jetzt zu akzeptieren, so wie wir gerade sind, versauen wir uns die Stimmung mit Wünschen für woanders und später. Denn wenn wir uns ein Ziel stecken, dann sagen wir ja, dass wir jetzt nicht zufrieden sind, sondern erst dann, wenn wir das Ziel erreicht haben. Angenommen, Sie haben, so wie ich damals, das Ziel, fünf Kilo abzunehmen. Dann sagen Sie sich in diesem Augenblick: 1. ich bin zu dick und 2. erst glücklich, wenn ich mein verdammtes Ziel erreicht habe, ich fettes Schwein. Dann trainieren Sie wochenlang, verzichten abends auf Kohlenhydrate und trinken nicht mal Alkohol. Was aber, wenn Sie Ihr Ziel trotzdem nicht erreichen, so wie 92 Prozent aller Amerikaner? Dann haben Sie versagt UND sind zu fett! Und eine beschissene Zeit hatten Sie auch noch vorher. Ihr sinnloses Ziel hat Sie also von einem zufriedenen Moppelchen zu einem fetten Versager gemacht! Also ganz ehrlich, das finde ich so richtig schlimm. Und genau deswegen hab ich keine Ziele mehr! Ich will einfach kein fetter Versager sein.

## Wenn das beste Ziel ›kein Ziel‹ ist

So lange ich denken kann, haben mich Ziele unglücklich gemacht. Das heißt natürlich nicht, dass ich jetzt einfach so in den Tag lebe und gar nichts mache. Im Gegenteil: Ich mach sogar eine ganze Menge! Nehmen wir einfach mal einen ganz normalen Montag, da heißt es dann schon mitten am Vormittag frühstücken, Legless Larry füttern und hochfahren in den Paso Robles Sports Club zum Mittagessen. Danach bin ich meist einkaufen, danach Karen abholen, für die ich montags immer koche. Natürlich schreibe ich später in der Woche auch an meinem neuen Buch und braue Bier, aber auch hier gilt: keine Ziele. Bier und Buch sind fertig, wenn sie fertig sind. Um mich daran zu erinnern, keine Ziele zu haben, führe ich sogar eine ESMI-Liste. Hey, vielleicht ist das ja auch was für Sie?

### Machen Sie eine ESMI-Liste!

Es geht auch ganz einfach. Erstellen Sie einfach eine Aufgabenliste, am besten geht das auf Ihrem Smartphone. Füllen Sie sie mit negativen Aufgaben wie »Zaun nicht streichen!« oder »Auto-Inspektion vergessen« oder »Garage so lassen, wie sie ist«. Wann immer Ihnen danach ist, haken Sie sie entsprechend ab. Glauben Sie mir, mit jedem Haken fühlen Sie sich ein kleines Stückchen besser. Kleiner Tipp: Je größer die Aufgaben sind, desto wohler fühlen Sie sich. Neulich plante ich z. B. mit Karen einen Komplett-Umbau meines Hauses mit vollständig neuer Elektrik, Durchbruch von Küche zu Wohnzimmer und neuem Dach. Staub, Schmutz und Ärger mit Handwerkern wären vorprogrammiert gewesen. Eventuell hätte ich das Haus sogar mehrere Wochen verlassen müssen! Können Sie sich vorstellen, wie erleichtert wir waren, als wir irgendwann lachend den Zettel zerrissen und sagten »Haha! Machen wir gar nicht!«

Seit kurzem pflege ich sogar negative Geburtstagskalender, was ebenfalls hervorragend funktioniert, dann schreibe ich z. B. »Joe Anderson hat heute keinen Geburtstag!« und lasse mich durch einen Alarm daran erinnern. Ein schönes Gefühl ist das, wenn ich dem Idioten weder gratulieren noch ein Geschenk besorgen muss!

Wie Sie sehen, liegt es an Ihnen, wie Sie sich fühlen. Ich

finde, keine Ziele zu haben ist so ziemlich die tollste Sache, die man im Leben erreichen kann. Keine Ziele zu haben heißt nämlich, auch vor sich selbst einen Scheiß zu müssen!

### Mit Tiny Tasks ins neue Jahr!

Vielen fällt es schwer, sich von heute auf morgen nichts mehr vorzunehmen. Sollten Sie zu diesen Menschen gehören, habe ich einen Trick für Sie. Nehmen Sie sich einfach unfassbar wenig vor, konzentrieren Sie sich auf einige wenige Tiny Tasks. Tiny Tasks sind klitzekleine Aufgäbelchen, die Sie in jedem Fall schaffen werden.

Nehmen Sie sich zum Beispiel vor, dass Sie irgendwann in der kommenden Woche Ihr Handy aufladen, bevor es komplett leer ist, das Licht im Bad löschen nach dem Duschen oder die Weinflasche austrinken vor dem Zubettgehen. Und loben Sie sich direkt danach dafür. Sagen Sie: »So, Handy lädt, super!«, »Aus, das Bad-Licht, gut gemacht!« und »Kein Tropfen mehr drin, perfekt! Jetzt penn ich!« Glauben Sie mir, es funktioniert.

Sicher denken Sie nun, dass diese Tiny Tasks eine so geniale Erfindung sind, dass sie von irgendeiner renommierten Universität kommen müssen. Tun sie nicht! Die Tiny Tasks beruhen einzig und allein auf einer Erfahrung, die ich in der Silvesternacht 2013 gemacht habe. Karen und ich feierten mit allen ›Give a big cheer for the new year‹ im Molly's, und irgendwann redeten wir über gute Vorsätze: Chubby Charley wollte mal wieder abnehmen, Wasted Wayne weniger Hanföl rauchen und Angry Aaron wieder mehr Sport machen. Karen wollte nur ein Glas Rotwein. Und als ich gefragt wurde, welche Ziele ich fürs neue Jahr habe, stellte ich mein Whiskeyglas zur Seite und sagte: »Also, ich hab mir fürs kommende

Jahr ganz fest vorgenommen, die Schutzhaube auf meinen Grill zu stülpen.« Da lachten alle und dachten, das sei mal wieder so ein typischer Brummel, es war aber keiner.

Noch in der Neujahrsnacht, direkt nachdem Karen und ich aus dem Molly's getaumelt waren, setzte ich meine Tiny Task um: Ich tastete mich nach draußen und stülpte die Hülle über den Grill. Danach fiel ich wie ein Stein ins Bett.

Als ich irgendwann aufwachte und noch ganz schlaftrunken und verkatert meinen abgedeckten Grill entdeckte, da fühlte ich mich großartig. Und ich war mächtig stolz auf mich. Keine sechzehn Stunden war das neue Jahr alt und ich hatte mir noch nicht mal einen Kaffee gemacht – und doch hatte ich schon alle Ziele erreicht, die ich mir fürs neue Jahr gesteckt hatte! Zufrieden und vollkommen im Reinen mit mir, brühte ich frischen Kaffee auf und bereitete Rühreier mit Speck für Karen und mich. Da sah ich durch das Küchenfenster Nachbar Anderson mit Sporttasche und hochrotem Kopf aus dem Haus hetzen.

»Was hat er denn?«, fragte Karen, die mit ihrem Nachthemd verschlafen in der Tür stand.

»Keine Ahnung«, sagte ich und zuckte mit den Schultern, »ich nehm an, er hat Ziele.«

# ☆ SAG'S NOCH MAL, **SEAN!** ☆

- ☑ Wir kommen auch ohne Ziele an. Wir wissen halt nur nicht, wo. (Pismo-Beach-Paradox)
- ☑ Keine Ziele zu haben ist besser, als Ziele nicht zu erreichen. (Win-Win-Ansatz)
- ☑ Wenn Sie keine Ziele haben, können Sie auch nicht scheitern.
  (Harvey-Olson-Dilemma)
- ☑ Ziele sind mutwillige Glücksverschiebung. (Fette-Versager-Falle)
- ☑ Was immer Sie sich fürs neue Jahr vornehmen, machen Sie es noch in der Silvesternacht! (Tiny-Task-Trick)

Jetzt, wo Sie sich besser fühlen, dürfte ich Sie um eine kleine Unterschrift bitten? Danke, sehr nett.

Ich, _____, muss mir keine Ziele setzen!

# Das muss ich heute noch machen!

## Geht das wirklich nicht auch morgen?
## Warum Aufschieben das Beste ist,
## was Sie machen können

>*»Mein Rat ist daher, nichts zu forcieren und alle*
>*unproduktiven Tage und Stunden lieber zu*
>*vertändeln und zu verschlafen, als in solchen Tagen*
>*etwas machen zu wollen, woran man später keine*
>*Freude hat.«*
>
> JOHANN WOLFGANG VON GOETHE, DEUTSCHER
> TRINKER UND DICHTER

Eines der sinnlosesten Ziele ist sicherlich, irgendetwas heute noch machen zu wollen. Meine Ex-Frau Trisha war Spezialistin darin. Unabhängig davon, ob es Sinn machte, mussten andauernd Dinge noch heute gemacht werden, z. B. musste vor dem Schlafengehen unser großer Esstisch abgeräumt werden. Natürlich sah ich nicht die Spur eines Sinns in so einem Vorschlag, schließlich schliefen wir nicht auf dem Esstisch, sondern im Bett. Demnach brauchten wir den Tisch auch erst in acht Stunden wieder. Was Trisha freilich nicht gelten ließ, da wir den Tisch morgen früh ja ohnehin abräumen müssten, und wenn wir es jetzt täten, dann wäre dies am Morgen schon gemacht. Also ganz ehrlich, etwas Dümmeres hab ich mein ganzes Leben lang noch nicht gehört.

Überlegen Sie mal: Warum sollte man eine Aufgabe (Tisch abräumen) mit wenig Motivation zu einem Zeitpunkt erledigen, an dem der Nutzen (Frühstück) noch in weiter Ferne liegt, wenn man die gleiche Aufgabe mit großer Motivation (Hunger) auch dann erledigen kann, wenn man direkt etwas davon hat?

Kein Mensch auf der ganzen Welt, nicht einmal Trish, braucht in der Nacht einen sauberen Esstisch! Meine neue Partnerin sieht das übrigens genauso und geht sogar noch einen Schritt weiter: Als letzten Samstagmorgen noch alle Sachen vom Vorabend auf meinem Tisch standen, schlug sie einfach vor, wieder ins Bett zu gehen. Mann, ich liebe Karen für so was!

Um die komplette Sinnlosigkeit der Do-It-Now-Logik zu zeigen, muss man sich nur vorstellen, was sie in anderen Bereichen bedeutet. Wollte ich alles sofort machen, um es später nicht mehr tun zu müssen, könnte ich auch den ganzen Tag meine Hose auf den Knien hängen haben, damit ich pinkeln kann, wenn ich mal muss. Ich müsste mir schon am Dienstagabend die Tennisklamotten für das Mittwochsmatch gegen Bob anziehen, denn dann hätte ich sie am Mittwoch schon an! Und im Juli müsste ich den Ofen für den Truthahn vorheizen, ich weiß ja jetzt schon, dass ich an Thanksgiving die 220 Grad im Ofen brauche …

### *Warum Sie unangenehme Aufgaben aufschieben sollten*

Wenn Sie schon mal auf einem meiner Seminare waren, dann kennen Sie die Geschichte mit dem Esstisch vermutlich schon. Ich erzähle sie deswegen so gerne, weil sie auf einfache Weise zeigt, wie vorteilhaft es sein kann, unangenehme Aufgaben aufzuschieben. Auch die attraktive Business-Expertin Lisa Earle McLeod stützt meine Esstisch-These, wenn sie sagt: »Aufschieben ist das Beste, was wir machen können, denn: Je näher eine Deadline kommt, desto mehr Energie haben wir. Warum also mit wenig Energie an eine große Aufgabe gehen?«[2] Lisa Earle McLeod, meine Damen und Herren, hat recht.

Denken Sie einfach mal an Großveranstaltungen wie die Olympischen Spiele! Ausnahmslos jedes Mal wird Jahre vor den Events darüber berichtet, dass weder Sportstätten noch Unterkünfte fertig sind, dass ein riesiges Chaos herrscht und alles mal wieder in letzter Sekunde geschehen wird. Ja und? Ist nur ein einziges Mal eine große Eröffnungsveranstaltung ausgefallen, weil die Sitzschalen im Stadion fehlten? Wurde auch nur einmal Beachvolleyball abgesagt, weil kein Sand auf dem Feld war, oder ein Fußballmatch, weil die Tore noch im Zoll festhingen? Eben! Weil es nämlich völlig egal ist, wann man anfängt und es am Ende sowieso immer klappt. Also fast immer.

Hectic Hank erzählte mir, dass die Fußball-Weltmeisterschaft 1986 eigentlich in Kolumbien stattfinden sollte, die Kolumbianer aber die Organisation nicht auf die Kette bekommen haben und die WM deswegen nach Mexiko verlegt wurde. Einigen wir uns einfach als Faustregel darauf, dass trotz aller Aufschieberei auch große Projekte immer fertig werden, nur eben nicht in Kolumbien.

Wichtig ist freilich, dass man viel über ein Projekt spricht, bevor man auch nur einen Finger krummlegt. Und je größer so ein Projekt ist, desto mehr sollte man drüber quatschen, bevor man irgendwas macht. Vielleicht haben das ja die Kolumbianer nicht bedacht und einfach angefangen. Wir alle kennen den Spießerspruch »Nicht quatschen – machen!« Es macht mich jedes Mal traurig, wenn ich ihn höre, denn natürlich ist das Gegenteil richtig:

### Nicht machen – quatschen!

Zwischen dem Reden und dem Handeln liegt das Meer, heißt es. Ja, Gott sei Dank! Wie soll man denn was richtig machen, wenn man vorher nicht wenigstens einmal darüber gequatscht hat? Nehmen wir als Beispiel ein recht komplexes Projekt wie die Mondlandung. Okay, wir alle wissen, die USA drohten damals in der Raumfahrt abgehängt zu werden von den Russen, aber hätte der US-Präsident 1969 einfach so drei Amis auf den Mond katapultieren sollen, ohne vorher zumindest einmal über die Sache zu quatschen mit der NASA?

»Verdammt, die Russen überholen uns in der Raumfahrt, wir müssen SOFORT ein paar von unseren Jungs auf den Mond schießen!«

»Bei allem Respekt, Mr. President, da wir brauchen Zeit, wir haben ja noch nicht mal eine Rakete …«

»Nicht quatschen – machen!«

Ich denke, wir sind uns einig: Ob Esstisch, WM oder Mondlandung – es ist in jedem Fall besser, vorher ausgiebig über eine komplexe Aufgabe zu sprechen, statt einfach mit ihr zu beginnen. Insbesondere, wenn Sie Kolumbianer sind. Sollte Sie dennoch einmal wieder das schlechte Gewissen plagen, dann denken Sie dran:

### Aufschieben ist auch Arbeit!

In meiner Garage sah es lange so aus, wie nach einem Erdbeben, mein iPhone-Betriebssystem hat Steve Jobs noch persönlich freigegeben, und der Turm aus Pizzakartons hinter dem Haus ist so hoch, dass ich ihn als Antennenstation an

AT&T vermieten könnte. Und das sind nur die drei Dinge, die mir spontan einfallen.

Noch vor Jahren hätte mein Muss-Monster hier geschrien wie am Spieß »Da musst du entrümpeln, updaten und zum Altpapier!« Gott sei Dank ist es mittlerweile zu schwach, um ganze Sätze zu bilden. Wissen Sie, wann ich meine Garage entrümpelt habe? Als ich den Platz brauchte, um Bier zu brauen. Und genau das ist auch mein Rat an Sie: Wenn Ihr Muss-Monster meint, Sie müssten nun wirklich mal den Kühlschrank feucht auswischen, halten sie für einen Augenblick inne und fragen Sie sich, ob nicht vielleicht eine andere Aufgabe einen größeren Wert für Sie hat. Fragen Sie sich z. B. (wo Sie sowieso gerade am Kühlschrank stehen), ob Sie genug Bier haben für den Abend oder ob gerade eine Fernsehsendung läuft, die Sie gerne sehen wollen. Wenn ja, tun Sie das von größerem Wert und seien Sie stolz auf Ihre Kompetenz, eine wertlose Arbeit in letzter Sekunde nicht begonnen zu haben. Und vergessen Sie nicht, sich selbst für Ihre Entscheidung zu loben!

*»Aber Sean, die Garage voll, 'n steinaltes OS aufm iPhone und hinterm Haus die Pizzakartons ... kann es sein, dass du einfach nur stinkfaul bist? Also, ich würde mich so nicht wohlfühlen!«*

### *Aufschieber fühlen sich wohler*

Stinkfaul? Ich? Wie amüsant. Sehen Sie, und genau deswegen hab ich ja dieses Buch für Sie geschrieben. Damit Sie sich gerade dann wohl fühlen, wenn Sie Dinge nicht tun. Das geht freilich nur, wenn man alte Denkstrukturen aufbricht. Am wohlsten fühlen wir uns doch, wenn wir klug mit unseren Kräften haushalten und uns nicht blind auf die erstbeste Aufgabe stürzen. Ich hab dazu mal Frank Partnoy gefragt, der ist Professor von Weltruf an der renommierten University von San Diego und nebenbei auch Stammgast in der Stone Brewery an der Liberty Station. Frank sagte Folgendes zu mir: »Weißt du, Sean, wir werden ohnehin immer mehr zu tun haben, als wir jemals erledigen können, das heißt, dass wir immer ein paar Aufgaben schieben müssen. Die Frage ist also gar nicht, ob wir aufschieben oder nicht, sondern wie gut wir aufschieben.«[3] Also, mich hat Frank damit auf Anhieb überzeugt. Ich hab sofort meinen Besprechungstermin mit Bob abgesagt und mir noch ein Bier bestellt.

## Mit Aufschieben zum Erfolg

Aufschieben ist also nicht nur nichts Schlechtes, es ist sogar der Schlüssel zu nachhaltigem Erfolg. Ein kluger Mann aus einer kleinen Stadt in Kalifornien sagte einmal: »Es gibt in diesem Leben viele verschiedene Möglichkeiten, keinen Erfolg zu haben. Die sicherste ist, alles sofort machen zu wollen.«[4]

Tatsache ist: Wer geschickt aufschiebt, kommt weiter im Leben, und das gilt für alle Bereiche – im Geschäft, im Sport und in der Politik.

Nehmen wir Warren Buffet, den mit einem geschätzten Privatvermögen von über 60 Milliarden US-Dollar drittreichsten Mann der Welt.[5] Auf die Frage, wie lange er Investment-Entscheidungen hinauszögert, antwortete er: »Unendlich!«[6] Sie ahnen, was Warren Buffet wäre, hätte er alles sofort erledigt: pleite. Hab ich nicht erfunden, stand in der *Financial Times*. Im gleichen Artikel hieß es, dass der Tennis-profi Novak Djokovic allen anderen deshalb so weit voraus ist, weil er die Fähigkeit besitzt, ein paar Millisekunden län-ger zu warten als seine Gegner, bis er den Ball schlägt. Der beste Tennisspieler der Welt schiebt also auch auf!

Fand ich so spannend, dass ich wissen wollte, wie es früher war. Also googelte ich »alte Griechen« und »Aufschieben« und wurde sofort belohnt dafür: In Ventura hatte nämlich so-eben das »The Old Greek« eröffnet. Ambiente, Bauchtanz und Essen sollen phantastisch sein! Und wenn schon die alten Griechen dieses Restaurant geplant hatten, wie unfassbar lange mussten sie die Eröffnung aufgeschoben haben! Die Leute schienen trotzdem begeistert, Karen und ich fuhren so-fort hin, und wir hatten einen phantastischen Abend.

Trotz aller leicht erkennbaren Vorteile bleibt in unserer Leistungsgesellschaft der schlechte Ruf des Aufschiebens. Vielleicht, hab ich mir gesagt, liegt es ja am Wort selbst. Viel-leicht sollten wir ja die Bezeichnung ändern? Sollten wir! Wenn Sie also das nächste Mal von einem zappeligen Aktio-nisten des Aufschiebens bezichtigt werden, dann sagen Sie doch einfach:

### »Ich schiebe doch nicht auf, ich befinde mich in einem hochintelligenten Prozess kontinuierlicher Neu-Priorisierung!«

Kontinuierliche Neu-Priorisierung bedeutet, dass Sie niemals aufhören sich zu fragen, ob es nicht vielleicht doch irgend-etwas Wichtigeres gibt, als die Garage zu entrümpeln, das Handy-Update aufzuspielen oder den Kühlschrank auszuwi-schen. Und vergessen Sie bitte ein für alle Mal puritanisches

Geplapper wie »Was du heute kannst besorgen, das verschiebe nicht auf morgen!«

*»Ach ja? Und warum?«*

Was, wenn Sie heute Bier kaufen und es morgen im Sonderangebot ist?

Was, wenn Sie heute neue Pizzabretter kaufen und Ihr Partner morgen ebenfalls mit welchen heimkommt?

Was, wenn Sie heute Ihr Auto waschen und es morgen regnet?

Was, wenn Sie heute die Küche aufräumen und es morgen ein Erdbeben gibt?

Was, wenn Sie sich heute die Fußnägel schneiden und Ihnen morgen ein Hai die Beine abbeißt?

Nun, ich denke, dass Sie in all diesen Fällen recht verstimmt wären. Von daher kann ich nur noch einmal eindringlich raten, nicht alles sofort machen zu wollen.

Um meine These, Aufschieben sei eine gute Sache, auf ein noch solideres Fundament zu stellen, fragte ich die weltweit führenden Prokrastinationsforscher Joseph Ferrari, von der De Paul University in Chicago und Timothy Pychyl, Ph.D., von der Carleton University in Ottawa, warum Aufschieben ihrer Meinung nach gut sei. Beide mailten mir ihre Antworten innerhalb einer knappen Stunde. Ich war so enttäuscht, dass ich sie ungelesen löschte.

Sie sehen: Statt unbedacht die Sprichwörter unserer Großeltern nachzubrabbeln, lohnt sich ein flinker Blick auf die zeitgenössische Aufschiebungsforschung. Diese kann man in einem einzigen Satz zusammenfassen: Was du heute kannst besorgen, machste gar nicht oder morgen.

## ☆ SAG'S NOCH MAL, SEAN! ☆

- ☑ Je näher wir einer Deadline kommen, desto mehr Energie haben wir. Warum also mit wenig Energie an eine große Aufgabe gehen?
- ☑ Aufschieben ist auch Arbeit.
- ☑ Es gibt in diesem Leben viele verschiedene Möglichkeiten, keinen Erfolg zu haben. Die sicherste ist, alles sofort machen zu wollen.
- ☑ Aufschieben ist die Kompetenz, wertlose Aufgaben in letzter Sekunde nicht zu beginnen.
- ☑ Joseph Ferrari und Timothy Pychyl schieben gar nicht auf!!!

Ach ja, und wenn Sie so nett wären, dies hier bei Gelegenheit zu unterzeichnen. Wie gesagt, bei Gelegenheit, muss nich heute sein.

Das muss ich, _____ , nicht unbedingt heute noch machen!

# Ich muss vorwärtskommen im Job

## Bullshit!
## Sie brauchen nicht mal einen!

*»Erst der Spaß, dann das Vergnügen.«*
PAULA BRUMMEL, SEANS URGROSSMUTTER

Man hört ja die schlimmsten Geschichten von Leuten, die im Job vorwärtskommen wollen. Die von Luisa zum Beispiel, die uns eines Abends im Molly's aufgeregt eröffnete, sie habe jetzt bei Apple die Möglichkeit, zur ›Engineering Project Managerin‹ aufzusteigen. Unsere Freude hielt sich in Grenzen. Karen fragte Luisa, was an ihrem jetzigen Job denn falsch wäre.

»Nichts!«, sagte Luisa, »ich hab nur einfach seit vier Jahren die gleiche Position.«

»Ja und?«, sagte ich und zog die Stirn in Falten, »du trinkst doch auch seit zehn Jahren das gleiche Bier.«

»… das jedes Jahr mehr kostet, Sean, also muss ich auch mehr verdienen!«

»… was aber egal ist, weil du ja bald keine Zeit mehr haben wirst, welches zu trinken.«

»Umso besser«, lächelte Luisa ein wenig angestrengt, »hab ich noch mehr Geld!«

»Jetzt hört ma auf mit dem Scheiß«, nuschelte Wayne mit glasigem Blick.

»Was schlägst du vor?«, fragte Luisa ihn leicht genervt.

»Ein ›Stone Arrogant Bastard‹ mit 7,2 Prozent!!!«

Alle waren sofort einverstanden, denn es war Freitagabend. Zudem sollte es unser letzter Abend mit Luisa werden. Wie von mir vorhergesagt, begann ihr Niedergang an genau dem Tag, an dem sie die neue Position annahm.

## Sozialer Abstieg durch Arbeit

Was wir sahen, tat uns weh: Statt ihre wertvolle Lebenszeit weiterhin clever in gemeinsame Kinobesuche, Thai-Food-Abende oder meine legendäre Free Til U Pee Nite im Molly's zu investieren, vertändelte Luisa ihre Tage nun damit, proaktiv multiple Projektabläufe bei Apple zu managen. Karen meinte, es käme ihr vor, als sei Luisa gestorben. Als wir Luisa nach Monaten endlich mal wieder sahen, war sie gehetzt, abgemagert und viel zu gut angezogen. Und sie redete sehr viel schneller als früher.

»HeyJungsbindirektvonderArbeitgekommen!Bestelltihr mirneCokeZerosuperliebdankemussnochkurz telefonieren …«

Und dann beobachteten wir staunend, wie Luisa mit ihrem iPhone hektisch dahin eilte, wo sie vor 17,7 Sekunden hergekommen war: nach draußen. Wayne, Karen und ich starrten uns verdutzt an.

»Was hat sie gesagt?«, fragte Wayne, der gerade seine E-Pfeife mit taufrischem Hanföl betankte.

»Ich glaube, sie kommt von der Arbeit und möchte eine Coke Zero«, antwortete ich.

»Um kurz nach eeeelf?«

Wir tranken und warteten. Und Wayne dachte laut nach: »Was machen die denn überhaupt so lange bei Apple …«

Karen und ich blickten in Richtung Eingang. Ab und zu sahen wir eine telefonierende Silhouette an der Tür vorbeigehen.

»… ich meine, ist doch alles fertig bei denen: die iPhones, die iPads, die blöde Uhr da …«

Ab und zu ging die Tür sogar auf, aber da kamen andere Leute rein, nicht Luisa.

»… und die ganzen iMacs. Is doch alles fertig bei Apple! Und …«

»Das iPhone 11 ist noch nicht fertig!«, unterbrach ihn Karen, woraufhin Wayne sie beeindruckt anstarrte.

»Wow! Luisa macht echt das iPhone 11, oder?«

Eine halbe Stunde später schüttete die Barkeeperin Luisas Coke Zero in die Spüle. Sie war nicht wiedergekommen.

Es ist immer schlimm, wenn man Freunde verliert. Am schlimmsten ist es aber, wenn man den Grund nicht nachvollziehen kann.

»Waaaarrruuum?«, schrie Wasted Wayne seine Wut in die Nacht, und die Tränen schossen ihm nur so auf seine Hanföl-Pfeife. Da legte ich den Arm um Waynes Schulter und sagte: »Sie wollte vorwärtskommen im Job.«

### Mein Vater wusste es schon besser

Ich erinnere mich noch genau, wie mein Dad reagierte, als ich ihm nach dem College stolz eröffnete, dass ich mir nun einen Job suchen wolle.

»Junge«, sagte er mit seiner tiefen Stimme und blickte mich entsetzt an, »du bist jung, du bist gesund, was willst du denn mit einem Job?«

Damals dachte ich, Dad reißt einen seiner Witze. Tat er nicht.

Gut, er hatte leicht reden. Dad hatte nämlich den Käserand für Pizza-Hut erfunden, und wann immer seitdem irgendjemand auf der Welt eine Pizza mit Käserand futterte, bekam mein Dad 0,0018 Cents Lizenzgebühr. Das klingt nach wenig, aber wenn man bedenkt, dass diese Regelung weltweit gilt und die Leute Pizza mit Käserand lieben, dann war es ganz schön viel. Was ich bis heute nicht begreife: mein Vater hatte mir perfekt vorgemacht, wie man durch eine simple Idee und ohne Job nachhaltig zu Geld kommt.

Und was machte ich Idiot?

Nahm einen Job an!!!

Zu meiner Entschuldigung würde ich gerne anführen, dass ein 21-jähriger College-Abgänger die komplexe Eskalationsspirale aus Job, Karriere, Burnout und Ausbildung zum Yogalehrer gar nicht überblicken kann. Damals dachte ich eben nur: »Hey, cool. 'n Job. Kann ich meine Rechnungen selber bezahlen.«

Wie bescheuert war das denn? Wo meine Rechnungen doch bisher mein Vater bezahlt hatte bzw. die Leute, die in den Käserand einer Pizza bissen. Und weil ich das alles nicht begriff, installierte ich nun eben Satellitenschüsseln für ›Paso Dishes‹. Für eine Weile fühlte ich mich cool, wie ich so auf den Dächern meiner Heimatstadt stand und den Leuten zu glasklarem Satellitenfernsehen verhalf. Doch ehe ich mich versah, merkte ich, dass ich ohne diese Arbeit gar nicht mehr zurechtkommen würde. Ich war abhängig geworden. Abhängig von der schlimmsten Droge der Welt – einem Job.

»Sekunde mal, Sean – du kannst doch einen Job nicht mit Drogen vergleichen!«

Und ob ich das kann!

## *Einstiegsdroge Job*

Die Sache ist doch die: Ohne Job also keine Karriere. Ohne Karriere kein Burnout. Und ohne Burnout keine Ausbildung zum Yogalehrer.

Schauen wir doch einfach mal auf die Beschäftigungszahlen in den USA. Über 140 Millionen US-Amerikaner sind derzeit abhängig von einem Job[7], wobei ›abhängig‹ heißt, dass sich ihr Leben ohne ihren Job dramatisch verändern würde. Verlieren sie ihn, würden sie sofort einen neuen suchen, sind also süchtig. Falls Sie sich nun selbst Sorgen machen, ist hier eine kurze Liste der bekannten Suchtkriterien. Sollte eines oder mehrere auf Sie zutreffen, könnte es sein, dass Sie Ihre Lebenszeit bereits für einen Job missbrauchen.

- **Dosissteigerung** (Sie arbeiten immer mehr)
- **Kontrollverlust** (es gelingt Ihnen nur kurz oder gar nicht mehr, die Arbeitszeit zu begrenzen)
- **Entzugserscheinungen** (es treten körperliche Symptome auf, wenn der Zugang zum Arbeitsplatz unterbrochen ist)
- **Toleranzentwicklung** (Sie können mehr und mehr arbeiten)
- **Ersatz für soziale Kontakte** (statt Ihre Freundschaften zu pflegen, weichen Sie lieber auf Ihren Job aus)
- **Falsche Freunde** (Sie umgeben sich vermehrt mit Leuten, die ebenfalls einen Job haben)
- **Gesundheit** (trotz sichtbarer negativer Folgen behalten Sie Ihren Job)

Und genau das ist das Gemeine an einem Job: Sie können ihn nicht so einfach aufgeben wie Meth, Klebstoffschnüffeln oder Rauchen. Und dem Staat ist es auch gerade egal. Haben

Sie jemals einen Warnhinweis an Ihrer Bürotür gesehen wie »Arbeiten fügt Ihnen und den Menschen in Ihrer Umgebung erheblichen Schaden zu«? Oder »Arbeit tötet!«?

Vermutlich nicht. Und das, wo laut Statistik 98 Prozent aller Arbeitnehmer abhängig von ihrem Job sind – nur 2 Prozent aller Arbeitnehmer waren im letzten Jahr in der Lage, die Arbeit ohne schwerwiegende Konsequenzen hinzuschmeißen.[8]

Mein guter Freund Angry Aaron gehörte zu ihnen, er arbeitete mal für UPS als Fahrer. Bis zu jenem denkwürdigen Mittwochmittag, an dem er mitten auf der Kreuzung Spring Street und 24th eine Vollbremsung hinlegte und sämtliche Pakete auf den Grünstreifen donnerte. Dazu sang er unentwegt »Ich habe keine Lust mehr!«, als sei es ein Kinderlied. Wenige Wochen später gründete Aaron seinen eigenen Kurierdienst. Seitdem verdient er das Doppelte und sieht blendend aus.

### Karōshi – Tod durch Arbeit

Einem Bericht der China News Daily[9] zufolge sterben im Reich der Mitte jedes Jahr 600 000 Menschen wegen Überarbeitung, in Japan[10] sind es »nur« 150. Dafür haben die Japaner ein eigenes Wort für den plötzlichen berufsbezogenen Tod: Karōshi.[11] Es bedeutet so viel wie ›Vollidiot‹. Aber sind wir so viel schlauer? Leider nein, leider gar nicht. US-Amerikaner arbeiten im Schnitt elf Stunden mehr pro Woche als noch in den 70er Jahren[12], bei weniger Gehalt, versteht sich. Die USA sind von allen Industrienationen ohnehin die bekloppteste. Alle wollen es schaffen, wollen nach oben kommen und, wenn es irgendwie geht, dort bleiben. Erst vor kurzem erlag ein sehr junger Angestellter bei Young & Rubicam[13] am

Schreibtisch einem Herzinfarkt. Seine letzte Twitter-Nachricht lautete: »30 hours of working and still going strooong!«, auf Deutsch: »Mann, bin ich bescheuert ...«

## *Lebenszeit gegen Geld*

30 Stunden Arbeit am Stück, nur um vorwärtszukommen im Job! Und genau das ist der wesentliche Nachteil an einem Job: dass wir nur dann bezahlt werden, wenn wir auch wirklich arbeiten. Keiner hört's gern, aber letztendlich ist es doch so: Irgendeine Firma oder Behörde kauft sich einen Teil unserer Lebenszeit ein, und dann kann unser hässlicher Chef mit uns machen, was er will. Wir tauschen Lebenszeit gegen Geld! Was? So ist Kapitalismus nun mal? Sorry, aber das ist kein Kapitalismus, das ist Lohnsklaverei!

*»Okay, Sean, angenommen, du hast recht. Was wäre denn die Alternative?«*

Nun, stellen Sie sich einen mexikanischen Sandburgen-Künstler vor, nennen wir ihn der Einfachheit halber Carlos Alberto Del Castillo Cabeza De Vaca-Escobar. Nehmen wir an, dass dieser schlaue Künstler, dessen Namen ich mir leider nicht merken kann, jeden Morgen eine Sandburg in den Sand baut und dann seinen Hut daneben legt. Was passiert? Carlos Alberto Del Cas ... dingens arbeitet zwar nur eine Stunde, er verdient aber so lange, wie sein Hut vor dem Kunstwerk liegt. Carlos verdient also auch dann Geld durch seine Arbeit, wenn er neben seinem Kunstwerk eingepennt ist oder wenn er ein paar Straßen weiter in eine Pizza mit Käserand beißt. Womit dann übrigens auch wieder mein Vater verdient. Und genau das ist die Alternative, nach der Sie gefragt haben:

## *Bauen Sie etwas auf, und lassen Sie den Hut stehen!*

Vor Jahren noch hätte man diesen mexikanischen Sandbur-gen-Künstler, dessen Name jetzt irgendwie völlig weg ist, als faulen Hund beschimpft – heute ist er ein trendiger Down-shifter! Schon mit der ersten Schaufel Sand stellt der die Sa-che geschickter an als ein Manager, der todmüde auf das Ende eines Sales-Meetings wartet. Der Sandburgenbauer hat ein-mal etwas geschaffen, und diese eine Sache sichert ihm nun ein passives Einkommen. Er verkauft nicht seine Lebenszeit, sondern den Wert seiner Arbeit gegen Geld. Und der müde Manager? Verdient keinen Cent mehr ab der Sekunde, in der er kalkweiß und mit Schweißflecken unter den Achseln aus unserer Drehtür katapultiert wird und hirntot in seinen ge-leasten Lexus sackt.

Irgendetwas zu schaffen und es gegen Geld einzutauschen ist nicht nur was für Künstler, jede Autofirma der Welt macht das so! Ganz ehrlich: Mich hat es nie interessiert, wie viele Stunden Ford dafür gebraucht hat, um meinen F 100 zusam-menzuschweißen. Die Kiste ist ihr Geld wert oder eben nicht, in meinem Fall ist sie es. Und Sie zahlen ja auch nicht das Doppelte für mein Buch, nur weil ich behaupte, dass ich da ein Jahr länger dran gesessen habe als bei *Fett ohne Geräte*. Weil Sie sich zu Recht sagen: Ist doch dem Brummel sein Problem, wie schnell der schreibt! Stimmt, denn natürlich werde ich nicht pro Stunde bezahlt, sondern dafür, dass mein Buch nicht wie Kaugummi im Kindle-Store klebt.

Vielleicht ist diese Wert-gegen-Geld-Sache ja auch was für Sie? Ideen gibt es genug. Lassen Sie eine App programmie-ren, die alle Happy Hours der Umgebung anzeigt, hängen Sie Bradley Cooper ein Blag an oder schreiben Sie einfach einen

globalen Nummer-1-Hit. Erfinden Sie einen tragbaren
U-Bahneingang, gewinnen Sie eine bedeutende Casting-Show,
fräsen Sie Biergläser aus Eisblöcken, was weiß denn ich ...
wichtig ist nur, dass Sie von Ihrem Job loskommen. Weil Sie
nämlich gar keinen brauchen.

## Mit einem Job gehen Sie immer volles Risiko

Seltsamerweise denken noch immer viele, ein Job würde ihnen eine gewisse Sicherheit geben. Als ich noch bei Radioshack trübselig auf Computerzubehör starrte, hab ich das
auch gedacht. Wenn ich hier stehe und starre, hab ich gedacht, dann kann ich wenigstens das Haus abbezahlen. Was
aber, wenn mein hässlicher Chef gemerkt hätte, dass ich fast
jeden Tag ein Nickerchen in einem Fernsehkarton machte
und mich rausgeworfen hätte? Dann hätte ich bald auch die
Nächte im Karton schlafen können statt im Haus.

Angenommen, es gäbe einen Bankberater, der es gut mit
Ihnen meint. Ja, ich weiß, dass es die nicht gibt, deswegen
sagte ich auch ›angenommen‹. Was glauben Sie, würde Ihnen
dieser Bankberater sagen, wenn Sie ihn bäten, Ihr komplettes
Vermögen in eine einzige Aktie zu stecken? Nun, er würde
Ihnen hoffentlich sagen, dass dies das Dümmste wäre, was Sie
überhaupt machen könnten mit Ihrem Vermögen, und die
Transaktion ablehnen. Warum stecken Sie dann Ihr ganzes
Leben in einen einzigen Job?

## So ein Job kostet richtig Geld

Es ist noch gar nicht so lange her, da habe ich in genau diesem
Buch hier geschrieben, dass Sie auf keinen Fall weniger trinken müssen. Dabei bleibe ich natürlich, möchte aber den-

noch eine Einschränkung anbringen: Wenn wir trinken, um unseren Job zu vergessen, dann ist das keine gute Sache, denn dann verballern wir unser sauer verdientes Geld und kommen noch schlechter drauf. Genau das passiert aber immer dann, wenn wir die Arbeit nicht aus dem Kopf kriegen: Wir flüchten uns in soziale Netzwerke, Sport und gesunde Ernährung.

Ist das nicht tragisch? Um unsere Arbeit zu vergessen, geht auch noch unsere Freizeit drauf! Und je härter wir in unserem Job arbeiten, desto mehr Geld brauchen wir, um ihn wieder zu vergessen. Das ist natürlich gar nicht mal so schlau. Zu arbeiten, nur um sich Dinge leisten zu können, mit denen Sie Ihre Arbeit wieder vergessen, ist in etwa so, als würden Sie einen Kuchen nur backen, um ihn danach wegzuschmeißen, weil Sie abnehmen wollen. Wobei ein Kuchen ja gar nicht so schlimm ist. Viele Karrieremenschen brauchen da schon stärkere Sachen.

Neulich gegen Mittag klingelte mich ein verzweifelter Paketbote aus dem Schlaf: »Dieser Joe Anderson, ist der eigentlich nie da?«

Ich zuckte mit den Schultern. »Keine Ahnung. Er hat 'nen Job! Kaffee?«

Der Bote, ein abgehetzter Lulatsch mit Dreitagebart, starrte neidisch auf mein duftendes Croissant und den Morgenkaffee. »Danke, hab leider auch 'nen Job.«

Ich nahm das Päckchen des Nachbarn an, es waren illegale Beruhigungsmittel aus Brasilien. Unnötig zu erwähnen, dass ich die mit Wayne und Aaron noch in der Nacht auf dem Schwarzmarkt verkloppte mit dem Hinweis, ein gewisser Mr. Anderson könne eventuell welche gebrauchen.

Ich hab Ihnen diese kleine Geschichte freilich nicht einfach so erzählt. Überlegen Sie mal, was für einen positiven Effekt es auf Ihr Leben hätte, wenn der Paketbote auch Sie persönlich anträfe zu Hause. Jedes verdammte Mal! Weil Sie nämlich entweder noch nicht auf der Arbeit oder gar nicht erst hingefahren sind. Wenn Sie Ihren neuen HD-Beamer, den Partystrahler und das E-Skateboard sofort auspacken und in Betrieb nehmen könnten, statt die Pakete bei genervten Nachbarn herauszupressen oder Zweittermine zu vereinbaren. All das könnten Sie haben ohne Job! Wenn Sie dieses Gefühl kennenlernen wollen, jetzt aber noch nicht den Mut haben, die Arbeit einfach hinzuschmeißen, dann habe ich einen Tipp für Sie:

### *Kündigen Sie einen Job, den Sie gar nicht haben!*

Hören Sie sich bei Freunden um, durchpflügen Sie das Internet oder gehen Sie zu einer Arbeitsagentur. Fragen Sie nach einem Job, den Sie nie machen würden. Ein Job, der Ihnen schon dann Schauer über den Rücken jagt, wenn Sie nur an ihn denken. Stellen Sie sich vor, Sie hätten diesen Job tatsächlich: wie Sie sich hinquälen am Morgen, wie Sie mit der Arbeit kaum hinterherkommen und wie Sie abends hundemüde auf der Couch einpennen und nicht mal mehr die Fernsehnachrichten schaffen.

Und dann fahren Sie hin und kündigen ihn!

Fahren Sie zu Starbucks, lassen Sie den Chef rufen und knallen ihm einen Stapel Tabletts vor die Füße. Schreien Sie: »Ich hab keinen Bock mehr auf diesen Scheiß hier! Findet jemand anderen, der eure Rattenpisse verkauft, ich bin hier raus!«

Besorgen Sie sich einen Anzug, platzen Sie ins Vorstandsmeeting eines großen Konzerns und kippen Sie alle Tische um. Brüllen Sie: »Wenn ihr Wichser glaubt, dass ich mich für diesen Kackladen totarbeite, dann habt ihr euch geschnitten. Das war's, ich schmeiß hin, mich seht ihr nie wieder!«

Das sind natürlich nur erste, einfache Übungen, die Ihnen Sicherheit geben werden für die eigentliche Kündigung. Erst, wenn Sie genug »falsche Jobs« hingeschmissen haben, kündigen Sie Ihren wirklichen. So wie ich und Angry Aaron. Ein Hamsterrad sieht eben nur von innen aus wie eine Karriereleiter. Ist nicht von mir, ist von Luisa.

Luisa macht übrigens gerade eine Ausbildung zur Yogalehrerin. Den Job bei Apple hat sie nach einem Nervenzusammenbruch hingeschmissen. Ins Molly's kommt sie trotzdem nicht mehr oft, dafür hat die Karriere ihr Wesen zu sehr verändert, wie sie selbst sagt. Das wirklich Tragische an Luisas Apple-Geschichte ist: Keiner von uns hat je ein iPhone 11 von ihr bekommen.

## ☆ SAG'S NOCH MAL, SEAN! ☆

☑ Je härter wir in unserem Job arbeiten,
desto mehr Geld brauchen wir, um ihn
wieder zu vergessen.

☑ Vermeiden Sie die klassische
Eskalationsspirale: Job, Karriere,
Burnout, Ausbildung zum Yogalehrer.

☑ Carlos Alberto Del Castillo Cabeza De
Vaca-Escobar ist keine faule Sau, sondern
ein trendiger Downshifter!

☑ Sie wollen wissen, wie toll man sich
fühlt, wenn man kündigt? Kündigen Sie
einfach einen Job, den Sie gar nicht
haben!

☑ Essen Sie mehr Pizza mit Käserand!

Ach, und wenn Sie hier unterschreiben würden,
sehr nett, danke.

Ich, _____, muss nicht
vorwärtskommen im Job. Ich bräuchte nicht mal
einen!

# Das muss ich haben!

## Einen Scheiß müssen Sie!
## Warum uns mehr Zeugs nur Ärger bringt

*»Was vorhanden ist, sollen wir uns nicht verderben*
*durch das Verlangen nach anderem, das nicht*
*vorhanden ist.«*

EPIKUR, STEINALTER GRIECHISCHER
HOBBY-PHILOSOPH

Wir alle wissen, dass man Glück nicht kaufen kann, wir sind ja nicht bescheuert. Wir wissen auch, dass uns neue Dinge nicht ewig Spaß machen und dass ›mehr‹ nicht immer ›besser‹ ist. Deswegen kaufen wir ja auch nur sinnvolle Dinge, die unser Leben von Grund auf bereichern. Beleuchtete Hausschuhe zum Beispiel, mit denen man sich nicht mehr auf die Fresse legt, wenn man nachts mal auf ein Bier zum Kühlschrank will. Einen elektrischen Ananas-Schäler. Oder eine unterbrechungsfreie Notstromversorgung für unseren Cocktailautomaten.

Das Problem ist nur, dass wir uns an all die tollen Sachen so schnell gewöhnen, dass wir uns nach dem Kauf bald genauso beschissen fühlen wie davor. Hedonistische Adaption nannten das die alten Griechen, vermutlich haben die auch schon Scheiße gekauft und sind dann daran so verzweifelt, dass sie sich sogar einen Begriff dafür ausgedacht haben.

Und was machen wir, wenn die Freude über die beleuchteten Hausschuhe nachlässt? Genau, wir kaufen noch irgend-

einen Mist. Im Internet steht: Sind unsere Grundbedürfnisse
(Pfannekuchen, Bier, Couch) erst einmal gedeckt, werden
wir eher unglücklicher als glücklicher, wenn wir noch mehr
kaufen. Fand ich so interessant, dass ich es mal überprüft hab
an der Kreuzung Spring Street und 24th, wo ich mir einfach
mal die Gesichter der Fahrer von teuren Luxusautos ange-
schaut habe vor der roten Ampel. Und wissen Sie, was mir
auffiel? Kein Einziger sah glücklich aus. Und fast schien es
mir sogar, sie warteten auf irgendwas. Aber was sollte das
denn sein? Ein teures Auto hatten sie ja schon.

Wissen Sie, wer gar keinen Stress hat? Der Dalai Lama,
dieses angenehme, stets entspannte Wesen, das gerne in Tibet
chillt. Ich hab mich oft gefragt, warum der Typ so entspannt
ist. Neulich kam ich drauf: weil er keine Produkthotlines
anrufen muss! Statt sich Kreise laufend und mit erhöhtem
Blutdruck Geschwurbel anzuhören wie »Die voraussichtliche
Wartezeit auf einen freien Mitarbeiter beträgt derzeit drei
Stunden«, genießt er eine duftende Tasse Tee mit seinen
Freunden. Oder er spaziert beschwingt durch die Natur und
erfreut sich an der unfassbaren Schönheit der Kamillenblüte.
Der Dalai Lama installiert auch keine Updates auf seinem
iPad, er hat nämlich gar keins. Er hat auch keinen Pay-TV-Re-
ceiver, keine X-Box, und einen Kindle hat er auch nicht, und
deswegen wissen weder Amazon noch die NSA, auf welcher
Seite von *Nackt besser aussehen in 30 Tagen* er gerade ist.

Ich halte diesen hotlinefreien Lamatypen sogar für so abge-
fahren, dass er nicht einmal einen Kühlschrank mit Eiswür-
felspender hat. Weil der Dalai Lama nämlich so verdammt
erleuchtet ist, dass er schon vorher weiß, dass es ohnehin nur
Ärger geben wird mit dem ganzen Scheiß. So sehr ihn ein
Produkt auch locken mag, der Dalai Lama spürt: Irgendwann
wird er auf einer Hotline landen, wo ihn eine Computer-

stimme behandelt wie ein verblödetes Kleinkind: »Du hast deine Seriennummer nicht zur Hand? Kein Problem, dann lass sie uns jetzt gemeinsam suchen. Zunächst muss ich wissen, was für ein Endgerät du benutzt. Ist es bunt und rund oder klein und eckig? Sag mir ›1‹ für bunt und ›2‹ für eckig.«

Jetzt sag ICH Ihnen mal was: Bis auf seine komischen Klamotten macht dieser Lama-Typ alles richtig. Alles! Er ist nämlich viel zu schlau, um immer und immer wieder in die gleiche Konsumfalle zu tappen, die da heißt: »Hallo, Idiot? Ja, du! Folgendes: Wir haben hier was echt Abgefahrenes für dich, damit hast du den Spaß deines Lebens, und deine Freunde haben's auch schon! Wär das nicht auch was für dich?«

Natürlich nicht. Der Dalai Lama und ich sind überzeugt: Jedes Produkt und jede Dienstleistung, die wir kaufen, bestellen oder abonnieren, wird irgendwann unsere Zeit und Nerven beanspruchen. Daher mein dringender Rat an Sie:

## *Kaufen Sie nichts, was eine Hotline hat!*

Mehr noch – kaufen Sie nur Dinge, von denen Sie schon vorher wissen, dass Sie sie nicht glücklicher machen: einen Teppich zum Beispiel, eine Butterschale oder einen Tisch. In der Regel sind das nämlich Sachen, die Sie wirklich brauchen. Dinge, die Sie nicht brauchen, gibt es leider viel häufiger.

Damit Sie eine Ahnung haben, welche Dinge nicht dazugehören, hier eine kleine, zufällige Auswahl, die ich mir neulich nach ein paar Brummelbock aus dem Ärmel geschüttelt habe:

### Ferienwohnung

Sie lieben abwechslungsreiches Essen und schauen Filme ungern zweimal? Dann brauchen Sie auch keine Ferienwohnung. Wollen Sie ab sofort ernsthaft immer an den gleichen

Ort in Urlaub fahren? Oder fahren müssen, weil der Sturm die neue Markise abgerissen hat, die nun auf ein Eiscafé zu fallen droht?

Meine Regel für eine Ferienwohnung lautet: Erst wenn ich so oft an einem Ort war, dass mich Freunde (!) dort fragen, warum zum Teufel ich mir nichts kaufe, schaue ich bei einem Makler ins Fenster. Bis dahin halte ich mich an folgende, von mir selbst entwickelte Formel: Kaufsumme geteilt durch 5000 ist gleich Anzahl der Traumurlaube pro Person, die ich für die Ferienwohnung machen könnte. Rechenbeispiel: Für eine runtergerockte 400 000-Dollar-Holzhütte in neunter Reihe vom Mission Beach, San Diego könnten Karen und ich 40-mal in Urlaub fahren. Wohin? Nach San Diego an den Mission Beach in ein Vier-Sterne-Haus in erster Reihe.

## Elektro-Sportwagen

Neulich parkten Chubby Charley und ich neben einem schnittigen Tesla, der mit einem dicken Kabel an einer Lade-säule hing wie ein Baby an der Nabelschnur.

»Schnurlose Autos müsste es geben«, seufzte Charley, und ich ergänzte: »Die man in ein oder zwei Minuten überall auf-laden kann.«

»Absolut. Und die müssten auch irgendwie ein Geräusch machen, damit nicht andauernd Jogger dagegenklatschen.«

»Und so viel Energie speichern, dass man die Klimaanlage laufen lassen kann, wann immer man will.«

Charley und ich stiegen aus meinem 47 Jahre alten Ford aus und ließen die Türen ins Schloss krachen, dass es nur so schepperte.

»Autos, die weiter fahren als 270 Meilen …«

»… die so wenig kosten, dass praktisch jeder sich eines leis-ten kann!«

Ich zog die Augenbrauen nach oben. »Aber jetzt mal ehrlich, Charley, wer sollte JEMALS etwas so unfassbar Verrücktes erfinden?«

## Boxspringbett

Wollen Sie zu Hause wirklich so schlafen wie in einem Hotel? Also schlecht bis gar nicht? Dann besorgen Sie sich doch ein teures, sperriges und viel zu weiches Boxspringbett! Vergessen Sie aber auf keinen Fall das Bitte-Nicht-Stören-Schild, die überteuerte Minibar mit abgelaufenen Produkten und geizen Sie nicht mit Bettwanzen. Echte Boxspringbett-Fans simulieren sogar den Lärm vom Gang. Im Internet gibt es sogenannte White-Noise-Machines, die hervorragend dafür geeignet sind, einige kriegen sogar den Sound einer defekten Eismaschine hin. Oder aber Sie behalten Ihr altes Bett und geben die Kohle für schmackhaftes Bier aus. Für ein Boxspringbett bekommen Sie bis zu 2000 Flaschen Brummelbock, das reicht für bis zu drei Jahre solide Bettschwere.

## Smartwatch

Eine Armbanduhr war schon immer ein Statement, das vieles über den Besitzer aussagt. Was aber ist das Statement einer Smartwatch? Dass man keine Kohle für eine richtige Uhr hat? Dass man seine Gesundheit nicht im Griff hat? Dass man in jedem Fall noch ein teures Smartphone in der Tasche hat, wenn einen jemand ausrauben will? In einem aktuellen Test wurde eine seit 1950 erhältliche Rolex Sea-Dweller mit der aktuellsten Smartwatch von LG verglichen.[14] Doch nicht die topmoderne Smartwatch gewann den Vergleich, sondern die gediegene Rolex! Die konnte zwar keine Furzgeräusche aufs Smartphone funken, musste aber dank des Automatikwerks niemals aufgeladen werden, war bis 3900 Meter was-

serdicht und würde auch beim legendären Satz »Später, mein
Sohn, gehört die mal dir!« keinen Lachanfall auslösen. Nein,
eine Smartwatch brauchen Sie wirklich nicht! Und nur für
den Fall, dass Sie jetzt ernsthaft darüber nachdenken, Ihr hart
verdientes Geld in ebendiese Rolex, also eine teure, mecha-
nische Luxusuhr zu stecken …

## Luxusuhr

Sie haben heute beim Frühstück extra noch mal nachgesehen
und sind immer noch nicht in der Liste der 100 reichsten
Menschen der Welt? Dann brauchen Sie auch keine Luxusuhr. Jetzt mal ehrlich, was erwarten Sie sich von so einem
Ding außer ein enorm ungutes Gefühl, wenn Sie nachts durch
eine Nebenstraße in L.A. schlendern? Die Uhrzeit kann es
ja wohl nicht sein, die steht auf Ihrem Handy. Oder geht es
darum, dass die anderen denken, Sie hätten es geschafft?
Kommen Sie, die anderen kennen Sie doch: Die wissen, dass
Sie es nicht geschafft haben! Tiger Woods (Rolex), Papst Jo-
hannes Paul II. (Omega) oder John Travolta (Breitling), die
haben es geschafft, und keiner von ihnen braucht eine teure
Uhr, um das zu zeigen. Meiner Meinung nach macht es nur
dann Sinn, eine Luxusuhr zu tragen, wenn man Sie Ihnen
schenkt. Also wenn Sie so berühmt sind, dass der Hersteller
was davon hat, wenn Sie seine Uhr tragen. Denn wenn Ihnen
beim Öffnen der Schampusflasche auf Ihrer Yacht die brandneue 18 Karat Patek Philippe Nautilus in den Pazifik rutscht,
dann kommt so ein »Ach, scheiß drauf …!« einfach lässiger,
wenn man sie nicht selbst bezahlt hat.

## Strandfigur

Frage: Wie viele Tage im Jahr sind Sie am Strand? Okay. Und
wie viele Tage im Jahr haben Sie eine Figur? Danke. Was um

alles in der Welt wollen Sie dann mit einer Strandfigur? Statistisch gesehen sitzen wir nämlich im Leben bis zu 100-mal länger auf der Couch als am Strand.

Was wir also brauchen, ist eine Couchfigur!

Eine Couchfigur ist die Figur, mit der wir uns in Jogger und T-Shirt so richtig wohlfühlen nach sieben Folgen *Homeland* und drei Eimern Ben & Jerrys Strawberry Cheesecake. Was? Der Vergleich hinkt, weil uns die anderen auf der Couch nicht sehen, am Strand aber schon?

Sie wissen doch, was renommierte Psychologen von Weltruf sagen: Wenn Sie etwas nur für andere tun, dann lassen Sie es!

## Personal Trainer

Als ich neulich einen Karton Brummelbock in den Paso Robles Sports Club brachte, wurde ich überraschend Zeuge eines menschenunwürdigen Schauspiels. Durch die Scheiben des Bistros sah ich, wie Hectic Hank schwitzend mit zwei Kurzhanteln quer durch das Fitnessstudio stakste, wie ein angeschossener Storch durch ein Salatbeet. Angefeuert wurde er dabei von Chris, einem freudlosen Personal Trainer in einem blauen Shirt.

»Was kriegt er für die Show?«, fragte ich Chubby Charley, der wie immer gelangweilt am Empfang stand.

»100 Dollar die Stunde!«

»Was? Dann mach ich da auch mit!«

»Das Geld ist für den TRAINER!«

»Oh. Dann vergiss es!«

Let's face it: Personal Trainer sind vor allem eines: TEUER. Was Sie wirklich motiviert, ist also nicht der Trainer selbst, sondern die Kohle, die Sie für ihn bezahlen. Genauso gut könnten Sie zehnmal um Ihr Haus rennen und sich dann selbst hundert Dollar in die Hand drücken. »Klasse, Sean, ganz toll ums Haus gerannt. Machst super Fortschritte!«

Und – wenn man jemanden bezahlt, ist man dann normalerweise nicht der, der sagt, wo's langgeht? Also der Boss? Warum geben wir einem Personal Trainer dann Geld dafür, dass er uns herumkommandiert? Wenn Sie also noch selbständig gehen können und ohne Hexenschuss ein Pfund Milch in Ihren Wagen hieven, dann brauchen Sie keinen Personal Trainer.

## Kleines Schwarzes

Während Karen in einem Luxusladen in West Hollywood ein ›Little Black Dress‹ nach dem anderen für das Release von *Fifty Shades of Sean* anprobierte, saß ich in einer Ledercouch und googelte »Was kann man machen, während Frauen Kleider anprobieren?«.

»Und? Wie findest du's?«

Ich blickte nach oben und erschrak fast ein wenig. Vor mir stand eine wunderschöne Frau in einem schulterfreien Cocktailkleid. Daher sagte ich: »Es ist phantastisch! Und … du siehst Hammer drin aus. Wow!«

Karen gab mir einen Kuss und verschwand wieder in der Umkleidekabine. Karens Kleid kostete 739 Dollar. Da wusste ich was man tun kann, während Frauen Klamotten anprobieren: abhauen!

## Bonuskarten

Meilen, Punkte, Digits, alles sollen wir sammeln, wie ein Eichhörnchen die Nüsse. Doch während sich das Eichhörnchen durch die nahrhafte Speise ein kräftiges Winterfell anfuttert, machen wir uns für einen armseligen Rabatt beim

Kochtopf-Set nackter als ein Pornostar unter 37 Scheinwerfern. Bonuskarten bedeuten nämlich vor allem eines: eine detaillierte Analyse unseres Kaufverhaltens. So detailliert, dass schon jetzt jeder Payback-Praktikant für Sie einkaufen gehen könnte und dabei nicht mal die extrakleinen Kondome vergisst.

Selbst wenn Ihnen egal ist, dass Ihre Krankenkasse Ihnen 2017 den Beitrag erhöht, weil Sie statt Hafer-Müsli 2980 Schachteln Camel mit der Bonuskarte gekauft haben – Ihre Einkaufsdaten sind sehr viel mehr wert als 1 Prozent Rabatt! Sprechen Sie die Kassiererin Ihres Vertrauens ruhig mal darauf an, wenn die Schlange hinter Ihnen lang ist.

### Standup Paddling Board mit Unterbodenbeleuchtung

Natürlich denken hier alle erst mal, hey, so ein Leuchtbrett, das muss ich einfach haben, dafür standen wir einfach zu oft nachts noch betrunken im Pazifik und haben keinen einzigen Hai gesehen. Der Hai uns halt aber auch nicht! Mehr noch – die tollen Leuchteffekte locken nämlich nicht nur Menschenfresser an, auch der dreiste Dieb am Strand sieht jetzt dank der Beleuchtung, wo wir sind, und kann in aller Ruhe unseren tragbaren Cocktail-Automaten leertrinken. Von daher: Ein beleuchtetes SUP-Board klingt zwar erst mal super, muss man aber echt nicht haben!

# ☆ SAG'S NOCH MAL, **SEAN!** ☆

☑ Kaufen Sie nichts, was eine Hotline hat!

☑ Was wir auch kaufen — kurz danach fühlen
   wir uns wieder so beschissen wie vorher.

☑ Schon die alten Griechen hatten keine
   beleuchteten Hausschuhe.

☑ Alles, was Sie nicht haben, kann Ihnen
   auch keinen Ärger machen.

☑ Der Dalai Lama hat auch keine Strandfigur.


Ach, und wenn Sie hier unterschreiben würden,
sehr nett, danke:


Ferienwohnung, Elektro-Sportwagen,
Boxspringbett, Smartwatch, teure Luxusuhr,
Strandfigur, Personal Trainer, kleines
Schwarzes, Bonuskarten und SUP-Leuchtboard
muss ich, _____, alles nicht
haben!

*Warum Sie mit i-Tunes keine Atomraketen*
*bauen dürfen, aufräumen nichts bringt*
*und Sie auch drinnenbleiben können,*
*wenn die Sonne scheint*

Als diesjähriger Silbermedaillengewinner des ›Dirty Kitchen Contest‹ weiß ich: Die meisten Muss-Monster lauern nicht im Berufsleben, sondern in der Freizeit. Sie verstecken sich hinter mannshohen Bauwerken aus schmutzigem Geschirr, in der zugestellten Garage und auf Ihrem Smartphone.

Aufräumen, Wäsche waschen und dann nach einer halben Flasche Rotwein auch noch die neunseitigen Nutzungsbedingungen der Dating-App lesen – nirgendwo ist die Gefahr des maßlosen Müssens größer als in der Freizeit. Deswegen sollten Sie das Muss-Monster gerade hier an seinem komischen Wirbelfinger packen und ihm klipp und klar ins Auge sagen: »Einen Scheiß muss ich!«

Das Wort Freizeit ist schließlich nicht umsonst aus den beiden Wörtern »frei« und »Zeit« zusammengesetzt, bedeutende

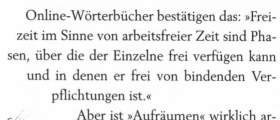

Online-Wörterbücher bestätigen das: »Freizeit im Sinne von arbeitsfreier Zeit sind Phasen, über die der Einzelne frei verfügen kann und in denen er frei von bindenden Verpflichtungen ist.«

Aber ist »Aufräumen« wirklich arbeitsfrei? Und eine »Wochenendunternehmung« ohne Verpflichtung? Vielleicht nicht ganz. Frei verfügen sollte man übrigens auch über die Zeit, in der die Sonne scheint, denn so schön und gesund der Sommer auch ist – das zwanghafte Gefühl, jeden einzelnen Sonnenstrahl genießen zu müssen, kann zu einem echten Problem werden, fragen Sie da einfach mal einen knallroten Iren am Strand. Aber rufen Sie ihm danach in jedem Fall einen Arzt.

Noch Fragen? Klär ich! Wann? Jetzt!

# Ich muss aufräumen!

## Einen Scheiß müssen Sie!
## Warum Sie stattdessen stolz
## auf Ihre Unordnung sein können

*»Wer Ordnung hält, ist nur zu faul zum Suchen!«*
PAULA BRUMMEL, URGROSSMUTTER VON WELTRUF

Es ist unfassbar, wie viele Menschen noch immer mit einem schlechten Gewissen herumlaufen, weil sie glauben, sie müssten aufräumen. Überlegen Sie mal: Wir schießen Menschen auf den Mond, entwickeln selbstfahrende Autos und lassen unseren Rasen von Robotern mähen, halten uns aber gleichzeitig noch immer an Glaubenssätze aus der Nachkriegszeit. Doch während sich unsere Welt in einem atemberaubenden Tempo weiterentwickelt, bleibt unsere Haltung zur Haushaltsführung exakt dort verankert, wo sie herkommt: aus einer blitzsauberen 50er-Jahre-Küche mit einer strahlenden Hausfrau drin.

Leute! Ich hab eben extra noch einmal auf die Uhr geschaut: Wir leben auf die Sekunde genau 2015! Oder 2016 bzw. 2017, je nachdem, wann Sie mein Buch in Ihre hübschen Fingerchen bekommen haben. Da kann es doch nicht sein, dass sich Zeitschriften und Ratgeberportale noch immer erblöden zu behaupten, Aufräumen sei der Weg zu Glück und Freiheit. Ist er nicht! Ich sage: Wer sein Lebensglück aus einem erfolgreichen Sperrmülltermin oder einem sauber ausgewischten Küchenschrank ziehen muss, der sollte sich besser nach einem Therapeuten umsehen.

Doch leider liegt betonierter Unsinn wie »Ordnung ist das halbe Leben« noch immer im Trend und führt dazu, dass selbst 18-Jährige ihrem Überraschungsbesuch noch ein verschämtes »Sorry, dass es hier so aussieht, bin gar nicht zum Aufräumen gekommen …« entgegennuscheln; besser wäre: »Letzte Woche sah hier alles tiptop aus, schade, dass du das verpasst hast…« entgegennuscheln. Und dann gibt's auch immer noch Menschen, die glauben, dass ein sauberer Schreibtisch sie zu einem besseren und zufriedeneren Menschen macht. Trisha war so ein Mensch, meine damals zukünftige Ex-Frau. Fand ich z. B. mal wieder kein Feuerzeug, sagte Trish ernsthaft Dinge zu mir wie:

»Sean! Ein jedes Ding an seinem Ort, erspart viel Zeit und böse Wort.«

Konterte ich mit »Trish! Jedes Ding an jedem Ort, suchste nix, findste sofort!«, wurde sie sauer.

Ich weiß noch, wie Trisha mich vor Jahren ermahnte, ich solle endlich auch mal einen Funken Verantwortung zeigen und wenigstens die allerwichtigsten Dinge meines erbärmlichen Daseins ordnen. Als ich fragte, warum, sagte sie, weil ich mich danach besser fühlen würde. Also gab ich mir einen Ruck, ging zu *Staples* und kaufte mir zwei brandneue Ordner. Auf den einen schrieb ich MOLLY'S, auf den anderen BELEGE. Für ein paar Stunden war ich stolz. Doch als ich in der Nacht mit meinem ersten Beleg aus dem Molly's ins Arbeitszimmer kam, war ich verwirrt. In welchen Ordner sollte ich den Beleg denn nun stecken? MOLLY'S oder BELEGE? Ich entschied mich zunächst für MOLLY'S, doch irgendwie fühlte es sich nicht richtig an. Also legte ich ihn im Ordner BELEGE ab. Auch hier blieb ein flaues Gefühl. Schließlich schlich ich mich wieder aus dem Bett und legte ihn neben die beiden Ordner. Tags darauf kaufte ich dann einen dritten Ordner, beschriftete ihn mit BELEGE MOLLY'S und heftete meinen Beleg ab. Wieder war ich kurz stolz. Bis ich die beiden *Staples*-Belege für meine drei Ordner aus dem Portemonnaie zog ...

Was ich Ihnen mit diesem armseligen Beispiel sagen will, ist: Aufräumen und Ordnung halten kann auch nach hinten losgehen. Wir müssen nicht aufräumen. Wirklich nicht. Und mit der allergrößten Begeisterung führe ich aus, warum.

## *Aufräumen ist wider die Natur*

Wenn Sie in einen Urwald kommen, würden Sie die Stirn in Falten ziehen und sagen: »Ja, leck mich am Arsch, wie sieht's denn hier aus?!«? Vermutlich nicht. Weil Sie natürlich wissen, dass ein Urwald nicht wirklich ordentlich ist, aber irgendwie trotzdem funktioniert. Warum aber ist der Urwald dann kein Vorbild für uns, wir orientieren uns doch sonst in so vielen Bereichen an der Natur? Wir beobachten Vögel und Insekten, um über das Fliegen zu lernen, studieren das Lotusblatt für bessere Lacke und formen Schiffsbuge wie Delphinschnauzen. Wenn es aber ums Aufräumen geht, dann soll die Natur als Vorbild nicht mehr gelten?

Tatsache ist doch: Kein Vogel baut sein Nest zurück und legt seine Halme dorthin, wo er sie herhatte. Auch Legless Larry nicht, der fühlt sich nämlich umso wohler, je mehr Gras, Gestrüpp und Laub ich ihm in seinen Käfig stecke. Keine Katze teilt ihre Mäuse auf in 1. ›Fressen‹, 2. ›Verschenken‹, 3. ›Wegwerfen‹ und 4. ›Weiterleiten‹. Kein Baum heftet seine Blätter nach Falltag sortiert in einem Herbst-2015-Ordner ab. Weil die Natur halt einfach so ist, wie sie ist. Fällt etwas um, dann bleibt es liegen. Wird etwas schmutzig, dann ist es nicht mehr sauber. Und verschwindet etwas, dann ist es halt weg. Ganz genauso wie im Haushalt von Sean Brummel.

## Aufräumen kann zum Tod führen

Bleiben wir noch kurz bei unserer wundervollen Natur als Vorbild. Schicht um Schicht umwuchert sie die Vergangenheit, strebt stets nach vorne und zum Licht, alles wächst und gedeiht. Aber was machen wir, wenn wir aufräumen? Das verdammte Gegenteil! Auf völlig widernatürliche Weise tragen wir Schicht um Schicht unserer Stapel ab, wühlen tief in der Vergangenheit und finden Dinge, die wir besser nicht gefunden hätten: einen 100-Dollar-Ben&Jerrys-Gutschein, gültig bis 2011. Eine handbeschriftete Chromedioxid-Kompaktkassette mit dem *Looking for Freedom*-Album von David Hasselhoff. Und den ungelesenen und tränenverschmierten Brief unserer größten Liebe, die uns anfleht, es noch einmal zu probieren. Doch leider sind wir jetzt schon mit einem elenden Mistkerl oder Trisha aus Kentucky verheiratet. All diese Funde lassen uns natürlich unendlich traurig werden, es drohen schwerste Depressionen bis hin zum Suizid. Und dann sind wir tot und denken uns: Das ist jetzt ja saublöd gelaufen, hätten wir mal besser nicht aufgeräumt! Ein Glück, dass Sie im gutsortierten Handel dieses Buch entdeckt haben!

## Aufräumen frisst Zeit und ist unhöflich

Ständiges Aufräumen verstopft unseren Alltag und frisst genau die Zeit, die wir brauchen, um uns um die wichtigen Dinge im Leben zu kümmern – um unsere Freunde zum Beispiel. Als Karen und ich neulich bei Hectic Hank und

Sustainable Suzy zum Essen eingeladen waren, begann Hank
in dem Augenblick, die komplette Küche aufzuräumen, als
ich den Dessertlöffel in die Eisschale legte. Eine gute halbe
Stunde lang klapperten die Teller, wirbelten die Tücher und
flogen die Schranktüren so laut, als wollte er sagen: »Hört ihr,
wie ich schufte, während ihr entspannt meinen teuren Bio-
Wein wegsauft?«

Ja, hörten wir. Und natürlich ist es eine tolle Sache, wenn
am nächsten Morgen alles blitzt und blinkt. Das Problem
war nur: Wir waren noch da! Und irgendwie wurden wir das
Gefühl nicht los, dass nicht nur unsere schmutzigen Teller
verschwanden, sondern auch ein Stück von uns. Ich schätze
Hank sehr und weiß, dass er gar nicht anders konnte. Und
doch zerstörte sein Teller-Tourette die ganze Geselligkeit,
denn Karen und ich wussten: Sobald wir nachher nach draußen traten, um ins Taxi zu steigen, würde die Wohnung von
Suzy und Hank so sauber sein, als wären wir nie dagewesen.

### *Wer aufräumt, verliert dreimal Zeit*

Als ich Hectic Hank eine Woche später fragte, warum er
eigentlich alles immer sofort aufräumt, antwortete er: weil es
effektiver ist!

Ich unterdrückte ein Lachen, und als ich wieder am
Schreibtisch war, da suchte ich im Netz nach dem Gegenbe-
weis. Bereits nach wenigen Mausklicks fand ich ein Interview
mit einem sympathischen Professor der Columbia Business
School. Dieser Professor hatte bewiesen, dass Menschen, die
ihren Schreibtisch stets sauberhalten, 36 Prozent mehr Zeit
benötigen, um etwas zu finden.[1] Bingo! Mal abgesehen davon, dass ich mich fragte, wie man so eine 36-prozentige Zeit-
ersparnis misst, konnte ich das genauso bestätigen.

Sie wissen schon, damals mit Trisha. Wie ein emsiger Manager in einem japanischen Autokonzern versuchte sie ständig, die Abläufe in unserem Haushalt zu verbessern, was natürlich hinten und vorne nicht funktionierte. Als ich mir eines Morgens nach einer premium-eskalierten Turbo-Tequila-Nite im Molly's zwei bis drei Kopfschmerztabletten aus dem Badschrank fischen wollte, bemerkte ich, dass es die Medikamenten-Schublade in der mir bekannten Form gar nicht mehr gab.

Statt auf ein wildes Durcheinander an Packungen, Röllchen und offenen Blistern starrte ich nun auf gut zwei Dutzend Boxen mit bunten Buchstaben. Ich öffnete die A-Box für Aspirin oder Alka-Selzer. Nichts. Ich öffnete die I-Box in der Hoffnung auf Ibuprofen. Auch nichts. Als ich auch in der P-Box kein Paracetamol fand, weckte ich meine zukünftige Ex-Frau mit einem zärtlichen »Maaaann! Trish! Nichts is da, wo's war!«

Und wissen Sie, was passierte, also jetzt mal abgesehen vom üblichen Streit? Trish musste selbst fast alle Boxen öffnen, bis sie eine Kopfschmerztablette für mich fand: Aspirin, Ibuprofen und Paracetamol lagen alle bei S wie Sean …

Diese nicht nur kleine, sondern auch wahre Geschichte beweist, dass Trisha sich das Aufräumen der Schublade hätte sparen können. Sie verlor nämlich gleich dreimal Zeit: einmal beim Erdenken eines nicht funktionierenden Systems, das zweite Mal beim sinnlosen Beschriften und Befüllen von Boxen und das dritte Mal beim Suchen. Ich selbst habe mein Aspirin zuvor selbst ohne Brille und System sofort gefunden, denn die Packung war grün-weiß und lag irgendwie links. Fertig.

Der sympathische 36-Prozent-Schreibtisch-Professor aus Columbia, der übrigens Eric Abrahamson[2] heißt und natür-

*Apple-Gründer Steve Jobs † (ge-schätztes Vermögen 2011: 8,3 Milliar-den Dollar)[3]. Ein zugestellter Fußbo-den spricht angeblich für finanzielle Probleme. Okay, danke, ist klar ...*

*Mark Zuckerberg (geschätztes Ver-mögen 2014: 27 Milliarden Dol-lar)[4]. Ordnung auf dem Schreib-tisch fördert die Karriere! Aha ... Soso ...*

lich Weltruf genießt, bestätigt meine Theorie: Wer zu viel Zeit aufs Aufräumen verwendet, bekommt erst recht nichts gebacken. Ich möchte an dieser Stelle ausdrücklich Abra-hamsons Buch empfehlen, es heißt: *Das perfekte Chaos: War-um unordentliche Menschen glücklicher und effizienter sind.* (Keine Sorge, es ist nicht bei Broner Books erschienen, und ich hab es auch nicht gelesen, ich könnte mir aber gut vorstel-len, dass es mir eventuell gefallen würde.)

Glück und Effizienz sind freilich nicht die einzigen Vor-teile, wenn man das Aufräumen endlich mal sein lässt.

## Unordnung macht sympathischer

Ich weiß nicht, wie es Ihnen geht, aber wenn ich bei Leuten eingeladen bin, deren Wohnung aussieht wie das Titelbild des *Architectural Digest*, dann fühle ich mich sofort unwohl. Und wenn ich dann noch ein Regal sehe, in dem die Bücher nach Autor, Genre und Größe geordnet sind, dann bekomme ich

*Warren Buffets Schreibtisch (ge-*
*schätztes Vermögen 2015: 72*
*Milliarden Dollar)[6]. Der dritt-*
*reichste Mensch der Welt, eine*
*Geisel seiner Dinge? Och ...*

*Al Gore, ehemaliger US-Vizepräsident[7].*
*Bestimmt wäre er Präsident geworden,*
*wenn er mal aufgeräumt hätte! Oder*
*etwa nicht?*

Angst. Dann frage ich mich: Was sind das für Menschen?
Welches schreckliche Ereignis hat sie so werden lassen? Und
warum haben sie *Mein Kampf* nicht versteckt? Komme ich
hingegen zu Leuten, bei denen alles kreuz und quer durch-
einanderliegt, dann weiß ich, dass die so sind wie ich, und
fühle mich nicht wie ein ungebildeter Strauchdieb.

## *Unordnung macht erfolgreich*

Ordnung, so wird uns auch heute noch immer wieder einge-
trichtert, ist so ziemlich die wichtigste Sache auf dem Weg
zum Erfolg. Hahaha! Stimmt natürlich auch nicht. Zufälligerweise gibt es nämlich eine ganze Menge Leute, die zwar
den Fußboden ihres Arbeitszimmers nicht mehr sehen, dafür
aber den funkelnden Pazifik unterhalb ihrer 20-Millionen-
Dollar-Villa. Vielleicht haben diese erfolgreichen Persönlich-
keiten ihre Energie ja in wichtigere Dinge gesteckt als Ab-
lagesysteme?

Schauen Sie sich die Fotos an, die ich Ihnen aus dem Internet heruntergeladen habe. Sie beweisen: Nicht durch Ordnung, sondern durch Unordnung kommt man weiter! Und Sie können das auch. Wenn Sie z. B. in Ihrem Job ein solches Chaos veranstalten, dass kein anderer mehr durchblickt, dann haben Sie sich unersetzbar gemacht und sind selbst dann nicht kündbar, wenn Sie keinen Finger mehr rühren.

Nachdem ich Sie hoffentlich überzeugen konnte, dass Sie nicht unbedingt aufräumen müssen, hier noch ein paar wirklich praktische Tipps, die Sie sofort oder irgendwann mal nutzen können, um nicht aufzuräumen:

### Verteilen

Jedes Ding an jedem Ort, suchste nix, findste sofort!

Wenn Sie immer wieder einen bestimmten Gegenstand nicht finden, kaufen Sie ihn einfach mehrfach. Ich habe z. B. jahrelang kein Feuerzeug gefunden. Nach der Scheidung von Trisha kaufte ich eine Hunderterpackung und verteilte sie über das komplette Haus. Seitdem habe ich keine Sekunde mehr nach Feuer gesucht und Karen auch nicht.

### Ein Gang Ohne (Die EGO-Übung)

Die EGO-Übung besteht im Wesentlichen daraus, Dinge absichtlich dort liegen zu lassen, wo sie liegen, obwohl es ein Leichtes wäre, sie aufzuräumen. Wenn Sie also das nächste Mal eine leere Chipstüte auf Ihrem Wohnzimmertisch liegen haben und Sie sowieso in die Küche zum Abfall gehen, versuchen Sie einfach einmal, die Tüte liegen zu lassen und nur so in die Küche zu gehen – machen Sie EGO, EINEN GANG OHNE. Und lassen Sie das Muss-Monster ruhig toben:

»Halloooo! Geht's noch? Du musst die Chips-Tüte mitnehmen!«

»Einen Scheiß muss ich!«
»Die Tüüüte! Du gehst doch soooowieso in die Küche!«
»Ja und?«
»DIE TÜÜÜÜÜTTEEEE!«

Die EGO-Übung ist natürlich nur ein erster Schritt, aber wie wollen Sie einen Scheiß in Ihrem Leben müssen, wenn Sie nicht mal eine Chipstüte liegen lassen können?

### Abhauen

Ihre Schwiegermutter hat wiederholt spitze Bemerkungen fallenlassen, wie es um Ihren Haushalt steht? Ärgern Sie sich nicht darüber, sondern nehmen Sie den bevorstehenden Besuch zum Anlass, mit einer Freundin oder einem Freund einen heben zu gehen oder einen Städtetrip zu machen!

Aufräumen an sich ist ja schon schlimm, wenn Sie es aber auch noch für einen anderen tun, dann schwächen Sie nicht nur Ihr Selbstbewusstsein, Sie verschlechtern auch Ihr Verhältnis zu der Person, die Sie indirekt zum Aufräumen gezwungen hat. Schlimmer noch – diese Person könnte länger bleiben, weil sie sich in der aufgeräumten Wohnung plötzlich so wohl fühlt. Denken Sie also daran: Bevor Sie für andere aufräumen, hauen Sie lieber ab.

### Abschließen

Mit einer Sache haben Aufräumexperten zugegebenermaßen recht: Ein allzu großes Chaos kann belasten. Doch statt reflexartig aufzuräumen, schaffen Sie sich lieber eine wohlige Distanz! Finden Sie zuerst den Bereich der Wohnung, der Sie am meisten nervt. Schließen Sie dann diesen Bereich ab und werfen Sie den Schlüssel weg. Merken Sie was? Sie fühlen sich sofort wohler!

## Umziehen

Wenn Sie zu viele Bereiche abgeschlossen haben, könnten unsichere Menschen zu der Meinung tendieren, dass Sie eventuell doch zu viele Dinge haben. Das ist natürlich nicht richtig: Sie haben nicht zu viele Dinge, Ihre Wohnung ist zu klein! Bevor Sie also die größte Aufräumaktion Ihres Lebens starten, surfen Sie lieber bei einem kühlen Bier über die Immobilienseiten Ihrer Gegend.

## Abheben (Die Legless-Larry-Taktik)

Das reinste Chaos, sagen andere, und jetzt sind Sie auch ganz unsicher? Dann stellen Sie sich dieses Chaos doch mal aus der Vogelperspektive vor! Schließen Sie die Augen und fliegen Sie ganz hoch, so wie Legless Larry es machen würde, wenn er sich endlich wieder traut. Was Sie dann aus großer Höhe von meinem chaotischen Garten noch sehen? Genau: so gut wie nichts! Die Unordnung ist ganz klein! Und müssten Sie so eine winzige Unordnung sofort beseitigen? Einen Scheiß müssten Sie! Aus der Vogelperspektive schrumpft selbst das größte Chaos zu einem winzigen Punkt.

## Aufteilen

Ein typisches Partnerproblem: Was Ihnen gemütlich vorkommt, räumt der andere weg. Meine Lösung: Einigen Sie sich über Zuständigkeitsbereiche. Karen und ich haben das recht einfach geregelt: Sie ist für ihre Wohnung zuständig und ich für keine. Was soll ich sagen – es klappt hervorragend!

## Abfackeln

Ich habe gelesen, dass wir nur 5 Prozent aller Dinge um uns herum wirklich brauchen. Unfassbar, oder: 95 Prozent aller

Sachen sind also so gut wie wertlos, die meisten würden wir nicht mal vermissen, wenn sie plötzlich weg wären. Warum also überhaupt sortieren, warum nicht gleich abfackeln die ganze Scheiße? Bedenken Sie, auch wenn es sich ein wenig amerikanisch anhört und nicht besonders umweltfreundlich ist: Abfackeln ist in jedem Fall eine zu 95 Prozent richtige Entscheidung!

# ☆ SAG'S NOCH MAL, SEAN! ☆

- ☑ Aufräumen ist wider die Natur: Kein Vogel baut sein Nest zurück!
- ☑ Wer aufräumt, findet Dinge, die unendlich traurig machen.
- ☑ Wer in Gesellschaft aufräumt, putzt auch seine Freunde weg!
- ☑ Bei den reichsten Menschen der Welt sieht's aus wie Sau.
- ☑ Jedes Ding an jedem Ort, suchste nix, findste sofort!

Na, wollen Sie immer noch aufräumen? Nein? Dann suchen Sie sich mal einen Stift und unterschreiben Sie hier, bitteschön.

Ich, _____, muss nicht aufräumen. Also echt nicht!

# Ich muss was unternehmen am Wochenende!

## Einen Scheiß müssen Sie! Erholen Sie sich lieber!

*»Ein Wochenende, von dem ich mich erholen muss,
ist gar keines.«*

BRYAN BRUMMEL, VATER VON SEAN

Welchen Satz hört man am häufigsten von Leuten, die sich das Wochenende mit irgendwelchen Aktivitäten vollstopfen? Genau: »Wahnsinn, wo ist nur das Wochenende wieder hin?« Kann ich Ihnen sagen: Es hat sich in genau dem Moment verpisst, als Sie doch noch länger im Büro geblieben und danach auch noch ins Fitnessstudio gehechelt sind.

Wohin es geflohen ist, das Wochenende? Na, zu Karen und mir natürlich! Statt Überstunden und Sport haben wir ihm nämlich ein sensationelles Rib-Eye-Steak geboten, hervorragenden Merlot sowie eine komplette Staffel *Better Call Saul*. Ich will hier aber nicht mit unseren tollen Freizeit-Ideen prahlen. Das Wochenende kommt nämlich auch zu einer Fertigpizza mit kleinem Milchshake und College Football. Je weniger Sie anbieten, desto besser. Dann denken Sie sich beim Aufwachen auch nicht »Verdammt, wo ist denn nur das Wochenende hin?«, sondern »Hey, erst Samstag …!«.

## Je weniger Sie tun, desto länger kommt Ihnen das Wochenende vor!

Nur drei Jahre ist es her, da war ich mit einer Frau verheiratet, die mir jeden verdammten Freitagabend die gleiche Frage stellte, und zwar gemeinerweise immer dann, wenn mein Dessertlöffel das erste Mal in meine Erdnussbutter-Eiscreme getaucht war:

»Was machen wir denn am Wochenende, Sean?«

»Nichts natürlich. Ist ja Wochenende!«

Da steckte er nun in meinem Lieblingseis, der Löffel, aber auch auf der anderen Seite des Tisches war die gute Laune verflogen. Und natürlich wusste ich, was nun kam: Trisha würde versuchen, mich mit dem Hinweis darauf, was ›normale Menschen‹ am Wochenende so machen, ins soziale Abseits zu stellen.

»Also, die Andersons fahren runter nach Los Angeles.«

»Ja und? Was meinst du damit?«

»Na ja, wir sollten halt auch irgendwohin fahren.«

»Aber warum?«

»Damit wir was gemacht haben!«

»Irgendwohin fahren, damit wir was gemacht haben? Ist das dein Wochenendplan?«

»Sei nicht so sarkastisch, Sean. Natürlich will ich nicht einfach irgendwohin. Aber die Andersons …«

Die Andersons, die Andersons. Ich hasste die Andersons! Ich hasste sie für all ihre Flohmarkt- und Museumsbesuche, Olivenöl-Tastings und Reitausflüge. Ich hasste sie für jeden verdammten Spa-Besuch und jeden ›Abend mit Musik und Wein‹ im Paso Robles Event Center. Während ich mal wieder einfach nur einkaufen war, eine Kneipentour mit Wayne unternahm und die Wäsche im Trockner vergaß, fuhren die Andersons mal eben ganz spontan zum Wandern ins Wine Country, besuchten die ›Spectacular Rubens‹ Ausstellung im Getty Center L. A. oder wanzten sich in einem peruanischen Restaurant an den Tisch von Ben Affleck.

»Hey, wir haben sogar ein Foto mit ihm, wollt ihr mal sehen, Trish?«

»Ja, gerne!«

»Sean?«

»NEIN!«

Bald genügte es den Andersons nicht mehr, das bessere Wochenende zu haben, sie hetzten auch noch Trisha gegen mich auf. Nachdem ich mich weiterhin standhaft weigerte, am Wochenende »was zu machen«, nahmen die Andersons Trisha einfach mit und ließen mich, die offensichtlich kultur- und antriebslose Wochenend-Amöbe »zur Strafe« zurück.

Das war natürlich überhaupt gar keine Strafe, sondern viel besser für mich! Wäre Trisha zu Hause geblieben, hätte ich am Wochenende den Rasen mähen müssen, die Filter der Klimaanlage reinigen, das Auto waschen und in den Paso Robles Sports Club gehen müssen. So konnte ich ins Molly's und Wayne fragen, was das da draußen für eine Welt geworden war, in der die Menschen mehr Angst vor dem Wochenende hatten als vor der Arbeitswoche. Wayne vermutete, dass solche Menschen unter einer Art Wochenend-ADHS leiden mussten, dem Alkohol-Defizit-Hyperaktivitäts-Syndrom. Ich gab ihm recht, so musste es sein!

### Meiden Sie Menschen mit Wochenend-ADHS!

Unfähig, die Arbeitswoche einfach mal hinter sich zu lassen, stülpen diese Menschen genau das Leistungsdenken, das das halbe Land bereits unter der Woche in den Wahnsinn trieb, auch noch über das Wochenende. Das Schlimme: Ihr manischer Aktionismus dient dabei nicht einmal dem offensichtlich minderwertigen Ziel der Erholung, vielmehr mussten sie einfach was Angesagtes gemacht haben getreu dem Hibbel-Mantra »Machste was, biste was!«.

Aber was soll ich dann sein? Ein besserer Mensch? Mhhh ... mal andersherum: Warum sollte ich ein schlechter Mensch sein, nur weil ich mir nach einer 60-Stunden-Arbeitswoche lieber ein Steak auf den Grill lege, statt mich auf einem überfüllten Highway zweihundert Meilen runter nach Los Angeles zu quälen, um mich nach einem 20-Dollar-Taco von einem drittklassigen Stand-Up-Comedian als Landei verarschen zu lassen und dann in einem überteuerten Design-Hotel wegen der russischen Party im Nachbarzimmer kein Auge zuzutun?

Warum sollte ich am Wochenende auf Ruhe und Entspannung verzichten, bloß weil meine Frau und meine freizeitoptimierten Nachbarn ihr Leben nur dann ertrugen, wenn sie herumwirbelten wie Maiskörner im Popcorn-Maker? Nun, das alles hat sich Gott sei Dank erledigt, seit Trisha wieder in Kentucky wohnt, denn seitdem beschränkt sich der Kontakt zu den Andersons aufs Hallo-Sagen. Und wissen Sie, was das Schönste ist? Meine neue Lebensgefährtin Karen kriegt am Wochenende noch weniger auf die Kette als ich – ein Traum!

Neulich nutzte ich die komplette Rotphase an der 22nd und Park Street, um den Begriff »Wochenendstress« zu googeln. Die Suchergebnisse, die ich mir bis zum Hupkonzert hinter mir ansehen konnte, zeigten auf dramatische Weise, wie recht ich hatte. So stand in einem Artikel[7], dass wir das Wochenende vor allem dafür nutzen sollten, unsere Akku für die neue Woche wieder aufzuladen. Wenn wir es mit kulturellen Eskapaden und unsinnigen Aufgaben wie Hausarbeit und Besorgungen vollstopfen, sei das genauso, als zögen wir bereits bei einer Akkuladung von 37 Prozent den Ladestecker wieder aus unserem Smartphone.

*»Ja, Sean, du sagst das so leicht mit der Hausarbeit und den Besorgungen, aber das sind halt alles Sachen, zu denen man unter der Woche nicht kommt ...«*

Also, wenn Sie schon unter der Woche nicht dazu kommen, dann können die Sachen auch nicht so wichtig gewesen sein. Jedenfalls nicht so wichtig, dass sie nicht noch bis Montag warten können. Was ich damit sagen will, ist:

## Keine Hausarbeit am Wochenende!

Halten Sie sich daran, dann haben Sie nicht nur unter der Woche, sondern auch am Wochenende Zeit für die Aktivitäten, die Ihnen viel mehr Spaß machen. Ihr Muss-Monster krakeelt, Sie müssten die Küche saubermachen? Tippen Sie doch mal ›dirty kitchen‹ in die Google-Bildersuche und staunen Sie, wie viele Jahre Sie noch entfernt sind von einer wirklich schmutzigen Küche. Lassen Sie das Muss-Monster toben und machen Sie stattdessen etwas, das Ihnen Freude bereitet.

Falls Sie bisher am Wochenende recht umtriebig waren und nun fürchten, die neue Ereignislosigkeit könnte sich negativ auf Ihre Stimmung auswirken, dann schauen Sie einfach mal über meine nachfolgende Wochenendtabelle. Sie müssen ja nicht nichts tun. Es darf nur keinen wirklichen Nutzen haben! Die Grundregel lautet: Am meisten Spaß macht das, was überhaupt keinen Nutzen hat. Angenommen, Sie tanken am Samstag Ihr Auto voll, weil der Tank schon halb leer ist. Das hat natürlich einen gewissen Nutzen. Also für die Tank-

stelle, für Sie nicht, denn seit wann bitte entspannt Tanken?
Von daher wäre hier mein konkreter Tipp: Tanken Sie unter
der Woche, wenn Sie sowieso schon gestresst sind. Hier die
Liste:

```
Erholungswert von Wochenendaktivitäten

AKTIVITÄT          SPASS     NUTZEN     IST ALSO

TANKEN               -          +       SCHLECHT
SPORT TREIBEN        -          -       SEHR
                                        SCHLECHT
AUFRÄUMEN            -          -       SEHR
                                        SCHLECHT
RUBENS-AUS-          -          -       SEHR
STELLUNG                                SCHLECHT
SPORT SCHAUEN        +          -       GUT
SEX                  +        -+*       GUT
SERIEN SCHAUEN       +          -       SEHR GUT
AUSGEHEN             +          +       SEHR GUT
```

[*Nutzen hat damit zu tun, ob Sie sich fortpflanzen wollen]

Zusammenfassend muss man also feststellen, dass wir uns
dann am meisten erholen, wenn wir weder tanken, Sport machen noch zur Rubens-Ausstellung fahren und stattdessen
Sex haben, ohne uns fortzupflanzen, und danach fernsehen
und lecker Essen gehen.

*»Also Sean, das ist jetzt aber schon ein wenig krank, oder?«*

Ich weiß, ich weiß: Fernsehen macht angeblich dumm, und je größer der Fernseher, desto dümmer die Person davor, kenne ich alles, ich versteh's nur nicht. Weil ich mich halt frage, was dumm daran sein soll, wenn ich mich nach dem Sex auf meinem 60-Zoll-Plasma durch drei Folgen *SpongeBob* kichere. Haha, kennen Sie die Folge, in der SpongeBob Kontakt mit Geistern aufnehmen will, um an das Rezept eines lang vergessenen Sandwiches zu gelangen?

*»Nein.«*

Schade, das ist nämlich sensationell! Aber ist ja auch egal. Es gibt andere gute Serien. Das Wichtigste am Wochenende ist nämlich, dass Sie sich von keinem ein schlechtes Gewissen machen lassen, weil Sie nichts Tolles unternehmen. Damit Ihnen das gut gelingt, sind hier ein paar sehr konkrete Tipps von mir:

**Keine To-Do-Listen!**
Wie Sie ja bereits wissen, macht es keinen Sinn, sich Ziele zu setzen. Am obermeisten keinen Sinn machen Ziele natürlich am Wochenende, also tun Sie sich und mir einen Gefallen und vergessen Sie To-Do-Listen! Die sind immer fatal, weil man sich schon beim Erstellen auf eine Unzahl nichterledigter Dinge konzentriert. Noch schlimmer fühlen Sie sich nur, wenn Sie am Sonntagabend merken, dass Sie wieder mal nur die Hälfte geschafft haben. Wollen Sie wirklich mit so einem Gefühl in die neue Woche? Na also.

Sollten Sie bereits listensüchtig sein, dann probieren Sie wenigstens eine NOT-TO-DO-Liste! Die habe nicht ich erfunden, sondern das Internet, zumindest steht sie da. Schreiben Sie alles auf, was Sie an diesem Wochenende auf keinen

Fall machen werden. Statt sich am Sonntagabend wie ein Lo-
ser vorzukommen, werden Sie sich toll fühlen, schließlich
haben Sie ja erfolgreich nichts von dem gemacht, was Sie sich
vorgenommen haben.

**Planen Sie was Nettes für Sonntagabend!**
Wenn Sie was Nettes vorhaben, auf das Sie sich wirklich
freuen, wie z. B. eine Kneipentour, dann legen Sie es nicht auf
den Freitag oder Samstag, legen Sie es auf den Sonntagabend!

*»Eine Kneipentour am Sonntagabend? Dann bin ich ja montags
auf der Arbeit fix und fertig!«*

EBEN! Wenn Sie zur Arbeit müssen, ist der Montag doch sowieso im Arsch, warum also auch noch ausgeruht sein dafür?
Wenn Sie am Samstag und Sonntag fit sind, ist das doch viel
besser, schließlich sind das Ihre freien Tage und nicht die irgendeiner blöden Firma, die Sie ohnehin nur ausbeutet. Wenn
Sie ganz am Ende Ihres Wochenendes was Lustiges machen,
können Sie es viel mehr genießen als beispielsweise am Freitag, schließlich haben Sie bereits zwei freie Tage im Rücken.
Und: Sie sind genau zu der Zeit beschäftigt, zu der Sie sonst
die berühmte Sonntagsdepression bekommen, also an Ihren
hässlichen Chef denken und all das, was es in der kommenden Woche zu tun gibt.

**Nehmen Sie Ihr Wochenende mit zur Arbeit!**
Nur ein Narr nimmt sich Arbeit mit nach Hause. Der Weise
nimmt sich stattdessen das Wochenende mit auf die Arbeit:
die Reste der Wagenradpizza, eine Magnumflasche Shiraz
oder den One-Night-Stand von Sonntagnacht. Ihre Kollegen
werden es lieben, wenn Sie mit Genussmitteln und mit Anek-

doten in die neue Woche starten und nicht mit Fragen zur Arbeit nerven. Fakt ist – und renommierte Wissenschaftler würden dies sicher auch beweisen: Wenn Sie die schönen Sachen Ihres Wochenendes mit dem trüben Montag vermengen, verlängern Sie proaktiv und hochintelligent Ihre Freizeit!

**Falls Sie Eltern sind, lassen Sie Ihre Kinder in Ruhe ...**
Freuen sich Ihre Kinder schon am Sonntagmittag auf die Schule? Dann machen Sie was falsch. Dann haben sie vermutlich nicht nur Ihr eigenes Wochenende mit Unsinn vollgestopft, sondern auch das Ihrer Kinder. Kinder brauchen auch Entspannung! Also lassen Sie sie rumrennen, Rad fahren, die Natur erkunden, Bäche stauen und mit Feuer spielen. Am Abend werden Ihre Kids schneller ins Bett fallen, als CNN die erste Live-Schalte zu den verheerenden Waldbränden in Ihrer Gegend gesendet hat, und Sie können unbesorgt Ihre Kneipentour starten ...

**... und Ihren Partner auch!**
Immer noch traumatisiert aus erster Ehe, fragte ich beim ersten gemeinsamen Samstagsfrühstück mit meiner neuen Freundin: »Was wollen wir denn so machen am Wochenende?« Karen starrte mich an und sagte: »Wieso denn WIR?« Seitdem weiß ich: Wochenende heißt nicht unbedingt, 48 Stunden aneinanderzukletten.

Ihr Partner will noch länger schlafen als Sie? Lassen Sie ihn. Ihr Partner will einfach nur wie betäubt am Pool liegen und den Kindle in die Luft halten? Lassen Sie ihn. Die Chancen stehen nämlich gut, dass Sie im Gegenzug Ihr Basketballspiel in voller Länge anschauen können. Und in den Werbepausen ist immer noch genug Zeit, um die Route für den Pub-Crawl am Sonntagabend festzulegen.

**Singles haben es am besten!**
Viele Alleinstehende haben regelrecht Angst vor dem Wochenende, am schlimmsten sei der Sonntag, hört man oft, der Tag sei Horror, weil da die anderen all die Sachen machen, die man alleine nicht machen kann: Radtouren, Ausflüge, ins Museum gehen. Tja, wenn die Singles wüssten, wie sehr sie von den anderen dafür beneidet werden! Dass sie aufstehen können, wann sie wollen, beim Frühstück nicht reden müssen und einen Ausflug dann unternehmen können, wenn sie wirklich wollen. Hey, ich sage nicht, dass Alleinsein spitze ist, aber wenn Sie es sowieso gerade sind, dann genießen Sie es gefälligst, denn wenn Sie wieder einen Partner haben, dann werden Sie wehmütig an genau die Zeit zurückdenken, die Sie jetzt verfluchen.

Sollte Ihr Muss-Monster dennoch »Du musst jemanden kennenlernen!«, schreien, dann pieksen Sie ihm ins Auge, sagen Sie Ihren Zaubersatz und gehen erst recht nicht vor die Tür. Die Chancen, dass Sie unter der Woche jemanden kennenlernen, sind sowieso viel größer. Bei fünf Wochentagen und zwei Tagen Wochenende stehen sie genaugenommen bei 5 zu 2. Was also soll der Stress?

Wie schon beim Thema Aufräumen sollten wir auch hier unsere wundervolle Natur zum Vorbild nehmen. Der Himmel, das Meer, der Strauch und das Tier – keiner von ihnen unternimmt was am Wochenende. Zumindest hab ich den Pazifik noch nie sagen hören: »Cool, Wochenende, endlich Zeit für 'ne Sturmflut!« Und der Strauch will auch nicht zur *Avengers*-Premiere nach L. A. Tiere? Nun: Legless Larry tackert jeden Morgen um 4 Uhr los. Egal ob Montag oder Sonntag. Weil dem schlauen Kerlchen nämlich jeder Tag gleich wichtig ist.

Sie sehen: Ob Mann, Frau, Kind, Single oder Strauch – Sie müssen nichts unternehmen am Wochenende! Bestenfalls können Sie. Wenn Sie also das nächste Mal von irgendeinem Freizeittaliban gefragt werden, was Sie am Wochenende so gemacht haben, dann lächeln Sie einfach Ihr ESMI-Lächeln und sagen: »Nichts natürlich. War ja Wochenende!«

## ☆ SAG'S NOCH MAL, SEAN! ☆

☑ Je weniger Sie unternehmen, desto länger kommt Ihnen das Wochenende vor.

☑ Meiden Sie Menschen mit Wochenend-ADHS!

☑ Zu was man unter der Woche nicht kommt, kann nicht so wichtig sein, dass man sich damit das Wochenende versaut.

☑ Wenn Sie unbedingt was tun wollen, tun Sie wenigstens nutzlose Dinge!

☑ Besser am Wochenende fit sein als am Montag: Legen Sie Ihre Kneipentour auf Sonntagabend!

Ach ja. Und wenn Sie so nett wären, bis spätestens Freitagabend hier zu unterschreiben:

Ich, _____, muss am Wochenende nichts unternehmen.

# Ich muss rausgehen, wenn die Sonne scheint!

## Einen Scheiß müssen Sie! Oder gehen Sie auch rein, wenn es dunkel wird?

*»Ich setz mich doch nicht in die Sonne, dann ist ja mein Rücken im Schatten!«*

PAULA BRUMMEL, RENOMMIERTE URGROSSMUTTER

Ich weiß, wie man sich fühlt, wenn man keine Sonne bekommt, ich war mit Trisha verheiratet. Und ich hab das Land meiner Vorfahren besucht: Deutschland. Zwei Wochen war ich dort, im Mai, und als meine Maschine in Frankfurt am Main aufsetzte, da goss es wie aus Eimern. Ich fand das erst mal herrlich und stellte mir vor, welche Begeisterung so ein Regen im ausgetrockneten Kalifornien auslösen würde. Die Deutschen im Flieger waren nicht ganz so begeistert.

Ich war aus drei Gründen in Deutschland. Der erste war, dass *Do Whatever the Fuck You Want* als 312. Sprache nun auch ins Deutsche übersetzt werden sollte und ich eigens hierfür ein Kapitel mit einem deutschen Thema schreiben durfte. Ich war erst drei Minuten auf der Autobahn, da rief ich Bob in L. A. an und sagte aufgeregt:

»Ich muss alle überholen!!!«

»Ja, mach doch.«

»Nein, Bob, das ist mein deutsches Kapitel!«

»Sorry, Sean, dass die Deutschen kein Tempolimit haben, ist sogar bei uns ein alter Hut!«

Dann eben nicht, dachte ich mir und raste weiter mit über 90 Sachen durch den deutschen Regen, immer Richtung Süden. Denn wo ich schon mal hier war, wollte ich natürlich auch das Geburtshaus meiner Urgroßmutter Paula in Grafenrheinfeld besichtigen, Grund Nummer zwei. Offensichtlich wurde sie in einem Kernkraftwerk geboren, zumindest standen an der Stelle ihres Hauses nun zwei dampfende Kühltürme. Zunächst war ich ein wenig enttäuscht, doch dann dachte ich mir: Vielleicht ist sie ja deswegen damals ausgewandert, nach dem, was ich von meinen Eltern weiß, waren die Brummels immer schon rebellisch. Das ist es! Das ist mein deutsches Thema!

»Bob? Ich muss aus der Atomenergie aussteigen!«

»Ist Deutschland doch schon.«

»Alles klar, ich denk weiter nach!«

## Diagnose Sonnenschuld

Der dritte Grund meiner Reise war, dass ich bei der Brauerei vorbeischauen wollte, deren Bierfass ich vor Jahren auf dem Paso Robles Beerfest hatte mitgehen lassen: der Mahrs Bräu in Bamberg. Als kleine Wiedergutmachung hatte ich eigens eine große Flasche Brummelbock abgefüllt und durch den Zoll geschmuggelt.

»Hey, 40 Cents!«, schallte es aus dem Brauereihof. Der bärtige Chef freute sich über meinen Besuch und lud mich zum Mittagessen im urigen Wirtshaus ein. Und genau dort, in der dämmrigen Gaststube mit dem schönen Kamin, bekam ich mein deutsches Kapitel auf dem Silbertablett serviert. Als

nämlich der erste winzige Sonnenstrahl die alten Fenster-
scheiben berührte, sprangen alle anderen Gäste auf und rannten nach draußen wie bei einem Feueralarm. Die Biergläser nahmen sie mit. Sogar der Zapfer und die Bedienungen
flüchteten. Verwundert blickte ich ihnen nach, dann fiel die
schwere Tür ins Schloss, und ich hörte nur noch das Ticken
der Wanduhr.

»Was ist mit denen?«, fragte ich verwundert.

»Müssen halt raus, wenn die Sonne scheint!«, antwortete
der Chef beinahe gelangweilt und stand auf, um uns ein Bier
zu zapfen.

»Und wir?«

»Wir? Wir bleiben hier!«

Ich war meinem Gastgeber sehr dankbar. Offenbar ahnte
er, dass sein kalifornischer Überraschungsbesuch Dinge
schätzte, die man draußen einfach nicht machen konnte. In
einer gemütlichen Stube sitzen zum Beispiel. Noch am gleichen Abend rief ich Bob in L. A. an.

»Bob! Neues Thema: Ich muss rausgehen, wenn die Sonne
scheint!«

»Come on, Sean, warum sollte man so was Bescheuertes
tun?«

»Weil man sich sonst schuldig fühlt!«

»Und wer genau fühlt sich dann schuldig?«

»Die Deutschen!«

»Echt? Und das so lange nach dem Krieg! Aber, wenn das
stimmt, dann mach es!«

Es stimmte. Die Deutschen rannten entweder raus, wenn die
Sonne schien, oder sie blieben drinnen und fühlten sich
schlecht deswegen. Im Verlauf meiner Reise fand ich heraus,

dass fast alle Deutschen bei Sonne rausmüssen, dass es, im Gegensatz zu Blasenschwäche, aber noch nicht mal ein Medikament dagegen gab. Bob hatte recht: das arme Volk.

## Ständige Rausgehbereitschaft macht Sie zum Notarzt auf Abruf

Wer, würden Sie sagen, ist weniger gestresst und befindet sich mental in einer besseren Verfassung: derjenige, der unabhängig vom Wetter das macht, was er ohnehin vorhatte, oder die armselige Kreatur, die beim ersten Sonnenstrahl aus dem Haus springt wie ein Stuntman? Ich denke, es ist der vom Wetter unabhängige.

Jeder Psychologe von Weltruf würde mir bestätigen: Wer ohne Not all seine Pläne über den Haufen wirft, nur weil die Sonne scheint, ist nicht bessergestellt als ein Notarzt auf Bereitschaft. Der muss auch jederzeit los, wenn mal was ist, und wirkt meist gar nicht so entspannt dabei. Sind Sie ein selbstbestimmter Mensch oder ein Notarzt auf Abruf? Kein Notarzt? Aber das ist doch phantastisch, denn dann können Sie machen, was sie wollen!

## Rausgehen bei Sonne gefährdet die öffentliche Sicherheit

Mein Eindruck war, dass ihr, liebe Nachkommen meiner Vorfahren, bei einem Schön-Wetter-Zwischenfall schnell in Panik verfallt. Klar, es ist nicht so oft sonnig bei euch wie bei uns, aber das ist doch kein Grund für ein schlechtes Gewissen, wenn man mal drinnenbleibt.

Stellen Sie sich nur mal vor, was passieren würde, wenn sich ein jeder nach der Sonne richtete! Energieversorger und

Fluglotsen, Börsenhändler, Chirurgen und die Polizei, würden all diese Menschen stets rausrennen, wenn die Sonne scheint, gäbe es keinen Strom mehr, Flugzeuge würden in der Luft gegen andere dötzen, die Börsen würden einbrechen, Patienten auf OP-Tischen liegen bleiben und der Plan für den Polizeieinsatz auch. Sind ja alle draußen. Binnen kürzester Zeit wäre jedes Land im Ausnahmezustand, vielleicht müsste sogar das Militär eingesetzt werden! Bürgerkrieg! Wollen Sie das?

### Hastiges Rausgehen als kollektive Zwangsstörung

»Was habt ihr denn gemacht bei dem tollen Wetter?« ist in deutschen Büros eine ganz normale Montagmorgenfrage, die es mit »Grillen«, »Baden« oder »super Ausflug« zu beantworten gilt. Hat man hingegen das gemacht, was man eigentlich vorhatte, steht man da wie ein kranker und lichtscheuer Waldschrat, der seinen Platz in der Gemeinschaft verwirkt hat.

Zumindest stand ich in Deutschland so da, als ich berichtete, dass ich bei 28 Grad im Kino war. Mich hat halt einfach die deutsche Synchronstimme von Sandra Bullock interessiert! Trotz Sonne! Ja, Kalifornier gehen ins Kino, wenn die Sonne scheint. Warum? Ganz einfach, weil wir sonst keinen einzigen Film sehen würden. Und noch eine Theorie habe ich während meines Besuchs entwickelt:

### Der deutsche Sommer ist ein Marketing-Trick

Let's face it: Deutschland liegt in Nordeuropa und ist eines der regenreichsten Länder der Welt. Nur will das in Deutschland offensichtlich keiner wahrhaben. Es gibt mehr Biergärten als in Kalifornien, mehr Freibäder und mehr Cabrios. In den kalten Staaten der USA sind die Leute da realistischer. Nehmen wir einfach mal die Stadt mit den wenigsten Sonnentagen in den ganzen USA: Seattle. Und nehmen wir einen typischen Vertreter dieser Stadt: die Grunge-Band Nirvana. Einer ihrer Songs heißt: »I hate myself and I want to die.« Wenn das kein realistischer Blick aufs Wetter ist, dann weiß ich auch nicht.

In Deutschland hingegen hoffen alle jedes Jahr aufs Neue, dass der kommende Sommer besser wird als der vorherige. Und genau das ist der Trick! Diese Hoffnung nämlich wird von der Industrie eiskalt ausgenutzt!

So erzählte mir eine traurige junge Dame bei einem Platzregen im Englischen Garten, dass sie in diesem Jahr exakt ein Mal am Badesee war in ihrem neuen Bikini, und ein graumelierter Herr jammerte, dass er sein Cabriodach inzwischen öfter geschlossen hat als offen. Inzwischen? Auch er ist nämlich reingefallen auf den Marketing-Trick.

Das Eis auf seinem Cabriodach war vermutlich noch nicht mal angetaut, da wurde ihm und dem Rest vom Land auch schon verklickert, wie man den kommenden Sommer verbringen wird: mit den Sommerprodukten der Sommerindustrie! Mit dem neuen Grill, dem luftigen Sommerkleid und der trendigen Outdoor-Sitzecke. Es wird Limonade geben und jede Menge Eis in bunten FlippyFloppys! Genießt den verdammten Sommer!, ruft die Industrie. Was? Es gibt gar keinen? Egal! Dann kauft wenigstens die Regale leer und vergesst, dass ihr all diese Dinge nur an ein paar Tagen überhaupt nutzen könnt!

Und genau das ist der Teufelskreis: Je mehr »Sommerprodukte« die Leute kaufen, desto mehr glauben sie auch, rauszumüssen, wenn die Sonne scheint. Wozu hat man die Sachen sonst gekauft? Der einzige Gewinner der großen Sommerlüge ist die Sommerindustrie. Was Sie tun können? Ganz einfach – so realistisch sein wie Nirvana! Ein Cabrio in Deutschland zu kaufen ist das Gleiche wie eine Regenwasser-Toilette in Kalifornien: eine Scheißidee.

## Rausgehen, wenn die Sonne scheint, ist was für Pessimisten

Was viele auch nicht sehen: Wer rausgeht, wenn die Sonne scheint, ist im Grunde genommen ein Pessimist, schließlich glaubt er, dass der ganze Spuk gleich wieder vorbei sein wird. Nicht die Freude über die kostbaren Sonnenstrahlen ist also der Antrieb für das Rausgehen, sondern die Furcht, dass diese schon bald wieder verschwunden sein könnten. Kurz: Angst essen Pläne auf! Während der selbstbewusste Mensch unabhängig vom Wetter das tut, worauf er Lust hat, klemmt die paranoide Sonnenlusche bibbernd auf einer Klappliege und zählt die Sekunden bis zur nächsten Wolke. Entscheiden Sie selbst, welche Art von Mensch Sie sein wollen.

## Wo immer Sie auch hingehen – die anderen sind schon da!

Sollten Sie immer noch zweifeln, ob Sie bei Sonnenschein nicht doch besser rausgehen sollten, dann vergessen Sie nicht, dass es sich bei der zwanghaften Sonnenrennerei um ein Massenphänomen handelt und die anderen vermutlich längst da sind, soll heißen, alles, was sonst Spaß macht, ist bei Sonne voll oder dauert dreimal so lange, mal abgesehen von umherfliegenden Tieren und fiesen Pollen, aber Allergiker brauche ich hier wohl nicht zu überzeugen, oder?

### *Drinbleiben, wenn die Sonne scheint, ist gesünder!*

Dass zu viel Sonne gar nicht so gesund ist, wissen wir alle. Erst letzte Woche bekam ich einen Brief von Dr. Dotter, der für eine 249-Dollar-Hautkrebsvorsorge warb. Sonnenlicht macht eben nicht nur glücklich, sondern auch krank. Als ich ihn das letzte Mal fragte, wie lange ich ohne Creme in der Sonne bleiben könne, sagte er: »Zehn Minuten, Sean, nicht mehr! Und tragen Sie eine Mütze!« Zehn Minuten?! Unfassbar, wenn man bedenkt, dass ich bis zu sechs Stunden ohne Creme und Mütze sowie ohne jede Hautkrebsgefahr im Molly's sitzen kann.

In einer renommierten Zeitschrift habe ich sogar gelesen, dass man zwischen 11 und 15 Uhr jede Sonne komplett vermeiden soll, denn dann käme 75 Prozent der schädlichen Strahlung gar nicht erst an. Sie wissen, wo sogar 100 Prozent der schädlichen Strahlung gar nicht erst ankommen, oder? Genau. In einer dunklen Bar! Aber auch in Ihren Breitengraden wird Ihnen jeder Hautarzt ein großes Kompliment aussprechen, wenn Sie sich im Sommer zum Mittagessen ein gepflegtes Bierchen in der Stube knattern, statt in einem überfüllten Freibad Ihre Krebskarriere zu starten.

Das Beste ist freilich, dass Sie nicht nur länger leben, sondern auch noch Geld sparen und Spaß haben, ich hab das mal nachgerechnet: Für eine einzige Flasche deutscher Sonnencreme kriegen Sie bis zu zehn Bier!

### *Kalifornier gehen rein, wenn die Sonne scheint*

Lassen Sie sich von Ihren Landsleuten nicht rappelig machen, vertrauen Sie den Völkern, die sich mit der Sonne bestens auskennen, vertrauen Sie Kaliforniern! Fakt ist: Die meisten

Kalifornier gehen bei Sonne nur raus, um woanders wieder reinzugehen.

Haus, Auto, Mall.

Büro, Auto, Supermarkt.

Supermarkt, Auto, Restaurant.

Und wie soll ich sagen – wir fahren ganz gut damit.

Das Wetter auf meiner Deutschlandreise blieb übrigens schön. Und wäre ich da immer draußen geblieben, hätte ich kein einziges Gebäude von innen gesehen. Keine Kirche, keine Brauerei und keine Shopping-Mall. Von den Shopping-Malls war ich übrigens ein wenig enttäuscht, die hatte ich mir in Deutschland viel älter und historischer vorgestellt.

Für Kalifornien wie für Deutschland gilt: Schönes Wetter kann man auch drinnen genießen. Die Bude ist hell und freundlich, man hört sein Vögelchen auf der Terrasse singen, man schwitzt nicht, kann jederzeit aufs Klo und bekommt auch keinen Sonnenbrand. Nur weil Millionen von Menschen unter zwanghaftem Draußensein leiden, müssen Sie das nicht auch noch mitmachen.

Wenn also das nächste Mal die Sonne scheint, dann machen Sie einfach das, was Sie sowieso machen wollten: Schauen Sie Ihre TV-Serie, marinieren Sie ein Hüftsteak, und wenn Sie schon im deutschen Sommer was kaufen müssen, dann kaufen Sie was, wovon Sie das ganze Jahr etwas haben: eine Kiste Rotwein zum Beispiel oder einen deutschen Sportwagen mit einem richtigen Dach.

## ☆ SAG'S NOCH MAL, SEAN! ☆

- ☑ Rausgehen, wenn die Sonne scheint, ist keine gute Idee, sondern eine Zwangsstörung.
- ☑ Der deutsche Sommer ist ein Marketing-Trick!
- ☑ Je mehr Sommerprodukte wir gekauft haben, desto schneller rennen wir raus, wenn die Sonne scheint.
- ☑ Für eine Flasche Sonnencreme kriegen Sie bis zu zehn Bier.
- ☑ Meine Uroma ist ein Opfer der Atomkraft!

Unterschreiben Sie dann bitte noch genau hier:

Ich, _____, muss nicht rausgehen, wenn die Sonne scheint!

# Ich muss die Nutzungsbedingungen lesen!

## Einen Scheiß müssen Sie!
## Warum Sie rein gar nichts mehr können und sehr, sehr traurig werden, wenn Sie es doch tun

*»Such nicht hartnäckig zu erfahren, was deine*
*Kraft übersteigt.*
*Es ist schon zu viel, was du sehen darfst!«*
ALTES TESTAMENT, IRGENDWO IN DER MITTE

Kein Schwein liest die Nutzungsbedingungen. Und das ist auch gut so, denn würden wir sie lesen, bräuchten wir 300 Stunden[8] dafür im Jahr. Und wäre das Lesen von Nutzungsbedingungen unser Job, wir wären zwei Monate[9] pro Jahr damit beschäftigt. Und dann gibt's ja auch noch Softwarelizenzverträge, Servicebedingungen und Datenschutzrichtlinien. Wollten wir die auch noch lesen, könnten wir das ganze Jahr über nichts anders mehr tun, dann hätten wir einen unbezahlten Full-Time-Job als »Bedingungs- und Richtlinienleser«. Und einen Augenschaden wegen der winzigen Buchstaben. Und Stress-Tinnitus, weil wir zwar alles gelesen hätten, aber null verstanden. Das Schlimmste aber wäre: Mit so einem anstrengenden und unbezahlten Full-Time-Job und unserer eingeschränkten Gesundheit wären wir gar nicht mehr in der Lage, all die tollen Produkte und Dienstleistungen zu nutzen, über die wir dann alles gelesen haben!

»Hey Hank, 'ne Runde zocken auf der Playstation?«
»Sorry, aber ich sitz noch an den Garantiebedingungen von
   meinem Smoothie-Mixer ...«
»Verstehe. Hab dich übrigens noch immer nicht bei Instag-
   ram entdeckt.«
»Stimmt, da wollte ich erst mal noch über die Privatsphäre-
   Richtlinien gehen.«
»Und dein Handy ist irgendwie tot.«
»Das kann ich erklären. Ich war mit den Nutzungsbedingun-
   gen nicht einverstanden.«

Dass keine Sau die Nutzungsbedingungen liest, ist übrigens
keine bloße Annahme von mir, das ist sogar schon bewiesen
worden!

### 1000 Dollar für den Ersten, der die Nutzungsbedingungen liest

Die Softwarefirma PC Pitstop hat sich nämlich mal einen
Spaß gemacht und heimlich eine Klausel in ihre Nutzungsbedingungen geschrieben, die dem Ersten, der sie las und sich
dann per Mail meldete, 1000 Dollar zusicherte. Jetzt raten
Sie mal, wann die erste Mail kam: nach vier Monaten und
3000 Downloads![10]
   Und bei gamestation.co.uk versteckten ein paar Bekloppte
folgende Zeilen in den Nutzungsbedingungen:

WENN SIE ETWAS ÜBER UNSERE WEBSEITE
KAUFEN, WILLIGEN SIE JETZT UND FÜR ALLE
EWIGKEIT EIN, UNS IHRE SEELE ZU ÜBERTRA-
GEN.[11]

So blöd könnte niemand sein, denken Sie? Nun, innerhalb weniger Stunden hatten siebentausend Kunden angeklickt, dass sie die Nutzungsbedingungen gelesen hatten und mit der sofortigen Seelenübergabe einverstanden waren. Der einzige Trost: Es war ein Aprilscherz.

*»Aber Sean, wenn sowieso keiner die Nutzungsbedingungen liest, welchen Sinn macht es dann, zu sagen, wir müssten sie nicht lesen?«*

Es macht deswegen Sinn, weil es mir nicht um das Lesen selbst geht, sondern um das schlechte Gewissen, das wir haben, wenn wir sie nicht lesen. Dieses ungute Gefühl ist nämlich komplett unnötig!

*»Dann müssen wir die Nutzungsbedingungen also doch lesen?«*

NEIN! Um Himmels willen! Denn dann fühlen wir uns ja erst recht beschissen, und glauben Sie mir, ich weiß, wovon ich rede, denn ein Mal hab ich sie gelesen.

*»Und dann?«*

Hab ich mein iPad im Wassertank meines Hauses versenkt.

*»So schlimm?«*

Ja, so schlimm. Seitdem klicke ich einfach alles an, was mir auf den Bildschirm kommt. Weil ich den ganzen Scheiß, an dem ich ohnehin nichts ändern kann, gar nicht wissen will.

*»Na ja, aber man muss jetzt ja auch nicht alles akzeptieren!«*

Haha, nein? Rufen Sie doch mal bei Facebook an und bitten
Sie darum, in Ihrem speziellen Fall Punkt 9.13.2 der Nutzungsbedingungen anzupassen, weil Sie mit dem US-Gesetz
zum Videodatenschutz nicht ganz einverstanden sind. Was?
Facebook hat gar keine Telefonnummer? Na ja, vermutlich
genau deswegen.

### *Was ich nicht weiß, macht mich nicht heiß*

Wenn wir ein nettes, neues Restaurant entdecken, lesen wir
dann stets alle Bewertungen, bevor wir hineingehen? Studieren wir die aktuelle Kriminalitätsstatistik, bevor wir den
Strandurlaub in Mexiko buchen? Und rufen Sie jedes Mal
den Hersteller Ihres Autos an, bevor Sie losfahren?

»Hallo, Sean Brummel hier. Ich wollte mich gerade mit meinem Ford F100 auf den Weg machen, neues Bier für meinen
einbeinigen Vogel holen, gibt's denn aktuelle Rückrufe bei
diesem Modell? Elektronik? Airbag? iPhone-Anbindung?«
   »Da bräuchten wir das Baujahr, Mr. Brummel.«
   »1948!«
   »Haben wir nichts vorliegen, Mr. Brummel.«

Verstehen Sie, was ich meine? Wenn wir stets alles wissen
wollten, wären wir in keinem Restaurant, an keinem Strand,
und bei Facebook wären wir schon gar nicht. Ob Sie's mir
glauben oder nicht: Bei meinem ersten Date mit Karen hab
ich weder nach Vorstrafen, Suchtverhalten noch nach einem
Kinderwunsch gefragt. Wollte ich nicht wissen. Weil ich Karen wollte.
   Und genau das ist auch der Grund, warum wir keine Nutzungsbedingungen lesen sollten: Wenn wir uns auf etwas

freuen, wenn wir etwas haben wollen, dann wollen wir vorher einfach keine schlimmen Sachen darüber lesen. Mein Date ist vorbestraft, duscht nur einmal die Woche und will acht Kinder? In einem solchen Fall fliehe ich natürlich ohne zu zahlen durchs Klofenster und übergebe mich noch auf dem Diner-Parkplatz.

## *Warum Sie bei Apple keine Arschhaare rauchen dürfen*

Wenn Ihnen das mit den Kindern bereits Sorge bereitet, dann lesen Sie bitte keinesfalls die Nutzungsbedingungen von Apples iCloud. Ich hab das nämlich schon getan für Sie, und ja, an diesem Abend war mir tatsächlich unfassbar langweilig. Karen war mit ihren Kollegen aus, Wayne auf Entzug und Netflix war bereits leergeschaut. Was also lag näher, als sich bei Kerzenlicht und einem schönen Glas Cabernet Sauvignon durch die Nutzungsbedingungen der iCloud zu schmökern? Natürlich war ich skeptisch am Anfang, zu oft hatte man gehört, wie trocken und kompliziert das sei. War es aber gar nicht!

Die Nutzungsbedingungen waren ein – man muss das jetzt einfach mal so sagen – großartiges Werk, das mich schon nach wenigen Zeilen fest in seinen Bann gezogen hatte. Wussten Sie z. B., dass es iCloud-Nutzern verboten ist, in ihren eigenen E-Mails vulgäre Sprache zu benutzen? Unfassbar, oder? Als iCloud-Nutzer dürften Sie mir also z. B. nicht schreiben: »Verdammt Sean, was du da über das Rausgehen und die Sonne geschrieben hast, ist die verfluchte Wahrheit!« Das heißt, Sie könnten es mir natürlich schreiben, dafür könnte Apple dann aber auch Ihren kompletten Account löschen, inklusive Adressen, Kalendereinträge und Ihrem neuen Bestsellermanuskript, das Sie dämlicherweise auf ›Pages‹ geschrieben und in der iCloud gespeichert haben. Und Apple Music wäre auch platt. Soll heißen: Ein falsches Wort und Sie können Ihre erste LP suchen gehen.

Unfassbar, hab ich mir gedacht, hab mir Wein nachgeschenkt und bin aus dem Staunen nicht mehr herausgekommen. Auf einer kompletten Seite regelt Apple, wie Sie sich in der hauseigenen iCloud zu verhalten haben. Was immer Sie schreiben oder hochladen, darf weder gehässig sein (z. B.: Du kannst meine Arschhaare rauchen, du Missgeburt[12]), noch ethnisch verletzend (Du kannst meine Arschhaare rauchen, Krautfresser), noch verleumderisch (Will Smith hat meine Arschhaare geraucht) oder gar schädlich (David Hasselhoffs Arschhaare rauchen).

Strengstens untersagt ist es in der iCloud auch, einen Ihnen unbekannten Minderjährigen nach einem Bild seines Sportvereins zu fragen. Kein Joke, das steht da so.[13] Okay, ich bin nicht ganz verblödet; nach einer Weile hab ich dann schon begriffen, was die Idee dahinter war. Aber sollte man dann nicht lieber unbekannten Sportvereinen Bilder von Minderjährigen verbieten?

### *Darum versenkte ich mein iPad*

Neben Kindern kümmert sich Apple vorbildlich um die Sicherheit unseres großartigen Landes. So ist z. B. die Planung von illegalen Aktivitäten über die Cloud verboten. Das Problem dabei: Illegal ist in den USA ja eigentlich fast alles. Mit bis zu 25 Jahren Haft muss z. B. rechnen, wer im US-Bundesstaat Arizona einen Kaktus fällt. Bei uns in Kalifornien darf eine Mausefalle nur von Personen mit gültiger Jagderlaubnis aufgestellt werden. Sogar das Fahrradfahren in einem Swimmingpool verstößt gegen das Gesetz, vermutlich, weil man unter Wasser die Klingel nicht hört. Nicht auszudenken, Sie würden derartige Straftaten über eine iCloud-Adresse ankündigen!

Wenn Sie das mit dem Kaktus und der Klingel schon befremdlich finden, darf ich Ihnen sagen, dass das Beste erst noch kommt. Durch einen einzigen Klick am Ende der iCloud-Nutzungsbedingungen[14] erklären Sie nämlich, dass Sie die Cloud-Dienste NICHT für die Entwicklung, Planung, Fertigung und Produktion von Raketen, nuklearen, chemischen oder biologischen Waffen verwenden werden. Steht da wirklich. Ja, es ist unglaublich, und ich hab auch ein paar Minuten gebraucht, bis ich wusste, was das bedeutet: Sie dürfen mit iTunes keine Atomrakete bauen!

Ich war so sauer, dass ich mein iPad ausgeschaltet und den Rotwein komplett leergetrunken habe. Nicht, dass ich eine Atomrakete hätte bauen wollen, verstehen Sie mich da nicht falsch, aber in diesem Punkt bin ich ganz und gar Amerikaner – wenn ich mich bedroht fühle, möchte ich das verdammte Recht haben, eine Atomrakete zu bauen, und wenn es sein muss, dann auch mit iTunes!

Jetzt war es also passiert – ich hatte die Nutzungsbedingungen gelesen und fühlte mich beschissen. Ich hatte meine eigene Scherz-These bewiesen. Ich fühlte mich wütend und hilflos zugleich, ich war wütend vor Hilflosigkeit, geradezu hilflos wütend. Nicht mal mein iPad wollte ich noch nutzen und meine Mailadresse seanbrummel@icloud.com schon gar nicht, wo ich nun all die schlimmen Sachen wusste.

Also sicherte ich mein Adressbuch, meine Kontakte, alle Fotos und meinen Lieblingsfilm *(Die Eisprinzen)*. Ich löschte auch das komplette Manuskript meines neuen Buches *Auf einem Bein kann man gut stehen. The Amazing Adventures of*

*Legless Larry* und meldete mich bei der Cloud ab. Dann versenkte ich das iPad im Wassertank auf meinem Haus und eröffnete einen brandneuen Account auf meiner X-Box. Wenn Sie mir mal mailen wollen: someone@example.com. Als ich schließlich bei Microsoft klickte, dass ich die Nutzungsbedingungen gelesen und verstanden habe, wurde mir klar:

### *Wir müssen die Nutzungsbedingungen nicht nur nicht lesen, wir DÜRFEN gar nicht!*

Wir dürfen nicht, weil sich die Nutzungsbedingungen wie eine Mauer zwischen uns und die Dinge schieben, die unser Leben so bereichern: Facebook, Airbnb, Sixt, MasterCard, Apple Music, Tinder und Netflix. Oh, hab ich Tinder geschrieben? Ich meine natürlich Twitter. Wenn wir die Nutzungsbedingungen lesen, verlieren wir nicht nur Freunde, wir müssen auch zu Fuß in miesen Hotels schlafen, diese bar bezahlen und können dann nicht mal *Die Eisprinzen* auf Abruf sehen! Wir können nicht mal mehr eine Atomrakete mit iTunes bauen. Wollen Sie das?

Wenn Sie also das nächste Mal gefragt werden, ob Sie irgendwas gelesen haben, dann klicken Sie einfach »einverstanden«. Über 7000 Briten haben ihre Seele noch. Und Sie dieses Buch. Weil ... also die Nutzungsbedingungen zu Beginn, die haben Sie doch gelesen, oder?

## ☆ SAG'S NOCH MAL, SEAN! ☆

☑ Wenn wir tatsächlich alle Nutzungsbedingungen lesen würden, hätten wir einen unbezahlten Fulltime-Job.

☑ Wenn Sie Apple-Kunde bleiben wollen: Fragen Sie unbekannte Minderjährige nicht nach einem Foto ihres Sportvereins.

☑ Wenn Sie die schlimmen Sachen wissen, möchten Sie das Produkt oder die Dienstleistung gar nicht mehr nutzen.

☑ Falls Sie mich mal in Kalifornien besuchen, stellen Sie um Himmels willen keine Mausefalle auf!

Bevor Sie weiterlesen, wäre es nett, wenn Sie hier unterschreiben könnten, dass Sie mit dem Kapitel einverstanden sind und mich nicht verklagen, danke.

Ich, _____, muss die Nutzungs-
bedingungen (mit Ausnahme der Nutzungsbedingungen in
diesem Buch ganz vorne) nicht lesen!

**Warum Political Correctness Rassismus
schürt, Ökostrom Vögel grillt und
Sie ganz entspannt alles verpassen können**

Ist es nicht schön, wie fürsorglich sich die anderen um uns kümmern? Wie wir gelobt werden, wenn wir das Rauchen aufgeben, ein Hybridauto kaufen oder Solarpaneele auf unser Dach schrauben? Wie man uns auf die Schulter klopft, wenn wir weniger Fleisch essen, mehr Petitionen unterschreiben und bei Wahlen die am wenigsten schlimmste Partei ankreuzen statt gar keine? (Die am wenigsten schlimmste Partei ist übrigens die AWSP und wird von Wayne und mir in Kürze gegründet).

Ja, ist schon toll, wie man sich um unser Wohl sorgt. Nur leider bekommen wir nur dann gesellschaftlichen Beifall, wenn wir das Richtige tun. Beziehungsweise das, was die Mehrheit gerade für das Richtige hält. Genießen wir beispielsweise eine Zigarette an einem für diesen Zweck nicht ausdrücklich genehmigten Ort (also z. B. auf allen Straßen und

Plätzen in Santa Monica), dann zeigen Smoothie-schlürfende Solarpaneel-Besitzer mit dem Finger auf uns.

Hören wir mit dem Rauchen auf und belohnen uns dafür mit einem neuen Ford Mustang, geht die ökologisch korrekte Augenbraue schon wieder hoch. Zu Unrecht, wie ich finde, denn ein klein wenig kommt es ja auch darauf an, wie viel man mit seinem Auto fährt, denn vielleicht kommt der Strom für den Tesla ja aus einem Braunkohlekraftwerk, und während Sie mit blitzsauberem Öko-Image und reinstem Gewissen Ihre Kinder aus der Privatschule abholen, haben die Menschen ein paar hundert Meilen entfernt ein ganz seltsames Stechen in der Brust.

*»Aber Sean, ist doch klar: Die Lösung heißt Solarstrom!«*

Dass ich da nicht draufgekommen bin! Wo Solarstrom doch einfach immer eine gute Idee ist, egal, in welcher chinesischen Giftküche die Paneele hergestellt und wo sie entsorgt werden.

*»Super, Sean! Steigst um auf Solar!«*

»Nee, sind nur Attrappen wegen der Fördergelder!«

Manchmal frag ich mich, ob wir für all diese richtigen Dinge überhaupt noch gelobt werden oder schon erzogen? Oh. Wissen Sie, was mir gerade wieder einfällt? Ich wurde ja schon erzogen! Von meinen Eltern! Und zwar komplett anders! Ich muss immer daran denken, wie mein Vater sich vor Jahren wahrhaftig freute, als ich mir in seinem Garten genüsslich eine Zigarette anzündete. Obwohl er selbst nicht rauchte, lächelte er und sagte: »Du kannst noch genießen, Sean! Respekt!«

Dass mein Vater mir den Genuss meiner Zigarette nicht nur gönnte, sondern sich selbst daran erfreute, hat mich nachhaltig beeindruckt. So sehr, dass ich mich bis heute nicht traue, ihm zu sagen, dass ich mit dem Rauchen aufgehört habe. Mehr noch: Weil ich, Sean Brummel, für die Freiheit des Einzelnen kämpfe, kaufe ich seit Jahren Zigaretten und werfe sie weg, nur um die Statistik zu fälschen. Blöd von mir? Kann sein, aber lieber mach ich öfter mal was Blödes, als unter tosendem Applaus meine Freiheit zu verlieren.

# Ich muss mich politisch korrekt verhalten

## Einen Scheiß müssen Sie.
## Sie können es nämlich gar nicht richtig machen.

*»Wie man sprechen muss, um keine wehleidigen
Pussys zu beleidigen.«*[1]

DEFINITION VON »POLITICAL CORRECTNESS« AUF
URBANDICTIONARY.COM

Jeden Abend sah ich Bürgerkriege, Überschwemmungen und hungernde Menschen im Fernsehen. Irgendwann wollte ich etwas dagegen unternehmen und hab mir Sky Sport abonniert.

»Das kannst du unmöglich schreiben, Sean!«
    »Weil es in den USA kein Sky gibt?«
    »Weil du die Ärmsten der Armen beleidigst!«
    »Bullshit, Bob. Ich mach mich über die Kultur des Wegschauens lustig.«
    »Schreib es nicht, bitte!«
    »Aber dann mach ich den Flugzeugwitz.«
    »Dann schreib es!«

Ein typisches Gespräch mit meinem wahnsinnigen Lektor. Ganz ehrlich: Ich finde es traurig, wie viele Menschen noch immer glauben, sie würden sich und ihren Mitmenschen einen Dienst erweisen, wenn sie sich politisch korrekt verhalten. Oder andere dazu zwingen, so wie Bob mich. In Wahrheit ver-

wandeln sie sich selbst und alle um sie herum in paranoide, hu-
morlose Idioten. Der Grund dafür: Political Correctness.

Wie die meisten Geisteskrankheiten kommt auch diese aus
den USA. So wie George W. Bush und David Hasselhoff. Für
beide kann ich mich gar nicht oft genug entschuldigen. Was
ich aber sagen kann: Im Gegensatz zu George W. Bush war
der Grundgedanke der Political Correctness gar nicht so
schlecht. Keiner sollte grundlos beleidigt werden. Was man
damals freilich nicht ahnen konnte:

### Irgendein Idiot ist immer beleidigt

So hat ein politisch korrektes Gremium in Großbritannien
vor kurzem das Wort ›Brainstorming‹ gerügt und vorgeschla-
gen, es durch ›Thought Showers‹, also ›Gedankendusche‹ zu
ersetzen. Der Grund: Epileptiker könnten sich beleidigt fühlen.[2] Kein Witz von mir, sondern eine Tatsache. Leider.

Ebenfalls in Großbritannien und ebenfalls vor kurzem weigerte sich das Job Centre, eine Stellenanzeige zu veröffentlichen, in der ›zuverlässige und tüchtige Mitarbeiter‹ gesucht
wurden. Die Begründung: Unzuverlässige und faule Menschen könnten sich auf den Schlips getreten fühlen.[3] Wieder
kein Witz und gleich zweimal Unsinn, da die faulen Säue vermutlich ohnehin zu bequem wären, um sich zu beschweren.

Und im Land meiner Vorfahren erntete der Lebensmittel-
Discounter Aldi-Süd für ein Duschgel mit einer Moschee-
abbildung gleich einen doppelten Shitstorm:[4] den ersten, als
sich Muslime über die ihrer Meinung nach respektlose Dar-
stellung auf dem Etikett beschwerten, und den zweiten, als
Aldi das Duschgel vom Markt nahm. So richtig bizarr wurde
das Duschgel-Gate aber erst, als herauskam, dass die abgebil-
dete Moschee gar keine Moschee mehr war, sondern ein Mu-

seum. Nein, der Betreiber des Museums hat sich nicht beschwert. Noch nicht. Was ich damit sagen will, ist: Sie können es gar nicht richtig machen. Sagen Sie »… dummes Arschloch!«, beschweren sich dumme Arschlöcher. Sagen Sie »vom Bildungswesen nicht erreichter, verlängerter Rücken« beschweren sich Intellektuelle mit langem Rücken.

Aber was macht man?

Nun, die Lösung kann natürlich nur sein, alle Menschen unabhängig von Glauben, Sexualität, Herkunft und Erscheinung gleich oft zu beleidigen. Und Witze über sie zu machen. Ach, kennen Sie den?

Wie nennt man einen Schwarzen, der ein Verkehrsflugzeug fliegt?

Pilot, Sie Rassist!

Ich hab Sie erwischt, oder? Nicht schlimm. Ich hab den an die hundert Mal getestet, und die Bandbreite der Antworten reichte von »Uhhh …« über »Ohhhh …« bis hin zu »Pfffff …!«.

Warum haben Sie denn so lange überlegt? Aus Angst, was Falsches zu sagen? Sie hätten fast, oder? Sind Sie vielleicht ein Rassist? Also nicht, dass ich das jetzt glauben würde, aber Sie haben eeeeecht lange überlegt!

## Political Correctness ist das Ende des Humors

Der Witz war nur ein kleines Beispiel, was die überkorrekte Weichei-Denke inzwischen mit uns gemacht hat: Wir sind kurz davor, unseren Humor zu verlieren! Als ich vor Monaten bei Facebook aus Spaß fragte, ob ein Obdachloser mit einem Schirm überhaupt noch einer sei, schließlich habe er ja eine Art Dach über dem Kopf, wurde ich übel beschimpft und verlor sieben Freunde. Jetzt erst recht!, dachte ich mir und postete den Flugzeugwitz gleich hinterher. Wieder drei Freunde weg, und kein einziger von ihnen war ein schwarzer Pilot.

Wenn Sie was für unsere Freiheit tun wollen, dann erzählen Sie den Witz einfach ebenfalls weiter! Aber bitte versauen Sie ihn nicht, wie mein Nachbar Joe:

»Hey Sean, wie nennt man einen Piloten, der ein Flugzeug … Oh … fuck!«

»Macht nichts, Joe, ich kannte ihn ja schon. Und du hast ihn von mir.«

»Echt? Fuck …«

Der politisch korrekte Witz funktioniert übrigens prima auch mit Juden, Moslems und Frauen, sie sollten dann halt nur die Antwort entsprechend modifizieren in ›Sie Antisemit!‹, ›Sie Islam-Hasser!‹ und ›Sie Chauvinist!‹.

## Political Correctness zieht Behinderungen ins Lächerliche

Sie ahnen es vermutlich schon, jetzt geht es ausnahmsweise mal um mich. Beziehungsweise um meine Behinderung. Politisch korrekt ausgedrückt bin ich nämlich nicht sehbehindert, sondern ›visuell herausgefordert‹. Das ist natürlich Unsinn, weil das erstens einfach nur lächerlich klingt und zweitens stark untertrieben ist: Ohne Linsen bin ich nämlich fast blind. Richtig: blind. Das schreibt sich B wie blind, L wie Lesbe, I wie Indianer, N wie Nazi und D wie Dschihad: BLIND! Wenn ich blind bin, dann sehe ich NICHTS. ›Visuell herausgefordert‹ heißt, dass ich was sehen könnte, wenn ich mich mal anstrenge. Der politisch angeblich so korrekte Ausdruck spielt also nicht nur meine Sehbehinderung herunter, er unterstellt mir auch noch Faulheit!

Aber sparen Sie sich Ihr Mitleid, ich komme schon zurecht

irgendwie. Zumindest besser als der Zwerg und der Krüppel. Ja, is klar, sagt man beides nicht mehr, zu Recht, es gibt jetzt nämlich weniger beleidigende Begriffe: ›Kleinwüchsiger‹ und ›Mensch mit Behinderung‹. Macht ja auch erst mal Sinn. Doch dann las ich, dass Kleinwüchsigen das gleiche Schicksal wie mir blühte: Sie seien jetzt nämlich nicht mehr kleinwüchsig, sondern ›vertikal herausgefordert‹, soll heißen, dass der Kleinwüchsige noch wachsen kann, wenn er sich endlich mal ein bisschen bemüht. Eine Frechheit! Der arme Zwerg!

## Menschen mit Behinderung sind gar nicht ›behindert‹

In den USA sind Menschen mit Behinderung politisch korrekt ausgedrückt ›anders begabt‹. Tiere sowieso. Deswegen hab ich ja auch keinen einbeinigen Vogel, sondern einen anders begabten. Nur – was zum Teufel ist Larrys andere Begabung? Mich jeden Morgen um vier Uhr zu wecken? Man weiß es nicht.

Jetzt könnte ich mir als Sehbehinderter natürlich denken: Ist doch super, wenn ich endlich nicht mehr sehbehindert bin, sondern ›anders begabt‹!

Aber wenn ich dann mit meiner anderen Begabung zum dritten Mal gegen den Werbeaufsteller vor dem Molly's krache, dann weiß ich: Scheiße, bin doch noch sehbehindert …! Also wem soll diese alberne Wortwäsche denn nutzen? Mir jedenfalls nicht. Legless Larry nicht. Und Menschen mit Behinderung schon gar nicht. Wenn jemand eine Gehbehinderung hat und deswegen Probleme mit einer Treppe, dann helfe ich immer gerne. Wenn dieser jemand aber jetzt ›anders begabt‹ ist, dann soll er gefälligst seine verdammte andere Begabung nutzen, um die paar Stufen hochzukommen!

Okay, ich muss kurz was klarstellen, ich hab Sie nämlich ein wenig angeflunkert. ›Vertikal herausgefordert‹ ist nur ein Scherzbegriff, der durch seine Übertreibung aufzeigen soll, wie lächerlich Political Correctness werden kann. Leider gilt das nur für ›Kleinwüchsige‹ und nicht für mich. Ich bleibe ›visuell herausgefordert‹, und zwar selbst dann, wenn ich aufgrund meiner anderen Sehbegabung ein von einem Dschihadisten gesteuertes Verkehrsflugzeug nicht mehr von einem lesbischen Nazi-Zwerg unterscheiden kann.

## Political Correctness schürt Rassismus

Am delikatesten ist in den USA natürlich immer noch die Sache mit der Hautfarbe. Und weil Rassismus bekanntlich bei der Sprache anfängt, ist meine schwarze Freundin Tiny Tina seit ein paar Jahren nicht mehr schwarz, sondern eine ›person of color‹ oder aber auch eine ›African American‹.

Also schwarz. Sagt man halt nur nicht mehr. ›African American‹ drückt aus, dass eine ›Person mit Farbe‹ in Amerika lebt, aber aus Afrika kommt. Mal abgesehen davon, dass eine Person mit Farbe für mich ein Maler ist und kein Nicht-Weißer, frag' ich mich natürlich, warum es plötzlich so wichtig ist, woher jemand kommt. Wenn mich ein Fremder fragt, wo ich herkomme, dann sage ich: »Geht dich 'n Scheißdreck an!«

Ihnen verrate ich's natürlich. Ich komme aus Deutschland. Meine Urgroßmutter wanderte 1908 von Deutschland in die USA aus. Ist also mal eben über 100 Jahre her. Da müsste ich doch eigentlich Kalifornier sein, weiß und mit Sehbehinderung. Bin ich natürlich nicht, also zumindest nicht, wenn man es politisch korrekt formuliert. Dann bin ich ein anders begabter Germano-Amerikaner ohne Farbe. Aber nennen Sie mich ruhig Sean.

## *Political Correctness führt zu kompletter Verwirrung*

Leider bringt die politisch korrekte Pussy-Denke inzwischen auch das komplette Internet durcheinander. Erinnern Sie sich noch, wie unkompliziert das Internet vor ein paar Jahren war? Man ging rein und wieder raus, das war's. Danach konnte man Fernsehen, Sex haben oder den Rasen mähen. Später erst kamen erste Fallstricke wie Windows, Facebook und die Political Correctness. Wenn Sie ein Smartphone haben, dann kennen Sie den neuesten Streich: Eine kalifornische Elite-Einheit politisch korrekter Internetwächter hat in einer Nacht-und-Nebel-Aktion unsere schönen gelben Emojis eingefärbt! Konnten wir bisher noch ganz spontan ausdrücken, ob wir uns z. B. freuen oder stocksauer sind, müssen wir nun zwischen sechs verschiedenen Hautfarben wählen.

Also, ich find's verwirrend: Hatten wir uns nicht gerade noch darauf geeinigt, alle Menschen mit Herkunft und Wohnort zu bezeichnen statt mit der Hautfarbe? Bisher waren wir doch alle gleich auf den Smartphone-Bildschirmen dieser Welt, nämlich gelb! Wir kamen also alle aus Springfield oder China. Völlig unabhängig von unserer Herkunft lachten wir gelb, weinten gelb, nur wenn wir sauer waren, dann wurden wir rot. Fühlte sich da jemand beleidigt? Nein! Bart Simpson auch nicht? Nein? Gut. Meine Frage daher:

### *Warum hat Apple die Rassentrennung wieder eingeführt?*

Ich hab meiner schwarzen Freundin Tiny Tina bereits hunderte gelber Emojis geschickt und ebenso viele gelbe von ihr bekommen. Doch plötzlich waren wir auf unseren Handys nicht mehr Tina und Sean, plötzlich waren wir schwarz und weiß. Plötzlich mussten wir an unsere Herkunft denken, bevor wir ein Emoji verschickten und uns Fragen stellen wie: Welche Hautfarbe klicke ich denn jetzt, wenn ich als Weißer etwas gut finde und dies einer Person von Farbe mitteilen möchte? Die alte gelbe wie immer, eine schwarze, weil der Empfänger schwarz ist, oder eine weiße, weil ich weiß bin? Und: Bin ich noch Farbton zwei oder schon drei? Ich war ja gestern in der Sonne! Und wie schwarz war Tina noch mal gleich? Hab ich nie drauf geachtet.

Was ist, wenn Tina (schwarz) und ich (weiß) meiner Freundin (weiß) mitteilen wollen, dass wir schon im Molly's sitzen und uns auf sie freuen? Schicken wir dann an Karen ein schwarzes und ein weißes Emoji, zwei gelbe wie früher oder mischen wir meinen Farbton 2 und Tinas Farbton 6 zu Farbton Nummer 4? Und wenn wir das öfter machen müssen:

Gibt's da 'ne App? Und noch eine Frage, wo doch die Sache mit der Hautfarbe so delikat ist: Kommen meine multikulturellen iPhone-Emojis auch wirklich farbecht auf einem Samsung-Handy an? Stellen Sie sich nur mal vor, ich wollte Floyd Mayweather mit einem Mittelfinger-Emoji twittern, dass ich nie wieder 30 Dollar für so einen Scheiß-Boxkampf zahlen werde. Da macht es schon einen Unterschied, ob der Mittelfinger schwarz oder weiß ist, oder?

Und eine Sache ist mir noch aufgefallen: Beim politisch korrekten Einfärben der Emojis wurden neue Fehler gemacht. So gibt es zwar mehrfarbige Skifahrer und Jogger, das Liebespärchen mit Herz aber nur in Weiß. Was soll das denn bitte heißen? Schwarze Familien sind auch Fehlanzeige, von Paaren mit unterschiedlichen Hautfarben will ich gar nicht erst reden. Den Schneemann gibt's auch nur in Weiß. Und meinen Vogel nur in Grau. Legless Larry ist aber nicht grau, er ist nussbraun, verdammt nochmal!

Und was ist mit seiner anderen Begabung? Karen und ich haben eine Stunde lang auf der Emoji-Tastatur herumgetippt und haben festgestellt: Larry wird gleich mehrfach diskriminiert, es gibt nämlich 1. kein einziges Zeichen für nussbraune Zaunkönige und 2. keines für einbeinige Zaunkönige. Das ist nicht politisch korrekt, das ist eine bodenlose Frechheit. Eines sage ich Ihnen: Das lass ich mir nicht gefallen, hier kämpfe ich für meinen Vogel. Wissen die überhaupt, mit wem sie es zu tun haben? Ich bin ja schließlich nicht irgendwer, ich bin ein anders begabter Germano-Amerikaner ohne Farbe!

## ☆ SAG'S NOCH MAL, SEAN! ☆

☑ Irgendein Idiot ist immer beleidigt!

☑ Unabhängig von Glauben, Sexualität,
Herkunft und Erscheinung – beleidigen Sie
bitte alle Menschen gleich!

☑ Political Correctness spielt Behinderungen
runter und unterstellt Faulheit. Nennen
Sie mich also bitte nicht ‚visuell
herausgefordert‘, ich sehe auch nicht
besser, wenn ich mich anstrenge.

☑ Schicken Sie weiterhin ausschließlich
gelbe Emojis von allen Geräten an Menschen
mit Herkunft.

☑ Was ist das für eine Welt, in der
nussbraune Zaunkönige mit einem Bein immer
noch diskriminiert werden?!

# Da muss ich dabei sein!

## Sicher? Wie Sie es noch heute schaffen, ruhig und entspannt einfach alles zu verpassen!

*»Ich hab die Mondlandung gesehen,*
*hast nix verpasst.«*

BRYAN BRUMMEL, SEANS VATER

Als Karen und ich neulich auf einer spektakulären Book-Release-Party in Santa Monica waren, postete ich keine coolen Partyfotos. Stattdessen lud ich den Stau auf der Hinfahrt hoch, die Gewitterfront und den seltsamen Käfer aus der Hotelbadewanne. Ich tat dies, weil ich meinen Freunden nicht mitteilen wollte, dass ich gerade was Tolles erlebte und sie nicht. Oder was glauben Sie, wie die sich gefühlt hätten, wenn ein cooles Starfoto nach dem anderen und dann auch noch der Pazifikblick unserer Suite auf ihrer Timeline aufgepoppt wären? Wie Wayne zumute gewesen wäre, der noch bis 22 Uhr die Salatbar im Wholefoods schrubben musste? Oder Chubby Charley, der gerade mit einem Eimer Ben & Jerrys bei irgendeiner Serie auf seiner ranzigen Couch vergammelte? Oder Legless Larry in seinem einsamen Käfig auf der Terrasse in Paso?

Richtig, sie alle hätten sich vermutlich nicht so gut gefühlt, weil sie nämlich gerne dabei gewesen wären. Und genau das ist der Grund, warum ich nur die nicht so tollen Dinge poste: Ich will, dass meine Freunde sich gut fühlen.

## Geben Sie Ihren Freunden ein gutes Gefühl – mit PSNSG!

Wie die meisten vernetzten Menschen leiden nämlich auch meine Freunde unter FOMO, der ›Fear of Missing Out‹, also unter der Angst was zu verpassen. Dann denken sie, dass alle anderen gerade viel interessantere Dinge tun, coolere Leute kennenlernen und überhaupt: ein besseres Leben haben als sie. Gut, in meinem Fall stimmt das natürlich, aber was bringt es denn, wenn ich meinen Freunden ihr Nicht-Dabei-Sein auch noch unter die Nase reibe? Richtig, einen Scheiß! Und genau deswegen bekämpfe ich FOMO mit PSNSG! PSNSG? Ja! Sprechen Sie es ruhig mal laut aus, es macht einen Heidenspaß! PSNSG steht für ›Posting Something Not So Great‹ und heißt in Ihrer wundervollen Sprache so viel wie ›Nicht ganz so tolle Dinge posten‹, also NGSTDP.

## Mit Dirty Dancing und Robocop gegen FOMO

Natürlich sollten wir uns neben den Gefühlen der anderen auch um unsere eigenen kümmern. Sogar ich denke manchmal noch, dass ich irgendwo unbedingt dabei sein müsse. Und wissen Sie, was ich dann mache? Dann denke ich an *Dirty Dancing*. Mein Gott, war das ein Scheißfilm! Und trotzdem meinten früher alle, dass man da unbedingt reinmüsse. Musste man nicht, zumindest nicht als Mann. Und doch hatte *Dirty Dancing* sein Gutes, denn wann immer heute FOMO bei mir aufkommt, denke ich an die lächerliche Wasserhebeszene mit Patrick Swayze und bleib mit bestem Gewissen zu Hause.

Oh. Sie sind eine Frau, die *Dirty Dancing* super fand? Das tut mir leid, aber auch dann hab ich was für Sie, machen Sie es einfach wie Karen: Die denkt in einem solchen Fall an den granatenschlechten Film *Robocop*, den sie mit ihrem damaligen Freund sehen musste. Was auch immer es ist – wenn FOMO aufkommt, denken Sie an das schlimmste Ereignis aus Ihrer Vergangenheit, von dem Sie dachten, dass Sie unbedingt dabei sein müssen, das dann aber scheiße war.

## FOMO *ist ein alter Hut*

Das Gefühl, überall dabei sein zu müssen, ist gar nicht so neu, nur hatten wir es früher vermutlich nicht ganz so oft wie heute. Schauen wir mal zurück. Als Steinzeitmensch hätte ich mich vielleicht einmal im Jahr gefragt, ob ich zu Wayne Geröllheimers Höhlenmalerei-Vernissage »Faustkeile im Wandel der Zeit« gehen soll oder doch lieber 'ne Runde jagen.

Ein paar Jahre später, also in den 80ern, hatten wir dann schon rund einmal die Woche Angst, was zu verpassen, nämlich dann, wenn unsere Freunde länger in der Disco blieben oder immer wenn es zwei Partys zur gleichen Zeit gab und wir uns entscheiden mussten, welche wohl die bessere war.

In den 90ern hatten wir dann schon beinahe täglich Angst, was zu verpassen, denn da kauften wir uns stolz unsere ersten Handys und trieben Mitmenschen mit sinnlosen Anrufen in den Wahnsinn:

»Hey Wayne, was machste?«

»Nada, bin am Chillen. Du?«

»Auch.«

»Alles klar, bin ich beruhigt.«

»Ich auch! Bis später, dann.«

»Bis später und … wenn was passiert, weißte ja, wie du mich kriegst.«

»Absolut!«

Und heute? Wissen wir zu jeder Zeit, was die anderen gerade tun. Und wir nicht. Dank viraler Stresskanonen wie Facebook, Instagram und Twitter verpassen wir Dinge nicht mehr täglich oder stündlich, wir verpassen ständig alles! Also glauben zumindest 56 Prozent aller Social-Media-Opfer.[5] Stimmt aber nicht. In Wahrheit verpassen wir nämlich exakt so viel wie in der Steinzeit: einen Scheiß! Es sagt nur jeder dauernd, was er macht, und macht damit alle anderen bekloppt. Dabei gibt es handfeste Gründe, warum Sie ab sofort einfach alles verpassen können und sich trotzdem großartig fühlen! Und hier sind Sie:

### Sie können nur eine Sache auf einmal machen

Während Sie diese Seiten hier lesen, verpassen Sie mindestens ein halbes Dutzend Treffen Ihrer Freunde, 112 Konzerte, 283 Fernsehsendungen, den Sonnenaufgang in Australien und unbeschreiblichen Sex mit einem von 78 attraktiven Traumpartnern, von denen Sie noch keinen einzigen kennen. Das ist tragisch, geht aber nicht anders, weil wir nur eine Sache zur gleichen Zeit machen können. Lesen und Vögeln z. B. passen nicht wirklich gut zusammen. Karen und ich haben es gleich zweimal ausprobiert: Das erste Mal musste ich das komplette Kapitel noch einmal lesen, das zweite Mal nachvögeln.

### Sie können zur gleichen Zeit nur an einem Ort sein

Angenommen, Sie fliegen zum ersten Mal nach New York und haben nur drei Tage Zeit, dann werden Sie garantiert 99 Prozent von allem verpassen, was die Stadt an diesen drei Tagen zu bieten hätte. Weil Sie zur gleichen Zeit nur an einem Ort sein können.

*»Ha! Dann bleib ich einfach länger!«*

Bringt gar nichts, denn sogar die tollen New Yorker können nur an einem Ort zur gleichen Zeit sein. Meistens ist das übrigens New York. Selbst wenn Sie einem privaten Reiseführer 1000 Dollar pro Tag in die Hand drückten, damit er Sie an die hippesten Locations führt und die trendigsten Restaurants auswählt – Sie würden immer noch 99 Prozent von allem verpassen, was die Stadt zu bieten hat. Echte FOMO-Spezialisten würden sich sogar fragen: Habe ich wirklich den besten City-Scout?

## Wären Sie da wirklich gerne dabei?

Während Sie dieses Buch hier lesen, macht Ihre beste Freundin gerade einen Thai-Kochkurs, die zweitbeste tanzt nackt auf dem Burning Man Festival und die drittbeste schickt ein Backpacker-Foto aus einem Zug nach Rom. Alles mehr oder weniger beeindruckend, aber jetzt mal ehrlich: Wollen Sie da wirklich dabei sein? Also nicht nur für den winzigen Augenblick, der auf dem Foto oder Clip zu sehen ist, sondern die ganze Zeit?

Möchten Sie jetzt wirklich Ihr Buch, Ihren Kindle oder Ihr Smartphone zur Seite legen und in einer 50 Grad heißen Küche einen stinkenden Fisch ausnehmen? Haben Sie jetzt echt Lust, nackt in der Wüste von Nevada zu stehen und sich zum Gestampfe von David Guetta eine Handvoll gestrecktes Ecstasy zu schmeißen? Und würden Sie Ihre sicherlich bequeme Sitzgelegenheit und Ihr schönes neues Buch wirklich eintauschen gegen einen schmierigen Plastiksitz in einem überfüllten italienischen Regionalzug? Nicht? Müssen Sie nicht dabei sein? Gut! Und genau deswegen sollten Sie sich diese Frage jedes Mal stellen, wenn sogenannte Freunde Sie mit Highlights ihres Lebens belästigen: Will ich da JETZT WIRKLICH dabei sein? Ich garantiere Ihnen: In 99 Prozent der Fälle lautet die Antwort ›nein‹.

Sehr hilfreich ist auch die FOMO-Kontrollfrage:

### Stimmt das überhaupt so?

Da wird noch schnell die teure Weinflasche ins Bild gestellt und abgewartet, bis das schneeweiße Schiff direkt daneben zu sehen ist. Und natürlich postet man das Urlaubsfoto erst dann, wenn man schön braun und erholt ist und nicht in der ersten Woche. In der fotografiert man die Luxus-Wasservillen nebenan, kann ja keiner nachprüfen, dass man sich nur das Economy Cottage leisten konnte. Genau das ist ja aber das Ding: Wenn Ihnen jemand das Gefühl gibt, dass Sie gerade was verpassen, weil er oder sie was Cooleres macht, dann fragen Sie sich, ob das auch so stimmt. Und ob diese Person wirklich der richtige Umgang für Sie ist.

Oft ist der Grund für Highlight-Posts nämlich nur, dass diese Person selbst gerne die Bestätigung hätte, gerade am richtigen Ort zu sein. Und meistens kriegt sie die auch in Form von Kommentaren wie »Wow!«, »Neid!« oder »Genießt es!«. Von mir natürlich nicht. Ich gebe Highlight-Postern grundsätzlich keine positive Rückmeldung. Neulich kommentierte ich ein Foto der feist grinsenden Andersons, das zeigte, wie sie in der Business Class gerade einen Champagner gereicht bekommen:

›Nicht ärgern! Ich hatte auch mal ein Downgrade aus der First.‹

Unter uns: macht ein echt gutes Gefühl, wenn man Angebern ein schlechtes gibt.

## ☆ SAG'S NOCH MAL, SEAN! ☆

☑ Geben Sie Ihren Freunden ein gutes Gefühl:
  Posten Sie nur nicht so tolle Dinge!
☑ Lesen und Vögeln passen nicht zusammen!
☑ Geben Sie niemals positives Feedback auf
  Highlight-Posts!
☑ Selbst wenn Sie alle Zeit der Welt hätten
  und es Sie fünfmal gäbe – Sie würden immer
  noch alles verpassen.
☑ Die Wasserhebeszene in *Dirty Dancing* ist
  lächerlich!

Ach ja, und wenn Sie bei Gelegenheit so nett
wären, hier zu unterschreiben – wäre schade,
wenn Sie's verpassen.

Da muss ich, _____, nicht dabei
sein.

# Ich muss mich ökologisch korrekt verhalten

## Einen Scheiß müssen Sie!
## Warum Sie sich und der Umwelt einen Gefallen tun, wenn Sie's gar nicht erst versuchen

*»Tek tek! Dzrrrrrr – dzrrrrrrr – drrrrrrrrrrrrrr!«*
LEGLESS LARRY ZUM THEMA SOLARANLAGEN

Ich war noch keine 24 Stunden auf der Welt, da trug ich schon eine Mitschuld an der Klimakatastrophe. Was ich getan hatte? Ich hatte gefurzt.

Freilich hatte ich sogar schon lange vor meiner Geburt Schuld auf mich geladen, schließlich hatte meine Mutter Windeln gekauft, Schnuller aus Plastik und jede Menge anderen Babykram. In der klimatisierten Shopping-Mall. Und hingefahren ist sie mit Dads riesigem Dodge. Der kleine Sean konnte also weder gehen noch einen geraden Gedanken formulieren und war trotzdem schon mitverantwortlich für die Zerstörung unseres Planeten. Wusste der kleine Sean natürlich nicht, und deswegen machte er das, was alle machten: Er ließ beim Zähneputzen das Wasser laufen, fuhr ein Skateboard aus China, und wenn er mit Wayne und Charley in die Eisdiele ging, brummte im Kinderzimmer die Klima weiter.

Ob der kleine Sean ein schlechtes Gewissen hatte, damals? Natürlich nicht. KEINER hatte ein schlechtes Gewissen damals. BIS dann die ersten Nachhaltigkeitsapostel in bunten

Gewändern auftauchten und uns sagten, dass das so alles nicht weitergehen könne. Weil sie viele Drogen nahmen und laute Musik hörten, verstand man sie anfangs recht schlecht und nahm sie auch nicht wirklich ernst. Irgendwann hörten die Typen dann aber auf mit dem Kiffen und gingen in die Politik, wo sie keine Musik mehr hörten und jede Menge schreckliche Dinge über Burger, Skateboards und Klimaanlagen sagten. Plötzlich waren wir keine Kinder mehr, sondern Tierquäler, Ausbeuter und Umweltverschmutzer. Da fühlten wir uns schlecht und versuchten uns zu ändern. Und heute?

Heute kaufen wir Bio-Burger aus der Region, schalten das Licht aus, wenn wir nicht im Zimmer sind, und drehen beim Zähneputzen das Wasser ab. Ein schlechtes Gewissen haben wir trotzdem. Weil der Bio-Burger verpackt ist, Quecksilber in der Energiesparleuchte steckt und wir all die schrecklichen Dinge in der Zahncreme einfach so hinnehmen: Fluoride, Triclosan und Parabene. Müssen wir also vielleicht doch auf eine Zahnpasta-Alternative aus Backnatron und Meersalz umsteigen? Die Energiesparlampen behutsam entsorgen und durch LED ersetzen? Und wäre es nicht ökologisch sinnvoller, direkt beim Farmer ins Rind zu beißen? Ich bitte Sie! Das arme Rind!

## *Je nachhaltiger wir sein wollen, desto mehr Schaden richten wir an*

Also die Sache ist, dass wir es gar nicht richtig machen können. Stellen wir unseren Kühlschrank von 3 auf 10 Grad, verderben die Lebensmittel aus der Umgebung und wir müssen neue kaufen. Wechseln wir zu Ökostrom, befeuern wir den Bau von Windrädern und Solarkraftwerken. Richtig, Windkrafträder das sind die Dinger, in denen Tausende von Fledermäusen verrecken, weil sie denken, es wären Bäume. Die mit Dieselgeneratoren betrieben werden, damit sie nicht rosten, wenn wir zu viel Strom sparen. Und Solarkraftwerke[6]? Sorry, aber das sind eigentlich gigantische Vogel-Bratanlagen. Tja, hat man irgendwie nicht dran gedacht, dass gebündeltes Licht heißer wird als der Grill bei KFC, und jetzt fallen in Zentralkalifornien pro Jahr 28 000 brennende Vögel vom Himmel wie Chicken Wings.[7] Und dann hat nicht mal einer einen Eimer oder BBQ-Sauce mit! Sorry Larry, ich wollte dir keine Angst machen, aber die Welt da draußen ist, wie sie ist.

Falls Sie jetzt mit dem Gedanken spielen, bei Google nachzusehen, ob das alles auch so stimmt, was ich hier erzähle: Vertrauen Sie mir lieber. Mit jeder Suchanfrage grillen Sie nämlich einen weiteren unschuldigen Vogel, denn erstens investiert Google zur Zeit kräftig in ebendiese Vogelbratanlagen[8], und zweitens entspricht jede Suchanfrage einem $CO_2$-Ausstoß von bis zu 7 Gramm![9]

## Ökokatastrophe Shitstorm

Sie halten mich für verantwortungslos, weil ich all dies sage und wollen es mir keinesfalls einfach so durchgehen lassen? Nun, das ist Ihr gutes Recht, aber bedenken Sie bitte den immens hohen $CO_2$-Ausstoß eines Shitstorms! Wenn Köpfe, Foren und Server glühen, kostet das eine Menge Energie. Wayne und ich haben neulich berechnet, dass man mit einem einzigen Shitstorm eine Kleinstadt wie Paso Robles eine Woche lang mit Strom versorgen könnte! Auch wenn der Shitstorm schon vorbeigezogen ist, kostet er noch sinnlos Energie, denn irgendjemand muss die ganze Scheiße dann ja auch wieder wegmachen.

## Wollen Sie wirklich für ein gutes Gewissen zahlen?

Aber zurück zu unseren erbärmlichen Versuchen, einigermaßen nachhaltig und mit einem guten Gewissen durch die Welt zu gehen. Vielleicht lesen Sie dieses Buch ja ressourcenschonend auf einem Kindle. Das ist vorbildlich und besser als Papier, denkt man ja. Och … Na ja. Wer hat Ihren Kindle denn zusammengebaut? Kleiner Tipp: Der Chef von Amazon war's schon mal nicht. Der mag nämlich keine giftigen Dämpfe. Ist mir aber auch egal, ich lese nämlich noch richtige Papierbücher, die brauchen keinen Strom, ich kann sie verleihen, und wenn ich das Buch nicht mag, dann kann ich es einfach zurück in den Wald werfen, dann hat die Natur ihr Papier wieder. Wo aber werfe ich einen Kindle hin? Auf den Amazon-Chef? Das wäre erstens nicht besonders nett und zweitens wegen des langen Fluges nach Seattle alles andere als nachhaltig, selbst wenn ich ihn kompensiere.

Haben Sie schon mal einen Flug kompensiert? Also Geld für Ihr schlechtes Gewissen abgedrückt und sich dann trotzdem scheiße gefühlt? Nein? Gut!

Sagen wir es doch mal so, wie es ist: Für einen Flug Geld abzudrücken, das dann in ein Klimaschutzprojekt fließt, ist in etwa so sinnvoll, wie in einen See zu kacken und dann mit dem Rad zu flüchten statt mit dem Auto. Selbst wenn Sie Ihr Auto ein Jahr lang stehen lassen – die Kacke ist im See! Wenn Sie also wirklich was für die Umwelt tun wollen, kacken Sie einfach nicht in den See.

»Du machst es dir zu einfach, Sean. Man kann so viel für die Umwelt tun, wenn man nur ein paar Dinge ändert!«

Ich will mich aber nicht ändern. Ich will die Umwelt so schützen, wie ich bin.

*»O weh. Und das geht wie?«*

Nun, ich mache keinen Sport, das hilft der Umwelt ungemein, denn wenn ich mich anstrenge, atme ich ja mehr, will heiß duschen und hab schmutzige Sportklamotten, die ich mit Chemikalien waschen muss. Manchmal bin ich sogar supernachhaltig, ohne dass ich mich einen Inch verbiegen muss! Letzten Donnerstag zum Beispiel, da war ich im Molly's und hab so viel Bier aus meiner Umgebung getrunken, dass ich mein Auto stehen lassen musste und nach Hause gelaufen bin. Und als ich ankam, war ich so fertig, dass ich weder kostbares Wasser getrunken noch das Licht angemacht hab!

Ich plane auch viele große Reisen, wenn ich knülle bin, aber weil ich sie nie antrete, verbrauche ich auch kein einziges Gramm $CO_2$. Und selbst wenn ich mal in einem Flieger sitze: Ist es nicht eine Tatsache, dass man viel früher am Zielort ankommt, je mehr Rotwein man der Stewardess abschwatzt? Auf meinem Flug von L. A. nach Deutschland jedenfalls war ich schon über der Wüste von Nevada so im Eimer, dass ich erst im Landeanflug wieder aufwachte. Dank des Rotweins kam ich also mehr als acht Stunden früher an, das sind über 1000 eingesparte Kilogramm $CO_2$!

*»Cool, Sean, kannste stolz auf dich sein. Es gibt aber auch noch ein paar richtige Tipps. Also Tipps, die der Umwelt auch was bringen.«*

Ich weiß, aber was soll ich sagen – ich hab die alle schon durch, und sie bringen halt einfach nichts. Wissen Sie was? Ich zeige Ihnen einfach mal die ›richtigen Tipps‹, die mir Sustainable Suzy letzte Woche gemailt hat. Suzy, die ökologisch überaus korrekte Frau von Hectic Hank, Sie wissen schon, der Aufräumer.

Hey Sean,
super, dass du endlich mal Verantwortung übernehmen willst! Hab dir mal zusammengestellt, wie du dich ein wenig nachhaltiger verhalten kannst, ist nicht vollständig, aber es wäre ein Anfang, gerade bei dir ;-)
Organic Hug,
Suzy

Hier deine Liste, lieber Sean:

**Denk über dein Essen nach! Kommt es von weit her?**

Ob mein Essen von weit herkommt? Ja, keine Ahnung, ich hol alles bei Walmart, das sind drei Meilen. Ich versteh die Frage gar nicht, um ehrlich zu sein. Was ist denn besser? Wenn das Essen aus der Nähe kommt oder von weit her? Was ist, wenn ich zum Essen komme? Also früher hat meine Mum immer gerufen: »Sean, komm zum Essen!«, und das war ganz normal. Ist das heute falsch? Oder soll das Essen zu mir kommen? Nehmen wir mal ein einfaches Steak aus Argentinien. Das käme dann ja von relativ weit her, vermutlich mit einem Schiff zusammen mit vielen anderen Steaks. Ist das schlimm? Wenn ja, was wäre denn die Alternative? Dass ich zum Steak komme? Also nach Buenos Aires fliege? Ich hab so einen Flug mal von einem Online-Ablasshändler checken lassen, und hier ist das Ergebnis:

```
Argentinisches Ribeye-Steak
in Paso Robles:                        3 kg CO₂
Argentinisches Ribeye-Steak
in Buenos Aires:                   10003 kg CO₂
```

Okay. Sieht also fast so aus, als sollte das Essen besser zu mir kommen. Sollte Sie also in Zukunft jemand nassforsch darauf hinweisen, dass der Verzehr Ihres köstlichen Rindersteaks nicht nachhaltig sei, dann informieren Sie diese Person einfach, dass Sie durch bloßes Aufessen dieser Köstlichkeit auf einen sinnlosen Flug verzichten und somit nicht nur 10 Tonnen $CO_2$ einsparen, sondern auch noch 250 Dollar Kompensationsgebühr. Weiter mit Suzys Liste:

### Kein Trockner! Hänge deine Wäsche lieber auf!

Hab ich versucht. Larry hat draufgekackt, und ich musste sie noch mal waschen. Mit jeder Menge Chemiezeugs und 90 Grad! Sorry, aber das ist nicht gerade nachhaltig.

### Kauf dir ein Hybridauto!

Warum denn? Ich hab ja schon ein Auto, wenn ich noch eins kaufe, hab ich zwei. Verkauf ich das erste, fährt ein anderer mit rum, lass ich es stehen, macht es auch keinen Sinn. Und warum sollte ich lautlos aus der Garage rollen? Um die Andersons nicht zu wecken? Niemals!

### Spare Wasser!

Wasser sparen. Ich? Ja, nee … is klar. Wenn alle so leben würden wie ich, hätte Kalifornien gar kein Wasserproblem! Weil ich keinen Sport mache, dusche ich nur alle zwei Tage, einen Pool hab ich nicht, und seit Trish weg ist, ist der Garten eine Wüste. Außerdem trinke ich mehr Bier als Wasser und hasse Oliven. Wissen Sie, wie viel Wasser man braucht, um ein Kilo Oliven zu produzieren? 4400 Liter![10]

**Pflanz dein eigenes Essen an!**

Nette Idee, aber ich hab ja im Garten gar kein Gras für so ein großes Rind.

**Teil dir ein Essen mit jemandem, der es nötig hat!**

Dann esse ich dem armen Kerl ja die Hälfte weg! Also da geb ich lieber Geld.

**Lerne deinen Farmer kennen!**

Kenn ich schon. Is 'n totales Arschloch. Und er hat Larrys Bein auf den Gewissen.

**Und falls du doch mal Kinder haben solltest: Erzieh sie zu einem nachhaltigen Verhalten!**

Da hab ich was viel Nachhaltigeres: keine Kinder! Ohne Kinder kann ich wöchentlich nach Las Vegas jetten und hab trotzdem noch eine bessere $CO_2$-Bilanz als die Andersons mit ihrem Rülpswurm. Auch der wird nämlich irgendwann mal einen Sportwagen mit Klimaanlage haben wollen und Urlaub auf Hawaii machen, mehr dazu im Kapitel »Ich muss eine Familie gründen!«.

Verstehen Sie nun, dass die Tipps von Sustainable Suzy Banane sind? Banane! Braucht circa 790 Liter Wasser pro Kilo![11]

Ich muss mich nicht krampfhaft ökologisch korrekt verhalten. Weil es einen ökologisch korrekten Menschen nämlich gar nicht geben kann. Die bloße Tatsache, dass wir leben, verhindert es. Es gibt keine weiße Weste. Und wenn es sie gäbe, wäre sie das letzte Mal bei unserer Zeugung weiß gewesen. Beziehungsweise sogar noch davor, denn vielleicht hat Dad ja die Heizung im Haus höher gedreht, damit die Mama nicht friert.

Falls Sie trotz meiner Argumente immer noch was ökologisch Korrektes tun wollen, bereiten Sie einfach ein nachhaltiges Begräbnis vor. Das macht schon mal deswegen Sinn, weil Sie so ein Begräbnis in der Regel gar nicht mehr mitbekommen, Ihre Lebensqualität ist also nicht im Geringsten beeinflusst. Achten Sie aber beim Verbrennen bitte darauf, nicht zu furzen.

## ☆ SAG'S NOCH MAL, SEAN! ☆

☑ Die bloße Tatsache, dass wir leben, macht uns zur Ökokatastrophe.

☑ Meiden Sie Shitstorms: Ein einziger kann eine ganze Stadt eine Woche lang mit Strom versorgen.

☑ Je mehr Sie im Flugzeug trinken, desto früher kommen Sie an. Aber fliegen Sie nicht zu Ihrem Steak!

☑ Keinen Sport! Schauen Sie stattdessen TV-Serien aus der Region.

☑ Kacken Sie nicht in den See!

# Ich muss eine Meinung haben!

## Einen Scheiß müssen Sie!
## Warum Meinungen völlig überschätzt sind

*»Mein Psychiater erklärte mir, ich sei verrückt, und
ich sagte, dass ich da eine zweite Meinung wolle.
›Okay‹, sagte er, ›Sie sind auch noch hässlich!‹«*
RODNEY DANGERFIELD, US-AMERIKANISCHER
KOMIKER UND SCHAUSPIELER

Sie haben ein paar Bier in einer Bar getrunken und laufen im Dunkeln nach Hause. Da stehen Ihnen in einer dunklen Gasse plötzlich zwei üble Gestalten gegenüber.

»Hey, Arschloch!«, fragt der eine, »willst du abgestochen oder erschlagen werden?«

Was meinen Sie? Wäre das nicht eine ganz hervorragende Gelegenheit, keine Meinung zu haben? Nennen Sie mich ruhig ein Weichei, aber wenn ich in einer solchen Situation wäre, dann würde ich antworten: »Mhhh … abstechen oder erschlagen, also da hab ich jetzt echt keine Meinung zu. Aber seht ihr die Beule in meiner Jackentasche? Ja? Super! Also wen von euch soll ich zuerst abknallen? Die Schwuchtel mit der Narbe oder den tätowierten Zwerg ohne Hals?«

Ich bin mir relativ sicher, dass die beiden Räuber hier nun auch keine Meinung hätten, und die angespannte Situation würde sich also dank massiver Meinungslosigkeit in Wohlgefallen auflösen. Von daher sind Sie sicher mit mir einer Meinung, wenn ich sage:

### Keine Meinung kann Ihr Leben retten!

Zugegeben, die Sache mit dem nächtlichen Raubüberfall war ein recht harmloses Beispiel dafür, wie vorteilhaft keine Meinung sein kann, schließlich ist so ein Raubüberfall ja nach ein paar Minuten über die Bühne. Im Gegensatz zur Ehe.

»Was meinst du, Schatz, die Andersons wollen im Winter nach Mexiko ...«

»Dann sollen sie hinfahren, Trish, ich hasse Mexiko!«

»Als du mit Wayne aus Tijuana zurückgekommen bist, warst du aber ganz anderer Meinung!«

»Ähhh ...«

Von diesem Augenblick an hatte ich Trisha gegenüber grundsätzlich keine Meinung mehr. Natürlich waren wir trotzdem in Mexiko und ja, ich hab es gehasst. Wegen Trish und den Andersons, nicht wegen Mexiko, diesem wahrhaft sensationellen Land voller hübscher Frauen, zu dem ich keine Meinung mehr habe.

### Keine Meinung sichert Arbeitsplätze

Renommierte Forscher von Rang und Namen haben Studenten befragt, ob sie glaubten, dass man zu allem eine Meinung haben müsse. 45 Prozent sagten ja, 32 nein, 23 Prozent hatten keine Meinung.[12] Ich bin mir sicher: Hätten die Forscher keine Studenten, sondern Ärzte, Sportler und Politiker gefragt, wäre der Anteil der Meinungslosen noch höher gewesen. Wann haben Sie zum Beispiel das letzte Mal einen Arzt sagen hören: »Was interessiert mich der Oberarzt, meiner

Meinung nach kann der Gips sofort runter?«Oder einen Fußballer, der vor laufender Kamera sagt: »Unser hirnloser Trainer ist an allem schuld, ich würde ihn feuern!«

Und haben Sie jemals mal die ehrliche Meinung des US-
Präsidenten zur amerikanischen Pornoindustrie gehört? Nicht?
Nun, keine Meinung kann ein echter Vorteil sein, wenn man
seinen Job behalten will, ob man nun Orthopäde, Fußballer
oder US-Präsident ist.

### Lieber keine Meinung als keine Freunde

Vielleicht denken Sie ja gerade, dass es gar nicht zu mir passt,
keine Meinung zu haben. Also weil ich in diesem Buch zu allem Möglichen eine hatte. Nun, da liegen Sie leider falsch.
Ich hab nicht zu allem eine Meinung. Zu Religion und Politik hab ich seltsamerweise keine, ebenso wie zur deutschen
Schlagersängerin Helene Fischer. Warum? Weil mir Ihr Lese-
vergnügen wichtiger ist als meine Meinung. Gut, eventuell
hab ich den ein oder anderen Veganer oder Triathleten ver-
grätzt, aber die beiden Gruppen kommen zusammen ja gerade
mal auf 3 Prozent. Und was sind schon beleidigte 3 Prozent,
wenn die andern 97 Prozent Spaß haben? Richtig: Demokratie.

Nicht so bei Religion, Politik oder Musik. Sagte ich zu einer
beliebten Schlagersängerin meine ehrliche Meinung, würden
sich die Leser im Land meiner Ahnen sofort in drei Gruppen
aufteilen. Die erste Gruppe würde sagen: »Was? Brummel ist
in Frankfurt durch eine Scheibe auf die Straße gesprungen,
nur weil ›Atemlos‹ lief? Also, dann will ich von dem Typen
auch nichts mehr lesen!« Die zweite Gruppe würde sagen:
»Haha, wir hätten sogar noch den DJ verdroschen …«, und
die dritte Gruppe hätte keine Meinung.

Wahnsinn, oder? Durch eine scheinbar belanglose Meinungsäußerung verlöre ich ohne Not jede Menge Leser! Sehen Sie, und das freut mich jetzt, dass Sie verstehen, was ich meine. Letztendlich ist es mit meinem Buch nämlich wie mit jedem Pub der Welt. Dort lautet die eiserne Grundregel für das abendliche Gespräch: no religion, no politics, no fischer. Weil die Briten nämlich über mehrere Millionen Pint o' Guinness gelernt haben, dass es sich nicht lohnt, wegen eines einzigen Songs seine Freunde zu verlieren, und sei er noch so mies.

## Keine Ahnung aber einer Meinung

Oft hört man ja auch den Vorwurf ›keine Ahnung, aber eine Meinung!‹. Also, zumindest ich höre den oft. Selbst wenn es so wäre, alleine wäre ich nicht damit. Über Jahrhunderte hinweg hatte die Mehrheit der Menschen nämlich keine Ahnung, aber eine Meinung, dann hieß es: Die Erde ist eine Scheibe, Masturbieren macht blind, und Sport ist gesund. Heute wissen wir: Stimmt alles gar nicht. Früher wussten das natürlich auch einige, aber sie hielten lieber die Klappe, was hätte es ihnen auch gebracht, wenn sie in der Kirche aufgesprungen wären und gerufen hätten:

»Geht's noch? Die Erde ist doch keine verkackte Scheibe …!«

»Was weißt denn du, du blinder Wichser?!«, hätte der empörte Mob gerufen und Sie mal eben vom Scheibenrand geprügelt. Was ich damit sagen will: Es geht ja gar nicht darum, ob eine Meinung richtig oder falsch ist. Viel wichtiger ist, ob Sie zu der Gruppe gehören wollen, die diese Meinung hat.

### *Keine Meinung macht auch keine Arbeit*

Der wichtigste Aspekt selbstgewählter Meinungslosigkeit ist freilich der, dass man gar nicht zu allem eine Meinung haben kann. Weil uns die ein oder andere Sache eben gar nicht interessiert. Und weil es einfach unfassbar viel Zeit und Arbeit bedarf, sich eine fundierte Meinung über eine Sache zu bilden.

Um Ihnen an einem konkreten und praktischen Beispiel aufzuzeigen, wie viel Arbeit eine Meinung machen kann, habe ich mir eigens für Sie eine ganz neue gebildet. Das habe ich natürlich nicht ganz alleine geschafft, es gibt da nämlich ganz hervorragende Hilfeseiten im Internet. Die mit Abstand beste ist sicher wikihow mit dem wahrhaft herausragenden Artikel »Wie man sich in 10 Schritten eine Meinung bildet«[13]. Den liest man sich durch, staunt und denkt sich: Wie hat man sich früher eigentlich eine Meinung gebildet, ohne Internet? Gehen wir die genialen wikihow-Schritte doch einmal gemeinsam durch.

**Schritt 1:**
**Suchen Sie sich ein Thema aus, zu dem Sie gerne eine Meinung hätten!**
Okay, dachte ich mir, das muss dann natürlich in jedem Fall etwas sein, zu dem ich bisher noch überhaupt keine Meinung hatte. Nach längerem Überlegen entschied ich mich für den ›Sunshine Grill‹ in Austin, Texas. Ich fand das Beispiel ideal, schließlich hatte ich noch nie in meinem Leben von diesem Restaurant gehört, ja, ich war noch nicht mal in Texas.

## Schritt 2:
### Führen Sie eine Debatte mit sich selbst!

Da ich weder das Restaurant noch Texas kannte, war dieser Schritt recht schwierig, ehrlich gesagt fand ich ihn auch sinnlos. Da aber das, was bei wikihow steht, nun einmal nicht zum Spaß dasteht, folgte ich der Anweisung und debattierte mit mir. Ich lief durch den Garten und wetterte gegen Restaurants an sich und Texas im Besonderen, später versuchte ich mich in die Gegenposition hineinzuversetzen und machte einen Liste von Vorteilen, die ein Besuch im Sunshine Grill in Austin mit sich brächte, wie Freunde treffen, Bier trinken und keinen Hunger mehr. Ab und zu gab Legless Larry aus seinem Käfig raus einen Kommentar dazu ab, aber so recht deuten konnte ich ihn nicht.

## Schritt 3:
### Informieren Sie sich über das Thema!

Durch die Debatte mit mir selbst war meine Neugierde groß, viel über den Sunshine Grill zu erfahren. Ich studierte die Speisekarte auf der Webseite und war begeistert: Es gab Cornflake Fried Chicken als Vorspeise, Cowboy Rubbed Flat Iron Steaks und Apfelkuchen mit Karamell-Eiskrem zum Nachtisch, auch die Bierauswahl war ordentlich. Doch was sagte schon eine Webseite? Also las ich noch 822 Google-Bewertungen, die sich zwischen »Amazing place!« und »... not impressed« bewegten und auf einen Durchschnitt von respektablen 4,3 Sternen kamen.

## Schritt 4:
### Sprechen Sie mit anderen Menschen über das Thema!

Am zweiten Tag meiner Meinungsbildung traf ich auf der Spring Street zufällig Pfarrer Mike Shuck. Ich fragte: »Mike, du als Mann des Glaubens, was hältst du vom Sunshine Grill in Austin, Texas?« Und wissen Sie was? Pastor Shuck hatte nicht ein Wort dazu zu sagen! Stattdessen fragte er mich, ob ich und Trisha bereits geschieden wären oder ob es noch eine Chance auf ein versöhnliches Gespräch gäbe. Ich war bitter enttäuscht. Wieder einmal hätte ich von der Kirche mehr erwartet.

**Schritt 5:**
**Hören Sie sich Diskussionen zum Thema an**
Bei yelp.com fand ich jede Menge weitere Meinungen über den Sunshine Grill. Viele Leute verstanden nicht, warum es so einen Hype um diesen Laden gab, während andere begeistert ein Gericht nach dem anderen empfahlen. Es war ein wenig mühselig, alle 1457 Reviews zu lesen, aber als ich gegen Mitternacht hungrig mein Notebook zuklappte, hatte ich ein recht präzises Bild und war auf einem guten Weg zu einer eigenen Meinung.

**Schritt 6:**
**Finden Sie heraus, was Experten zum Thema zu sagen haben!**
Begeistert studierte ich professionelle Restaurantkritiken und erfuhr, dass der Sunshine Grill vom *Austin Chronicle* 2014 den 1. Preis für das beste Hauptgericht bekommen hatte und bereits 2006 für das beste Kindergericht (Macaroni Cheese).

**Schritt 7:**
**Verwerfen Sie übertriebene oder motivgesteuerte Elemente Ihrer Meinung!**
Am Abend überprüfte ich noch einmal, welche Bilder ich vom Sunshine Grill im Kopf hatte. Verführte mich als

Fleischliebhaber vielleicht der Slogan »American Comfort Food« zu einer geschönten Meinung? War die Bierauswahl wirklich so toll? Müde vom vielen Nachdenken entschied ich mich, die letzten Schritte zu einer eigenen Meinung auf den nächsten Tag zu verschieben. Vielleicht würde mir ja auch ein Ortswechsel helfen, um den Kopf ein wenig klar zu kriegen. Also schrieb ich Karen, dass ich und Larry Paso Robles für eine Weile verlassen würden, weil ich nachdenken müsse. Karen schien zunächst etwas erschrocken, wünschte mir dann aber Glück und bedankte sich für die schöne Zeit, die wir miteinander verbracht hatten.

**Schritt 8:**
**Fragen Sie sich selbst, ob das, was Sie gehört und gelesen haben, vernünftig und realistisch ist!**
Bereits am nächsten Morgen fuhr ich mit Larry ins Weinland, wo ich mir ein kleines Hotel nahm. Bei langen Spaziergängen durch die Reben ließ ich noch einmal all die Dinge, die ich nun schon über den Sunshine Grill wusste, Revue passieren. Waren Aussagen wie »Harry ist der beste Barkeeper der Welt!« oder »Warte doch keine zwei Stunden auf so langweilige Pampe!« nicht übertrieben? Irgendwie klangen sie so. Und wo sah ich mich eigentlich zwischen den mittlerweile 3679 Bewertungen? Und warum rief Karen andauernd an?

**Schritt 9:**
**Entscheiden Sie sich zu einer Meinung und seien Sie bereit, diese zu vertreten und zu verteidigen!**
Ich war so tief im Prozess der Meinungsbildung, dass Larry und ich eine Woche im Weinland blieben. Als sich schließlich am siebten Tag die wärmende Sonne über die Reben schob, da kam eine wohlige Klarheit über mich, denn plötzlich

wusste ich: Ich hatte mir meine Meinung über den Sunshine Grill gebildet! »Yes!«, sagte ich und Larry »Tek tek! Dzrrrrrr – dzrrrrrrr – drrrrrrrrrrrrrrr!« Es war ein langer und mühseliger Prozess gewesen, aber ich war fest davon überzeugt, es war jede Sekunde des Nachdenkens wert, denn zum ersten Mal hatte ich kein wildes Blabla wie bei meinen Thesen zu Ernährung und Gesundheit, nein, zum ersten Mal in meinem Leben hatte ich eine wirklich fundierte Meinung entwickelt! Stolz schrieb ich sie auf ein Blatt Papier:

```
Der Sunshine Grill in Austin, Texas,
ist ein völlig zu Unrecht gehypter
Scheißladen, in dem ich mich niemals wohl
fühlen würde. Ich bin froh, dass ich noch
nie da war! Und Texas ist auch für'n Arsch!
```

Überaus zufrieden, ja fast glücklich, fuhr ich nach Hause, wo ich zu meinem Schrecken bemerkte, dass ich den letzten Schritt der wikihow-Anleitung übersehen hatte:

**Schritt 10:**
**Behalten Sie Ihre Meinung für sich, bis Sie danach gefragt werden.**
Die kommenden Tage und Wochen waren hart, denn natürlich fragte niemand nach dem Sunshine-Grill. Außerdem brauchte ich zwei Stunden, um Karen klarzumachen, dass ich sie gar nicht verlassen hatte. Genauer durfte ich freilich erst auf Nachfrage mitteilen, doch leider fragte sie weder nach dem Sunshine Grill noch nach Texas, sondern nur nach meinen Gefühlen für sie. Ich versicherte ihr unter Tränen, dass diese vorhanden seien und ich ihr so gerne mehr sagen würde, doch das ginge nur mit ihrer Hilfe.

Ich war zerknirscht – nun hatte ich meine erste fundierte Meinung, durfte sie aber keinem mitteilen. Also versuchte ich es mit Anspielungen wie »Mensch, lecker … weiß nicht, ob die in Texas auch so einen Burger hinkriegen …« oder »Ich hab vielleicht ein Scheiß-Navi, das findet nicht mal Austin …«.

Es brachte alles nichts. Bis zum heutigen Tag hat mich keine Sau nach meiner Meinung zum Sunshine Grill gefragt. Einen Trost habe ich jedoch. Sie, verehrter Leser, können aus meinem fatalen Fehler Folgendes lernen: Es gibt einfach Dinge in dieser Welt, zu denen muss man keine Meinung haben.

# ☆ SAG'S NOCH MAL, SEAN! ☆

- ☑ Keine Meinung kann Menschenleben retten!
- ☑ Nehmen Sie stets keine Meinung mit, wenn Sie überfallen werden!
- ☑ Lieber keine Meinung als keine Freunde! (Sport, Politik, Schlager)
- ☑ Keine Meinung zu haben macht auch keine Arbeit!
- ☑ Es gibt Dinge, zu denen muss man keine Meinung haben (Sunshine Grill, Austin, Texas).

# Sinn des Lebens

*Warum Sie weder mehr Sex haben noch eine Familie gründen müssen, um glücklich zu sein. Und eine Bucketlist brauchen Sie schon gar nicht*

»Du musst deinem Leben mal einen Sinn geben!«, keucht das Muss-Monster, doch Gott sei Dank keucht es inzwischen aus dem letzten Loch. Es ahnt ja schließlich inzwischen, was für eine Antwort Sie ihm vor den Latz pfeffern: »Einen Scheiß muss ich!«

In der Tat macht es gar keinen Sinn, nach dem Sinn des Lebens zu fragen. Weil nämlich die schönsten Sachen im Leben gar keinen Sinn machen, also ungesunde Sachen essen, Bier trinken, Zeugs rauchen, Sex einfach haben statt ständig dran zu denken, über Witze lachen, faul rumliegen, Unsinn reden und die Liefer-Pizza für Joe Anderson abzufangen. Wenn nun aber die schönsten Sachen im Leben gar keinen Sinn machen, warum braucht das Leben dann selber einen? Oder wir?

Vielleicht erinnern Sie sich noch an den gechillten Tibeter,

der keine Hotlines anruft, den Dalai Lama? Der sagte nämlich mal, er wisse jetzt auch nicht so genau, was denn der tiefe Sinn des Lebens sei.[1] Das sei nämlich eine überaus schwierige Frage, und daher sei es auch gar nicht notwendig, sich damit allzu lange aufzuhalten. Viel wichtiger sei es, sich um das Glück der anderen zu kümmern. Und genau das mache ich, indem ich dieses Buch hier schreibe. Und Starkbier braue. Zu einfach? Nun, manchmal ist das Leben gar nicht so kompliziert.

# Ich muss mehr Sex haben!

## Jetzt echt?
## Denken Sie lieber weniger drüber nach

*»Später gehört das alles mal dir, mein Sean!«*
KAREN, HALBNACKT, 3 MONATE BEVOR ICH MIT
IHR SCHLAFEN DURFTE

S ex kann phantastisch sein! Oder lausig. So lausig, dass man die ganze Sache ganz schnell wieder vergessen möchte, irgendwas essen und fernsehen. Aber selbst wenn der Sex toll ist, ist er es meist nur in dem Moment, in dem wir ihn haben. Davor und danach ist Sex oft so mühsam, dass ich mir auch schon mal sage, da lass ich doch lieber die Profis aus dem Internet ran!

*»Ach Sean, das ist ja armselig …«*

Wenn armselig das neue praktisch ist, dann bin ich gerne armselig. Überlegen Sie doch mal: Wenn wir professionelle Erwachsenen-Unterhalter Sex haben lassen, dann müssen wir weder aufräumen noch duschen oder die kritischen Stellen rasieren, und ein romantisches Restaurant müssen wir schon gar nicht aussuchen. Wir müssen nicht mal prüfen, ob die Kondome noch haltbar sind, zumindest hab ich noch nie bei *youporn* angerufen und ins Telefon geschrien: »Hört sofort auf zu ficken, die Gummis sind um!« Und noch ein Vorteil: Wenn Sie durchtrainierte Profis die harte Arbeit machen lassen, dann können Sie vor dem Sex essen, was Sie wollen. Also Pizza oder Burger mit Fritten und Bier statt eine Forellen-Trilogie an Rhabarber-Reduktion. Müsste ich so was essen, nur um Sex zu haben, wäre ich ohnehin so sauer, dass ich gar keinen mehr will.

Wo wir gerade bei dem Aufwand sind, den manche Menschen für ein paar Sekunden Spaß betreiben: Mein Freund Chubby Charley hat sich doch tatsächlich wegen der Aussicht auf Sex zwei Wochen lang vegan ernährt. Er hatte nämlich ein Interview mit Bree Olson gelesen, einem der bekanntesten Pornostars Kaliforniens, und die hatte darin jedem Mann Sex mit ihr angeboten, der nachweislich Veganer geworden ist. Charley war völlig aus dem Häuschen, stellte seine Ernährung um, und tatsächlich: Als er Bree twitterte, dass er es wirklich und ehrlich geschafft habe, wurde er mit einem einwöchigen Gratis-Zugang für breeolson.com belohnt. Huh, war der sauer. Ob er dort dann tatsächlich Sex hatte, weiß ich nicht. Das Schlimmste aber war: Es hat einen ganzen Monat gedauert, bis Charley die vier Kilo wieder drauf hatte.

### *Warum wir so geil sind*

Wenn's um Sex geht, dann beneide ich oft die Tiere. Die müssen nämlich weder die Weinkarte durchlesen noch auf Knoblauch verzichten. Sie twittern auch nicht, sie wittern sich, jagen sich, kriegen sich, und dann treiben sie es dann wie … na ja … Tiere halt und ja … Neid!

Wenn ich dagegen mit offener Hose die scharfe Starbucks-Barista Shania quer über die Springstreet jage, dann werde ich verhaftet. Zu Recht natürlich. Man darf die Springstreet nämlich nur an der großen Ampel überqueren, alles andere ist ›jaywalking‹, dafür wird man bei uns verhaftet.

Warum aber ist das so mit dem Sex, wie es ist? Warum meinen wir dauernd, wir müssten mehr Sex haben, warum sind wir so geil? Ganz einfach: weil sie uns den ganzen Tag scharfmachen! Nein, nicht Sie, ich kenne Sie ja gar nicht. Sie! Die! Also die anderen.

An jedem zweiten Billboard hängen halbnackte Menschen, das Internet ist so vollgestopft mit Pornos, dass es schon aus unseren Endgeräten suppt, kurze Röcke und europäische Pimmelzeigerhosen tun ihr Übriges. Und dann stehen wir feucht und steif da und wünschten, die Welt wäre ein Porno. Nur ist die Welt halt kein Porno, und das ist auch gut so, denn dann könnte man sich als Frau ja niemals einen Klempner nach Hause bestellen, ohne ihm schon im Flur einen zu blasen. Die Hälfte der Wasserhähne in Kalifornien wären undicht, und das bei unserer historischen Dürre!

Moment mal … Jetzt wo ich drüber nachdenke: DAHER kommt unser Wasserproblem! Wissen Sie, wie viele Pornos mit Klempnern in Kalifornien gedreht werden? Also nicht, dass ich welche gesehen hätte, aber Wayne und ich, wir werden das sofort nachprüfen, und wenn es stimmt, dann informieren wir den Gouverneur! Was ich damit ganz einfach hätte sagen können, wäre mir dazwischen die Sache mit den Wasserhähnen nicht eingefallen, ist:

### *Sex ist nicht so leicht zu kriegen, wie man uns weismacht*

Und genau deswegen sind wir auch keine schlappschwänzigen oder trockenschachtigen Napfnasen, wenn wir nach sieben Bars und drei Clubs mal wieder ungevögelt unsere Haustür aufschließen, sondern ganz normale Menschen. Tatsache ist doch: Wenn wir nicht gerade Erwachsenen-Unterhalter,

Milliardär oder Bree Olson sind, dann ist Sex mit jemand anderem eine der schwierigsten Sachen, die man kriegen kann.

Ist wirklich so, ich hab es persönlich getestet und gleich an drei repräsentativen Orten nachgefragt: bei Wholefoods, Starbucks und der Paso Robles Community Church. Um die Studie nicht zu verfälschen, fragte ich klar und direkt, ich ging also zu Pastor Mike Shuck und fragte: »Mike, du als Mann des Glaubens: Ficken?«

Wissen Sie, was geschah? Mike zeigte mir den Mittelfinger! Ein PASTOR zeigte MIR den Mittelfinger! Im Wholefoods zerrte mich die Security bis auf den Parkplatz, und wegen Starbucks will sich eine New Yorker Anwaltskanzlei melden. Alles verständlich, aber zumindest von der Kirche hatte ich abermals mehr erhofft. Was ich mich allerdings frage: Ist es denn überhaupt so schlimm, dass Sex nicht leicht zu kriegen ist? Nein!

Sie haben doch sicher auch schon die Erfahrung gemacht, dass ›kein Sex‹ viel schöner sein kann als Sex. Oder? Gut. Also wenn ich schlecht drauf bin, dann sage ich mir oft: Kopf hoch, Sean! Es läuft vielleicht nicht alles rund, aber hey, wenigstens musst du nicht mehr mit Trisha schlafen! Hey – ich darf das sagen, ich bin amerikanischer Staatsbürger. Vielleicht hilft es ja, wenn ich es dergestalt ausdrücke, dass ich mit keinerlei erzwungenem Verkehr etwas anfangen kann. So verlockend Sex auch sein mag, so sehr stört mich der Gedanke, jemanden dafür zu bezahlen, mich geil zu finden. Ich drücke ja einem *Barnes & Noble*-Kunden auch keine zwanzig Dollar in die Hand, damit er mein Buch kauft.

## *Zeitzonenbedingte Schwanzverschiebung*

Und doch kommt er immer wieder hoch, dieser Gedanke, dass man mehr Sex haben müsste. Sogar mein eigener Körper meint das ab und an, und dann verpasst er mir um vier Uhr früh eine schmerzhafte Morgenlatte. Richtig: um vier Uhr früh! Ja, ist der denn bescheuert? Was zum Teufel will ich denn mitten in der Nacht mit einem Steifen? Wenn alle schlafen! Einmal, als Karen bei mir übernachtete, tippte ich sie an, deutete auf mein Malheur und fragte höflich an, ob sie sich spontan in der Lage sähe, das mal eben wegzumachen. »Klar!«, sagte sie und zog meine Shorts hoch: »Is weg.«

Das Morgenlattenmalheur zog sich hin, bis ich nach Deutschland flog. Eigentlich wurde es dort noch schlimmer, denn ausgerechnet, als ich den bärtigen Braumeister begrüßte, ging mir die Hose hoch. Erschrocken blickte ich auf die Uhr, und klar – in Kalifornien war es vier Uhr früh, ich hatte Dick-Lag, zeitzonenbedingte Schwanzverschiebung. Vor so vielen Deutschen! Peinlich war das. Und das alles nur, weil mein Körper sagte: ›Hey, mir doch egal, wann und wo du abhängst, ich will mal wieder Sex haben!‹

Die Sache hatte insofern ein Happy End für mich, als ich wieder nach meiner Rückkehr an die amerikanische Westküste unter Dick-Lag litt. Meine deutsche Reise-Morgenlatte formte sich nun nämlich gegen 20 Uhr Pacific Time. Was Karen und ich natürlich ausnutzten. Seit meiner Rückkehr aus Deutschland haben wir jeden Sonntag um 20 Uhr Sex. Falls Sie denken, das sei spießig, alt oder gar langweilig: ist es nicht, denn wenn Karen und ich 20 Uhr sagen, dann meinen wir auch 20 Uhr, und dann ist es auch scheißegal, wo wir gerade sind. Wenn mein iPhone mit ›Ready to Fuck‹ klingelt und ihres mit ›Happy Go Sucky Fucky‹, dann legen wir sofort los, egal, ob wir gerade Tennis spielen, den Brummelstore umdekorieren oder mit Hank und Suzy am Paso Robles Police Department vorbeischlendern.

Vielleicht ist das mit dem festen Termin ja auch eine Idee für Sie? Wenn Ihnen 20 Uhr zu spät ist, überlegen Sie, ob 19 oder auch 18 Uhr bessere Zeiten für Sie wären. Weitere tolle Uhrzeiten habe ich exklusiv für Sie auf meiner Webseite seanbrummel.com hinterlegt.

## *Vergessen Sie die grausame Musik nicht*

Ich will Ihnen die wunderbarste Sache der Welt nicht schlechtreden, aber wenn Sie sagen, dass Sie mehr Sex haben sollten, denken Sie dann vielleicht nur an die allerallerbesten Augenblicke? Vergessen Sie dann die Sachen, die nicht ganz so toll waren? Dass Sie beim Oralverkehr Enrique Iglesias hören mussten, die Bettwäsche kratzig war und die Gerüche seltsam? Erinnern Sie sich bitte auch an die Bissspuren, den Penisbruch und den Scheidenkrampf. Dass Sie kein Auge zugemacht haben, weil Ihr Sexpartner den Unterschied zwischen kuscheln und schlafen nicht kannte und Sie deswegen am nächsten Tag im Büro aussahen wie eine geschändete Wasserleiche.

Denken Sie an solche Sachen? Oder haben Sie nur die paar Pornobilder im Kopf, die letztendlich exakt 1 Prozent des Abends ausmachten, wenn überhaupt, denn: Seit wann ist in Pornos das Licht aus? Wenn Sie sich also mal wieder selbst unter Druck setzen und meinen, dass Sie jetzt unbedingt mal wieder Sex brauchen, dann denken Sie doch auch mal daran, zu was dieser unmenschliche Druck führen kann. Im schlimmsten Fall zu einer Ehe, so wie bei mir und Trisha. Oder zu zwei Wochen veganer Ernährung wie bei Chubby Charley.

Gerne erinnere ich mich auch an Wasted Wayne, der immer mehr Sex wollte, bis zu jener Nacht, in der er nackt aus dem Klo einer Tabledance-Bar geprügelt wurde und anschließend auf Facebook verhöhnt. Merke: Wenn man sich mit einem Fitness-Armband einen runterholt, dann sollte man vorher alle Funkverbindungen beenden. Wayne bekam eine Anzeige wegen Erregung öffentlichen Ärgernisses und lebenslanges Hausverbot. Ach ja, und die Marathonmedaille für über 50 000 Schritte von seiner Gesundheitsapp! Die muss er jetzt natürlich zurückgeben …

## ☆ SAG'S NOCH MAL, SEAN! ☆

- ☑ Wenn Sie keinen Sex haben, können Sie essen, was Sie wollen!
- ☑ Die Pornoindustrie ist schuld an der Dürre!
- ☑ Wenn Sie die Starbucks-Barista jagen: Überqueren Sie die Springstreet nur an der großen Ampel.
- ☑ Nutzen Sie Dick-Lag, die zeitzonenbedingte Schwanzverschiebung.
- ☑ Nehmen Sie Ihr verdammtes Fitness-Armband ab, wenn Sie an sich rumspielen.

Ach ja, und wenn Sie kurz eine Hand freihätten für eine Unterschrift, danke:

Ich, _____, muss nicht mehr Sex haben!

# Ich muss eine Familie gründen!

## Müssen Sie wirklich? Warum es völlig okay ist, sich beim Abendessen zu unterhalten, richtige Filme zu sehen und immer auszuschlafen ...

*»Ich bin Autor, meine Kinder werden gedruckt!«*
SEAN BRUMMEL, US-BESTSELLERAUTOR, KURZ VOR
EINEM HEULKRAMPF

Es gibt eintausend gute Gründe, Kinder zu haben. Von mir erfahren Sie keinen einzigen. Man muss keine Familie gründen. Man kann es auch einfach sein lassen und sich trotzdem gut fühlen. Gründe für ein kinderfreies Leben gibt es nämlich mindestens ebenso viele. Die offensichtlichen kennen wir alle: Ohne Kinder stolpert man nachts nicht über Spielzeug, wenn man sich noch ein Schlafbier holen will, außerdem kann man sich jederzeit Mars-Riegel frittieren und »Scheiße!« brüllen, wenn man sich am heißen Fett verbrennt.

Ohne Kinder kann man rauchend den Sportteil der *USA Today* durchblättern statt sich bei zuckerfreiem Kindertee durch den Film *Mein Freund, der Delphin* zu quälen. Man kann in einem schnittigen Zweisitzer Nirvana hören statt »The Hamster Dance« in einem Family-Van. Das Beste aber ist: Man braucht nicht mal Feuchttücher! Ohne Kinder wird man seltener krank, wer sollte Sie auch anstecken auf der Fernsehcouch? Oprah Winfrey? Charlie Sheen? Jennifer Aniston?

Hey, und die Nachbarn mögen Sie natürlich auch lieber. »Ach, Sie waren hier am Wochenende? Wir haben gar nichts gehört! Kommt doch mal wieder vorbei auf ein Glas Wein!«

Ich weiß, Sie haben längst verstanden, was ich meine, Sie sind ja nicht vor die Wand gelaufen: Ohne Kinder können Sie tun und lassen, was Sie wollen, und die ganze Welt liebt Sie!

WENN da nicht dieser brutale Druck der Gesellschaft wäre, dass man einfach Kinder haben muss …

»Na ja Sean, von mir aus kannst du machen, was du willst, aber bisher sieht's mir doch sehr nach einer Rechtfertigung aus.«

Ach. Und Eltern rechtfertigen sich nicht? Haben Sie eine ungefähre Ahnung, wir oft Karen und ich uns Geschichten über sagenhafte Heldenleistungen des Nachwuchses anhören mussten? Wie oft bei einem geselligen Abendessen plötzlich Kinderfotos auf dem Smartphone den Blick auf das saftige Ribeye-Steak verdeckten? Wissen Sie wirklich nicht, wie viele Eltern unter Kinderbild-Tourette leiden, der wohl schlimmsten Form von unkontrollierten Rechtfertigungsanfällen? Da spricht man nichtsahnend über einen phantastischen Drei-Punkte-Wurf im letzten Spiel der Lakers, und zack, hat man ein Smartphone mit einem Foto von Klein-David unter der Nase, der jetzt auch schon ganz toll was wirft. Und haben Sie auch nur die leiseste Vorstellung, wie oft Karen und ich in leere Elternaugen blickten, wenn wir bei einem solchen Abendessen hinterrücks damit begannen, über Politik, Gesellschaft oder die dritte Staffel *House of Cards* reden zu wollen, statt über Hoppereiter, Klötzchenstapeln oder *The Cheesy Adventures of Captain Mac. A. Roni?*

## Mein Feind, der Delphin

Natürlich sind viele Menschen anderer Meinung; die meisten sind es deswegen, weil sie ihr Recht auf persönliche Freiheit bereits unbedacht vervögelt haben. Solche Menschen können plötzlich wie Pfarrer kucken und Dinge sagen wie:

»Also, ihr müsst einfach Kinder haben!«

Einen Scheiß müssen wir.

»Wir haben auch so gedacht wie ihr, aber jetzt sind wir so froh!«

Dann sagt das mal euren Gesichtern!

»Ihr wisst jedenfalls gar nicht, was ihr verpasst!«

Stimmt. Wissen wir nicht. Dafür wisst ihr, was ihr verpasst: Schlaf, Sex und Spontaneität zum Beispiel. Und weil ihr das nicht ertragen könnt, sollen wir *Mein Freund, der Delphin* schauen? Nee, nee, nee …

Erstaunlich oft höre ich aber auch gar keine Gegenwehr von Eltern, meist dann, wenn ich mit einer Mutter oder einem Vater alleine bin. Dann heißt es oft: »Hast alles richtig gemacht, Sean. Genieß es einfach.«

Kinder sind ein Reizthema, gerade bei uns in den USA, bei meinen Veranstaltungen gibt es deshalb oft Unruhe und Zwischenrufe wie »Du warst auch mal ein Kind, Sean!« und »Schäm dich, das ist wider die Natur!«. Ich rufe dann meistens »Halt die Klappe, Bob!« und erkläre dem Rest des Publikums, dass ich mir der Wichtigkeit menschlicher Fortpflanzung durchaus bewusst sei. Ich bin ja nicht bescheuert, wir sind in den USA, viele der Zuschauer sind bewaffnet. Aber auch ohne den Lauf einer 45er Magnum an der Schläfe sage ich mit bestem Gewissen:

Ja, die Menschheit muss sich fortpflanzen.

Die Menschheit.
Nicht ich.
Ich muss einen Scheiß.
Warum?
Darum:

### In diesem Augenblick
### sieht es nicht wirklich so aus,
### als würde die Menschheit aussterben

Sieben Milliarden Menschen hetzen, stolpern und keuchen bereits über unseren kleinen Planeten, bald sind es acht Milliarden. Glauben Sie, die Welt wartet da auf unsern Balg? Warum noch gleich? Weil ich und Karen so schlau und schön sind, dass wir quasi verpflichtet sind, uns zu vermehren? Weil wir besser sind als die anderen? Okay, Karen und ich sind schon recht coole Socken, aber versinkt die Welt im Chaos, wenn ich nicht sofort einen hochbegabten Superhelden zeuge, der sie tollkühn rettet?

Und das ist noch die positivste Prognose. Was ist denn zum Beispiel, wenn unser Kind gar kein Superheld wird, sondern ein Mädchen, das Laserschwerter total scheiße findet? Wenn unser Kind statt Ruhm und Ehre Schande über den Namen Brummel bringt, weil es uns bei »American Idol« mit einer grauenhaften Kinderversion von »Happy« blamiert? Was, wenn es ein Diktator wird? Ja, auch Hitler hatte Eltern! Aus genau diesem Grund will übrigens mein Freund Wasted Wayne keine Kinder, er meint: »Eines ist sicher, mein Kind wird in jedem Fall ein totales Arschloch!«

*»Hey Sean, aber vielleicht wärst du ja ein toller Vater!«*

Ja, ich wäre ein toller Vater. Ich wäre sogar der beste Vater der ganzen verdammten Welt. Kein Grund dauernd nachzuhaken, ob ich auch wirklich sicher bin, weil ich es nicht wie die Mehrheit mache. Die Mehrheit ist auch heterosexuell, isst Fleisch und fährt ein Auto. So wie ich. Steige ich deswegen auf den Tresen eines Schwulen-Clubs und brülle: »Was? Ihr wollt echt keine Weiber? Habt ihr euch das auch gut überlegt?« Donnere ich tiefgekühlte Spare-Ribs durch die Scheiben von Veggie-Restaurants oder trete Radfahrer vom Sattel, um ihnen ins Ohr zu flüstern: »Ach Radfahrer, du wärst soooo ein toller Autofahrer!«

Unserem arglistigen Muss-Monster gehen derart amüsante Gedankenspiele natürlich an seinem grünen Arsch vorbei. Sie erinnern sich: Die Leibspeisen des Muss-Monsters sind die Angst und das schlechte Gewissen. Sie sind sich nicht sicher, ob Sie eine Familie gründen wollen? Das Muss-Monster wittert es hundert Meilen gegen den Wind, und ehe Sie auch nur bis drei zählen können, stellt es Fragen, auf die Sie besser eine Antwort haben. Fragen wie:

»*Und wer wird sich um dich kümmern, wenn du alt bist?*«

Also, in meinem Fall ist das eine attraktive 21-jährige Schwedin ohne medizinische Ausbildung. In Ihrem Fall wird es davon abhängen, wie realistisch Sie die Sache sehen: Nur weil man Kinder hat, heißt das ja nicht, dass die sich dann auch kümmern.

»*Okay, aber wer wird dich vermissen, wenn du mal nicht mehr da bist?*«

Keine Sau natürlich! Aber ist das schlimm? Absolut nicht, es ist sogar völlig irrelevant. Denn wenn ich nicht mehr da bin, finde ich ja auch nichts mehr schlimm. Wie sagte noch gleich dieser griechische Gärtner da, Mr. Epikur: »Der Tod betrifft uns gar nicht. Wenn wir noch am Leben sind, ist der Tod nicht da, und wenn der Tod kommt, sind wir nicht mehr am Leben.«

Eben.

Soll heißen, ich überleg mir ja auch jetzt nicht, ob ich Hot Dogs oder Pizza mache, wenn die Lakers 2056 in die Playoffs kommen. Warum sollte ich mir jetzt den Kopf darüber zerbrechen, ob mich später mal jemand vermisst?

Da denke ich doch lieber drüber nach, was Karen und ich vermissen würden, wenn wir Kinder hätten: 250000 Dollar zum Beispiel.

Das ist exakt die Summe, die ein Kind im US-Durchschnitt kostet. Ein US-Kind. Ein Kind aus Griechenland könnte zweimal teurer sein, aber nehmen wir der Einfachheit halber an, dass es ein US-Kind ist. 250000 Dollar investiert man, und das sollte einem so ein Kind natürlich auch wert sein. Wenn man eines will. Wenn man hingegen keines will, sollte man auch so schlau sein und einen Teil der Kohle zur Seite legen. Richtig, ich spreche von ›Brummelcare‹, der in den USA wohl am heißesten diskutierten alternativen Altersvorsorge, die ich neulich mit Karen, Wayne und Tina nach einigen Drinks im Molly's entwickelt habe. Und die funktioniert so:

### *Investieren mit Brummelcare*

Wenn Sie keine Kinder haben oder planen, dann legen Sie im Monat einfach genau die Hälfte der Summe zur Seite, die es kosten würde, wenn Sie welche hätten. Wenn Sie später ein fünfzigjähriger Silberkopf sind, haben Sie nämlich genau dieses Geld zur Verfügung! Denken Sie sich ein Datum aus, an dem Ihr Kind nicht zur Welt kommt. Machen Sie eine Liste der überhaupt nicht anstehenden Ausgaben wie Kinderwagen, Wickelkommode, Babybettchen, Windeln und Fläschchen, Kindergarten, Klamotten, Smartphone, das erste Auto und die Kaution für den ersten im Suff gebauten Unfall.

Mein kinderloser Kumpel Stevie zieht Brummelcare konsequent durch und hat durch seinen ungeborenen Sohn bereits über 45 000 Dollar gespart! Als er neulich mit uns im Molly's die nicht angefertigte Zahnspange versoff, da hatten wir sogar alle was davon, so viel zum Thema Egoismus der Kinderlosen. Überlegen Sie mal: Wenn Sie mit dreißig keine Kinder haben, dann haben Sie bis fünfzig nicht nur mehr Geld zum Leben, sondern auch 125 000 Dollar gespart, die Sie klug in Sportwagen, Restaurantbesuche und attraktives Pflegepersonal investieren können. Warum ausgerechnet mit fünfzig? Weil zahlreiche Studien gezeigt haben, dass wir mit fünfzig am unglücklichsten sind.[2] Und genau dann können wir 125 000 Dollar rausballern, ja, ist das ein Timing oder ist das ein Timing?!

*»Okay, Sean, deinen Sportwagen bezahlt also dein ungeborener Sohn. Aber wie sieht es dann in dir drinnen aus, bist du auch wirklich zufrieden?«*

Keine Ahnung. Sind Eltern denn immer zufrieden? Also, ich hab mich mal umgehört, und die Antwort lautet: Nein. Schlimmer noch – sie fühlen sich aber zum Glücklichsein verpflichtet, schließlich haben sie ja alles richtig gemacht. Fakt ist jedoch, dass so ziemlich jede wissenschaftliche Studie der letzten Jahre festgestellt hat, dass Eltern nicht glücklicher sind als kinderlose Paare, sie sind in einigen Fällen sogar un-glücklicher.[3] Kinder haben nämlich anderes zu tun, als Sie glücklich zu machen, das müssen Sie schon selbst tun.

Was ich im Internet zum Thema depressive Eltern gelesen habe, war jedenfalls Stoff genug für mein neues Buch: *I Love My Kids, I Hate My Life.*

Vor allem den Müttern fehlt die Zeit für sich selbst. Klar, dass sie dann wenigstens online in die weite Welt flüchten. Ich sehe es doch jeden Morgen selbst: Jede einzelne Mutter mit Kinderwagen tippt auf ihren Smartphones herum, statt mit ihrem Kind zu sprechen. Wahnsinn, oder? Da steht die eigene Mutter nur einen Meter vor einem, aber ohne Face-book-Account kann man ihr nicht mal mitteilen, dass man fürchterlich Fauchi-Bauchi hat. Alles, was das arme Kind von seiner Mutter sieht, ist die Rückseite eines iPhone und ir-gendwann denkt es dann, seine Mutter sei ein Apfel.

Väter sehen die Sache ein wenig praktischer. Was ich in letzter Zeit immer öfter höre, ist: »Ich bereue das wirklich gar nicht, Vater geworden zu sein! Nur leider machen's mir die Kinder halt echt schwer, meine Frau zu verlassen!«

# ☆ SAG'S NOCH MAL, **SEAN!** ☆

☑ Ohne Kinder können Sie tun und lassen, was
  Sie wollen, und die ganze Welt liebt Sie!

☑ Ohne Kinder können Sie nachts Mars-Riegel
  frittieren und dabei fluchen!

☑ Kinderlose Paare haben eine bessere
  $CO_2$-Bilanz als die Andersons.

☑ Die Welt wartet nicht auf Ihren Wurm: Wir
  sind schon sieben Milliarden!

☑ Sportwagen und attraktives Pflegepersonal?
  Zahlt Ihr ungeborener Sohn – dank
  Brummelcare!

Eine Unterschrift von Ihnen wäre jetzt noch
was. Besten Dank.


Ich, _____, muss keine Familie
gründen.

# Das muss ich gemacht haben im Leben!

## Einen Scheiß müssen Sie! Schon der Gedanke, Dinge zu müssen, bevor man stirbt, ist dämlich

> »Das musste von meiner Bucketlist runter!«
>
> BARACK OBAMA AUF DIE FRAGE, WARUM ER ZU DEN
> STEINKREISEN NACH STONEHENGE FLOG[4]

Bis vor kurzem wusste ich nicht mal, was eine Bucketlist ist. So 'ne neue Aktion von Kentucky Fried Chicken, dachte ich. Nicht ganz, erklärte mir Karen in der Werbepause von *The Voice*: Eine Bucketlist ist eine Liste, auf die man schreibt, was man alles noch machen muss, bevor man gegen den Eimer tritt. So sagt man bei uns in Amerika fürs Sterben: to kick the bucket.

Wie mir von einer Gruppe bestens gelaunter Biertrinker in Deutschland zugetragen wurde, gibt man als deutschsprachiger Sterbender den Löffel ab. An wen, haben sie mir aber nicht gesagt, da muss ich mich mal erkundigen. Wir in den USA kicken jedenfalls den bucket, aber vorher wollen wir natürlich noch so einiges erleben, z. B. Fallschirmspringen, mit Delphinen schwimmen und einen Marathon laufen. Alle Kontinente bereisen. In einem Film mitspielen. Surfen lernen auf Bali. Ein Buch schreiben, ein Festival besuchen, einen Kuchen backen …

Oh, langweile ich Sie schon? Das tut mir sehr leid, aber das sind exakt die Dinge, die die meisten Leute auf ihrer Bucketliste abhaken wollen, bevor sie den Löffel in ihre Eimer stecken. Steht alles auf bucketlist.org, das ist die Nummer-1-Plattform für emsige Bucketeers, also eimerfüllende Lebensplaner.

## Was ist, wenn man alle Punkte erfolgreich abgehakt hat?

Darf man dann endlich sterben? Oder geschieht das automatisch, wenn man nach dem Abhaken des letzten Punktes zufrieden in die Couch sinkt? Klopft es dann an der Tür, und jemand sagt:

»Hey, Sean, ich bin's, der finstere Sensenmann.«

»Hä? Der Fallschirm ging doch auf!?«

»Ja, aber es war der letzte Punkt auf deiner Liste.«

»Ich will aber noch nicht sterben!«

»Warum denn nicht? Hast doch alles erlebt.«

»Fast! Ich … äh … war noch nie in … hier … Dings … Venedig!«

»Stand nie auf der Liste. Abgesehen davon ist es völlig überteuert.«

»Okay, gewonnen. Wie kommen wir jetzt in den Himmel?«

»Auf einer schwarzen Rennbanane.«

»Geil! Hab ich noch nie gemacht!«

Entschuldigen Sie bitte meine ausufernde Phantasie, ich hatte bereits eine Flasche Brummelbock. Es kann freilich auch sein, dass einfach nichts passiert, wenn man seine Liste abgehakt hat. Oder dass man in so ein tiefes Loch fällt, weil es plötzlich nichts mehr zu tun gibt, für das es sich lohnt zu leben, so wie nach der Fußball-WM 2014.

Und dann? Macht man dann eine neue Bucketlist? Nennen Sie mich altmodisch und rusty, aber ich finde den Gedanken,

Dinge gemacht haben zu müssen, bevor man stirbt, einfach nur dämlich. Ich mach mir ja auch keine Liste, was ich alles getrunken haben muss, bevor das Molly's zumacht. Würde mir den ganzen Abend kaputtmachen, wenn ich so eine Trinkliste vor mir hätte, und warum um alles in der Welt sollte ich aus einer schönen Sache eine Verpflichtung machen, vielleicht will ich ja an diesem Abend gar nichts trinken! Haha, war nur ein Scherz.

Vielleicht ist es ja das, was mich an der Idee einer Bucketlist stört: dass wir mit jedem Punkt auf den finalen Eimertritt hinarbeiten. Als gäbe es nicht schon genug To-Do-Listen! Ist Ihnen eigentlich mal aufgefallen, dass in der Sprache meiner seligen Urgroßmutter das Wort ›Tod‹ in ToD-o-Liste steckt? Nicht? Da sehen Sie mal!

## *Bucketlisten erzeugen Stress*

Wissenschaftler von Weltruf bestätigen: Nach dem Prinzip des Abhakens zu leben führt in jedem Fall zu ordentlich Stress. Oh, Handy klingelt. Ah … es ist Wasted Wayne …

»Hey Sean, ich will heute mal einen Berg besteigen, wäre das nicht auch was für dich?«

»Super Idee, Wayne, aber ich geh heute schon mit Delphinen schwimmen, Marathon laufen und Spanisch lernen. Aber wie sieht's denn morgen aus?«

»Verdammt! Da muss ich einen Kuchen backen für jemanden, den ich gern mag, flieg Heißluftballon und bewundere eine Sonnenfinsternis.«

»Warte mal, Wayne, morgen ist echt 'ne Sonnenfinsternis?«

»Ja, keine Ahnung, steht auf meiner Liste!«

### Bucketlisten führen zum Tunnelblick

Dinge gemacht haben zu müssen, bevor man den Löffel in den Eimer legt, ist in etwa so sinnvoll wie 104-mal ums Haus der Andersons zu hüpfen. Warum zum Teufel sollten wir überhaupt Lebensziele abhaken wie Chipse, Fleisch und Bier auf einer Einkaufsliste? Vor allem – haben Sie mal Leute beobachtet, die mit so einer Liste einkaufen? Den Blick starr auf die Liste getackert, hasten sie von Regal zu Regal, haben schnell genau das eingekauft, was sie haben wollten, dafür sind sie dann aber auch an der neuen Sushi-Theke vorbeigerauscht, haben die süße Bedienung übersehen und das riesige Mehr-fürs-gleiche-Geld-Nutella-Glas! Überlegen Sie mal: Sie zahlen das gleiche Geld, kriegen aber viel weniger Nutella! Weil sie wegen ihrer Liste dran vorbeieimern! Hahaha! Diese Irren! Sorry, hab mir gerade das zweite Brummelbock genehmigt. Was ich damit sagen will:

### Wer eine Bucketlist führt, lebt so, wie andere einkaufen

Wissen Sie, wie ich einkaufe? Ich geh einfach los und schaue, was es gibt. Deswegen hab ich auch dieses riesige Nutella-Glas und mein langweiliger Nachbar Joe Anderson nicht. Verrückt, oder? Jetzt aber mal zurück zu all den Sachen, die man gemacht haben muss, da hab ich mich von Ihnen ja ordentlich ablenken lassen. Also: Bucketlisten sind mindestens so langweilig wie die aktuellen Charts, weil nämlich die Must-Dos hibbeliger Bucketeers exakt die Dinge sind, die auch alle anderen cool finden. Und wann genau war zum letzten Mal das cool, was alle machen? Danke. Spätestens, wenn alle es machen, ist es doch uncool, oder ist das heute anders? Und wenn es schon uncool ist, warum teilt man es dann noch im Netz? Bitte stellen Sie sich mal eine hysterische, US-amerikanische Mädchenstimme vor:

›Ich möchte soooo gerne mal mit Delphinen schwimmen!‹, quiekt diese Stimme. Ja? Dann frag die Delphine aber bitte vorher, ob sie auch mit dir schwimmen wollen!

›Ich möchte Bogenschießen lernen, bevor ich sterbe!‹ Ja, mein Gott, dann lern Bogenschießen und stirb!

›Heyyyy! Ich will ein Festival besuchen!‹

Hey, das ist toll für dich. Für DICH! Wen interessiert's, ob du hingehst, wo schon 80 000 Leute sind? Man geht zu einem Festival oder halt nicht, Ende der Geschichte.

Ich weiß, ich bin unfair. Es gibt durchaus Leute, die nehmen all ihren Mut zusammen und posten bei bucketlist.org einen derart tollkühnen Lebenswunsch, dass jedem normalen Menschen das Bier in der Hand gefriert. Wissen Sie, was diese Helden auf ihrer Liste haben? Sie wollen, tataaaaaaa, ›mit falschem Namen bei Starbucks bestellen!‹.

Das stand da wirklich! Nicht so was Banales wie ›eine Starbucks-Filiale mit Soja-Latte fluten‹ oder der Klassiker ›eine spontane Milchschaum-Orgie anzetteln‹, sondern: ›mit falschem Namen bei Starbucks bestellen!‹.

Verdammt, dachte ich mir, jetzt werde ich alt, jetzt drehen sie durch, die jungen Leute.

## Bucketlisten hakt man für andere ab!

»Hey, kuck mal, Facebook, ich ess gerade einen glutenfreien Keks in San Diego!« Wie viele Likes man für so eine tolle Sache wohl bekommt? Keinen einzigen hoffentlich. Kann man nicht einfach leben, ohne anderen ständig mitzuteilen, dass man lebt? Ein Flugzeugkapitän gibt doch auch nicht alle fünf Minuten durch, dass er fliegt: »Hallo, hier ist noch mal Ihr Kapitän mit einer kurzen Info aus dem Cockpit, wollte Ihnen nur sagen, dass wir fliegen. Ich hoffe, Sie fühlen sich wohl bei uns an Bord, und melde mich wieder, wenn wir immer noch fliegen.«

Erlauben Sie mir bitte ein kleines Gedankenexperiment hierzu. Stellen Sie sich doch einfach mal kurz vor, dass Sie NIEMANDEM erzählen könnten, was Sie so alles Verrücktes tun. Ich weiß, der Gedanke ist unfassbar, ja geradezu absurd, aber versuchen Sie es einfach trotzdem: Was immer Sie tun möchten oder getan haben, es ist keiner da, dem Sie es erzählen können. Würden Sie dann immer noch wahnsinnig gern mal zum Bungee Jumping? Mit Delphinen schwimmen oder einen Marathon laufen? Aha. Vielleicht ja nicht. Vielleicht würden Sie dann dem Delphin ja einfach nur winken. Und ihn vor den Leuten warnen, die gerade den Dreh zu *Mein Freund, der Delphin 2* vorbereiten.

Was ich Ihnen nach mittlerweile drei Brummelbock sagen will: Mit oder ohne soziale Netzwerke, vor oder nach dem Tod – indem wir unserer ohnehin mäßig interessierten Umwelt andauernd mitteilen, was wir gerade tun oder tun werden, konzentrieren wir uns darauf, wie unsere Erlebnisse auf andere wirken, statt einfach nur was zu erleben. Ist uns halt doch wichtig, wie die anderen uns sehen: energiegeladen, abenteuerlustig, weitgereist, mutig und spontan! Wobei ich mich frage, wie man spontan sein soll, wenn man jetzt schon genau auflistet, was man in den verbleibenden Lebensjahren noch alles machen will.

### *Dinge machen zu müssen macht unspontan!*

Erinnern Sie sich bitte mal an die schönsten Augenblicke im Leben. Wie viele davon hätte man vorher auf eine Bucketlist schreiben können? Dieser wunderbare Tag am Strand, wo Sie das erste Mal Ihre neue Pimmelzeigerhose präsentieren konnten? Stand nicht drauf. Als Sie sich bei der Hochzeit Ihrer besten Freundin mit dem Bräutigam geprügelt haben? Stand nicht drauf. Oder das papiergewordene Glück, als Sie nach dem mexikanischen Feuergericht auf dem Klo im Molly's doch noch eine Klorolle entdeckten? Stand auch nicht drauf! Und noch was, über das nie irgendjemand spricht:

## *Bucketlisten kosten eine Menge Geld!*

Hat sich mal irgendeiner Gedanken darüber gemacht, was der ganze Scheiß eigentlich kostet, den man noch so vorhat? Wie viele Leute eine Eimerliste haben und sich nicht mal einen Eimer leisten können? Ich hab mal den Gegenwert der zehn beliebtesten Aktivitäten zusammengerechnet und eine Rechnung erstellt. Überweisen Sie einfach bei Gelegenheit, nein, jetzt ohne Flachs, echt keine Eile …

**BUCKETLIST INVOICE**

SEAN BRUMMEL
2301 MALT RD.
PASO ROBLES, CA
93446 USA

**BUCKETLIST DETAILS**

Order Date:   27/09/2015, 11:58 AM

| POS | ITEM | QTY | PRICE |
|-----|------|-----|-------|
| 1 | BUNGEE JUMP | 1 | $ 299,00 |
| 2 | CHASE A TORNADO | 1 | $ 2000,00 |
| 3 | EAT PASTA IN VENICE | 1 | $ 4867,67 |
| 4 | LEARN HOW TO PLAY GUITAR | 80 HRS. a $ 40 | $ 3200,00 |
| 5 | TAKE SURF LESSONS | 1000 HRS. a $ 30 | $ 30000,00 |
| 6 | LIVE IN ANOTHER COUNTRY | 1 (6 MONTHS) | $ 60000,00 |
| 7 | VISIT ALL 7 CONTINENTS | 7 | $ 110000,00 |
| 8 | GET MARRIED (IN VERONA) | 1 | $ 125000,00 |
| 9 | RAISE AT LEAST ONE CHILD | 1 | $ 250000,00 |

**TOTAL PAY FOR THIS LIST**                    <u>$ 585366,67</u>

Thanks for bucketeering with us!
Plse. come back before you die!

## *Bucketlisten führen zu Enttäuschungen*

Was, wenn Sie bis nach Mauritius geflogen sind, um mit Delphinen zu schwimmen und nur verblödete Thunfische auftauchen? Was, wenn Sie auf Kuba Salsa lernen wollten, als Premium-Körperklaus aber nicht mal eine einfache Drehung hinkriegen, ohne auf dem Arsch zu landen, und was, wenn Sie vor Ihrem Tod unbedingt noch nach Paso Robles reisen wollen, um meinen berühmten Brummelstore zu besuchen, der Store an diesem Tag aber geschlossen ist, weil ich gerade eine Sonnenfinsternis bewundere?

Wenn Sie jemand sind, der auf Listen und so Zeugs steht, wenn Sie also unbedingt etwas schriftlich fixieren müssen, was Ihr Leben angeht, dann machen Sie wenigstens eine Liste von Dingen, die Sie niemals machen wollen.

## *Machen Sie eine Fuck-it-Liste!*

Das Schöne an so einer Fuck-it-Liste ist: Sie sind zu nichts verpflichtet und können alles in dem Augenblick abhaken, in dem Sie Ihre Liste beendet haben. Als kleine Orientierung nenne ich Ihnen ein paar Punkte meiner Fuck-it-Liste: Also, ich, Sean Brummel, werde niemals einen Triathlon laufen. Ich werde niemals Pastateig selbst machen. Ich werde niemals mit Delphinen schwimmen. Ich werde niemals perfekt Spanisch lernen. Ich werde keine Diäten mehr machen, und ich werde mein Buch nicht in Nordkorea veröffentlichen. Wenn Sie die Idee einer Fuck-it-Liste zu obszön oder negativ finden, habe ich eine andere Idee für Sie: Schreiben Sie doch einfach eine Liste der Dinge, die Sie NACH Ihrem Tod tun wollen!

Und falls Sie immer noch nicht überzeugt sein sollten und Sie immer noch eine Bucketlist schreiben wollen, dann hole ich jetzt mal ein Argument raus, das immer funktioniert. Wissen Sie, wer auch so eine ›Eimerliste‹ hatte, wie er selbst sagte? Adolf Hitler. Nur mal so … Ach, hier ist sie ja!

## Hitlers Bucketlist

Einmal vor Leuten auftreten.
Ein eigenes Buch veröffentlichen.
Mindestens 10 Länder in Europa besuchen.
Jemanden mal so richtig überraschen.
Eine Nacht in einem Bunker verbringen.

*»Ach Sean, musste das jetzt noch sein zum Schluss?«*

Ich bin Amerikaner, ich darf das. Falls Sie sich dennoch empören, empfehle ich Ihnen kurz zurückzuspringen zum Kapitel »Ich muss mich politisch korrekt verhalten!«.

Für alle anderen hier der Schnelldurchlauf:

## ☆ SAG'S NOCH MAL, SEAN! ☆

☑ Eine Bucketlist ist nichts anderes als
eine To-Do-Liste fürs Leben und führt zu
Stress!

☑ Wenn Sie eine Bucketlist führen, leben Sie
so, wie andere einkaufen!

☑ Was machen Sie eigentlich, wenn Sie alle
Punkte abgehakt haben? Sterben? Oder eine
neue Liste?

☑ Würden Sie all die Dinge auch tun, wenn
Sie es niemandem mitteilen könnten?

☑ Erstellen Sie lieber eine Fuck-it-List
oder planen Sie, was Sie nach Ihrem Tod
tun wollen!

Und wenn Sie so nett wären, Ihren Otto auf die
Linie zu setzen, danke, sehr nett.

Ich, _____, muss nicht
aufschreiben, was ich noch machen muss im
Leben.

# Ich muss glücklich werden!
## Einen Scheiß müssen Sie!

*»Glück ist, Bob sagen zu können, dass ich mit dem
Buch fertig bin!«*
SEAN BRUMMEL, US-BESTSELLERAUTOR

D as letzte Mal, das ich hätte glücklich sein müssen, war
der Tag meiner Manuskriptabgabe. Nach mehr als einem
Jahr Arbeit war ich endlich fertig mit *Do Whatever the Fuck
You Want!*, und als ich das langersehnte Wort ENDE in meinen Computer tippte, da fühlte ich mich frei. So frei, dass
ich nun endlich auch Legless Larry in die Freiheit entlassen
wollte. Sein Gezwitscher klang besser gelaunt denn je, auch
schien er mit seinem neuen, roten Füßchen aus meinem
neuen 3D-Drucker bestens zurechtzukommen, was also gab
es noch für einen Grund, ihn einzusperren?

Am Morgen meiner Manuskriptübergabe hielten Karen
und ich eine kleine Zeremonie ab: zu den Klängen von Nellys
»Flap your wings« bekam Larry einen letzten Tropfen Brummelbock. Dann nahm ich ihn feierlich aus dem Käfig und
setzte ihn in meine Hand. Wo er sitzen blieb wie ich auf der
Couch und keinerlei Anstalten machte, davonzufliegen. Vielleicht, dachte ich mir, war er doch ein wenig zu lange bei mir
gewesen.

»Du musst losfliegen, Larry!«, sagte ich, und Karen lachte:
»Haha, einen Scheiß muss er!«

»Stimmt!«, nickte ich, »soll er selber entscheiden.« Und zu

Larry sagte ich: »Mach's gut, alter Junge. Und nimm dich in Acht vor Katzen und Drohnen!«

Ich setzte Larry auf die Spitze seines Käfigs, und wir gingen ins Haus, um meine Klamotten für den großen Abend in Los Angeles herauszusuchen. Als ich später noch einmal zum Käfig schaute, war Larry verschwunden.

Wie befürchtet, wollte Bob die Manuskriptabgabe mit mir im Chateau Marmont in West Hollywood begießen, einem 5-Sterne-Hotel, das aussieht wie ein altes französisches Schloss.

Für Bob stand das Chateau für das mondäne, alte Hollywood, er liebte die Celebrity-Geschichten und die schäbige Eleganz der Einrichtung. Für mich stand das Chateau für arrogante Kellner, überteuertes Essen und dass alle nur hier waren, um zu sehen, wer sonst noch da war. Vor allem aber hasste ich, dass ich bei jedem Besuch in ein viel zu großes, schwarzes Ralph-Lauren-Jackett gesteckt wurde, das weder farblich noch stilistisch zu meinen Sachen passte. Widerwillig zog ich es an.

»Was ist falsch an meinem bayerischen Karohemd?«, fragte ich den Herrn am Front Desk.

»Wir versuchen ein Mindestmaß an Ambiente zu gewährleisten, Sir.«

»Natürlich.«

Noch während ich über diesen Satz nachdachte, wurden Bob und ich in meinem Ralph-Lauren-Zelt in den Palmengarten bugsiert.

»Hast du Bradley Cooper gesehen?«, flüsterte Bob, als wir uns setzten, und blickte verschwörerisch zu einem der Nachbartische.

»Nee«, nuschelte ich, »hat er uns gesehen?«

Bob warf einen kritischen Blick auf meine brandneue Lederhose.

»Nun, wäre schon möglich, dass wir irgendwie seine Aufmerksamkeit erregt haben.«

»Ich kann die Flipflops ausziehen!«

»Nein!«

Während wir die ersten Margaritas tranken, erzählte Bob mir zum dritten Mal, welche Celebrities sich an diesem ›magischen Ort‹ schon alle danebenbenommen hatten: James Dean sei durch ein Fenster gesprungen, Jim Morrison vom Dach, und Britney Spears hatte sich wohl mal Essen ins Gesicht geschmiert und Hausverbot bekommen.

»Was denn für Essen?«, fragte ich und blickte von meiner Speisekarte hoch. »Einen Classic Shrimp Cocktail oder einen Herb Crusted Branzino mit Asparagus?«

»Weiß man nicht«, sagte Bob genervt. »Was nimmst du?«

»Den Burger!«

»Iss doch mal was Richtiges, Sean.«

»Ein Burger ist was Richtiges! Genaugenommen ist er sogar das einzig Richtige auf der Karte!«

Die im Übrigen viel zu groß war für die kleinen Tische. Also reichte ich sie Bradley Cooper am Nachbartisch. Dieser bedankte sich und fragte, ob ich ihm vielleicht auch noch die Blumenvase reichen wolle, dann hätten wir noch mehr Platz, was ich natürlich gerne tat.

»Da soll noch mal einer sagen, Hollywoodstars seien arrogant!«, flüsterte ich Bob verschwörerisch zu, doch der hatte Mühe, seinem knallroten Gesicht ein kurzes Lächeln abzuringen, und wechselte das Thema.

»Hast du eigentlich deinen komischen Vogel freigelassen?«

»Ja, heute Morgen erst.«

»Und, vermisst du ihn schon?«

»Wenn ich wieder zu Hause bin, bestimmt. Er mich aber hoffentlich auch.«

»Sean! Vögel sind Tiere. Die können niemanden vermissen. Sie fressen und kacken, das war's! So ... ich nehm das Zitronen-Hühnchen.«

»Mach das.«

Bob und ich hatten schon bessere Abende. Auf der anderen Seite konnte mir mein anders begabter Lektor herzlich egal sein, denn erstens hatte ich »ENDE« unter mein Buch geschrieben, und zweitens würde Broner Books jeden einzelnen der 18-Dollar-Margaritas bezahlen, die ich deswegen runterkippte. Und da kamen auch schon die nächsten. Bob hob das Glas, und wir stießen an.

»Auf dein erstes Buch, Sean, und darauf, dass du es jetzt fast geschafft hast!«

Mir fiel fast das Glas aus der Hand.

»Wie? FAST geschafft?«

»Na ja ... überleg mal! Vor zwei Jahren warst du noch ein frustrierter Fassdieb und jetzt ... booom!!! Voll auf der Zielgeraden mit deinem ersten Buch! Ist doch ein gutes Gefühl, oder?«

»Ich bin FERTIG, Bob. Nix Zielgerade! Finito!«

»Sean ...«

»Finished! Tutto completti! Terminé!«

»BIS auf das Glückskapitel, Sean! Das musst du noch schreiben.«

»Einen Scheiß muss ich, Bob!«

»Stimmt, hatte ich vergessen.«

»Mal ehrlich, Bob: ›Ich muss glücklich werden‹! Was soll ich denn da schreiben?«

»Dass Glück nicht planbar ist, zum Beispiel?«

»Wie unfassbar langweilig ist das denn?«

»Im Ernst, Sean, wir brauchen noch ein starkes Ende.«

»Sagt der Mann, der John Grisham, Stieg Larsson und Mark Twain abgelehnt hat!«

»Mark Twain. Genau …!« Bob lachte ein wenig süffisant.

Ich war froh, dass Bob mir Mark Twain bestätigte, denn bei dem Namen war ich mir nicht so sicher gewesen, die Ratgeber von Grisham und Larsson kannte ich natürlich alle.

Trotzig exte ich meinen Margarita. Bob immer mit seinem verdammten Glückskapitel! Da tippt man ein halbes Dutzend Tastaturen zu Elektroschrott und verpasst insgesamt zwei Free Til U Pee-Abende, und was fordert mein wahnsinniger Lektor? Einen Knaller zum Schluss! Was wusste er denn überhaupt? Grimmig knabberte ich am Salzrand des Glases. Unfassbar rau! Was zum Teufel nahmen die Idioten für den Rand? Streusalz? Als meine Lippen zu brennen begannen, stellte ich das Glas ab und blickte zu Bob.

»Verdammter Strawberry Margarita!«

»Das ist kein Strawberry Margarita, Sean. Du hast ins Glas gebissen.«

Bob reichte mir ein Taschentuch, ich tupfte mir die Lippen ab. Tatsächlich – das Taschentuch wurde rot. Okay, vielleicht war ich ja ein wenig angespannt. Dennoch wollte ich weiterkämpfen für das Ende meines Buchs.

»Noch mal, Bob, für mich ist das Manuskript fertig!«

»Für Broner Books aber nicht. Glaub mir, Sean, es fehlt ein Ende!«

»Was ist denn mit ›Das muss ich gemacht haben im Leben‹?«

»Dann hört dein Buch mit Hitler auf.«

»Ich bin Achtel-Deutscher!«

»Ja, aber doch kein Achtel-Nazi!«

»Dann mach ich Putin draus! Pass auf … Putins Bucketlist:

Einmal auf einem Pferd reiten, ohne dass es schwul aussieht, einmal die komplette Krim ... –«

»Sean?«

»Ja?«

»Nein.«

»Und ... was ist mit Kim Jong-Un? David Hasselhoff? Helene ... –«

»NEIN!«

Kopfschüttelnd lehnte ich mich zurück und ließ meinen Blick über die anderen Gäste wandern. Was für eine Farce! Ich durfte gar nicht an den Aufwand denken, den ich für diesen Abend betrieben hatte: aufstehen, duschen, bayerisches Karohemd anziehen, unter der Woche den Wagen volltanken ...

Ich bemerkte, dass Bob mich ein wenig besorgt anblickte. Vielleicht konnte ich es doch noch irgendwie hinbiegen. Also nahm ich einen Schluck Strawberry Margarita und sagte: »Okay, Bob, pass auf. Ich frag die Leser am Anfang des Buches, wie glücklich sie sind, und dann frag ich noch mal zum Schluss. Dann haben wir den Beweis, dass sie durch mein Buch glücklicher geworden sind!«

»Das ist eine Frage, Sean, kein starkes Ende.«

»Aber ohne Hitler!«

Mit dem grandiosen Timing für den schlechtesten Augenblick wurden uns zwei Aluhauben vor die Nase gestellt. Darunter verbargen sich Bobs Thymian-Zitronen-Hühnchen mit Quinoa und Spargel und mein Burger.

»Warum verstecken sie unser Essen?«, flüsterte ich Bob zu, der wieder nur unentspannt lächelte.

»Schlag dir mal richtig den Magen voll, Sean, zahlt der Verlag!«

»Wow, ich wünschte, ich hätte jeden Tag ein Buch fertig.«

»Es IST NICHT FERTIG!«

»WOHL!«

Ich wollte gerade nach dem Burger greifen, da bemerkte ich, dass die anderen Gäste unruhig wurden. Irgendetwas schien über ihren Köpfen umherzuschwirren, und noch bevor ich mich fragen konnte, was das wohl sein mochte, landete dieses Etwas in der Mitte unseres Tisches wie ein Heli auf seinem Landeplatz. Das Etwas hatte ein braunes und ein rotes Beinchen und schien ebenso aufgeregt wie ich.

»Hey, Larry«, lächelte ich, »das gibt's doch gar nicht!«

Ich hielt meine Hand nach oben. Larry flog freudig drauf und zwitscherte mein Lieblingslied »Der absaufende Mini-Diesel«. Es war ganz wunderbar, ich musste lachen, einige Gäste lachten mit. Nur Bob verstand die Welt nicht mehr.

»Aber hast du nicht eben gesagt, dass du ihn heute Morgen freigelassen hast? In Paso Robles?!«

Ich nickte und kraulte Larry am Hals, dass er nur so quietschte vor Vergnügen.

»Das heißt, er ist … aber das sind 200 Meilen!«

»Tja … irgendwie hat er's runtergeschafft.«

»Okay … Vielleicht … na ja … hab ich mich ja getäuscht mit den Tieren und dem Vermissen und so.«

Bobs Mimik hatte sich sichtbar entkrampft. Mehr noch, er musterte Larry und mich mit fast kindlicher Bewunderung. Und dann sagte er:

»Warum nimmst du DAS HIER nicht für das Glückskapitel? Ich meine … wie soll ich sagen… in genau dem Augenblick, wo wir nicht mehr über Glück geredet haben, ist es gekommen … also, du siehst jedenfalls glücklich aus gerade!«

Das konnte gut sein.

»Klar, der Aufhänger könnte ja sein, dass Glück nicht planbar ist.«

»Super Idee, Sean, mach das!«

»Was meinst du, Larry?«

Da tat Larry etwas ganz Wunderbares, und noch heute wird mir ganz warm ums Herz, wenn ich an diesen magischen Augenblick denke. Larry sprang von meiner Hand, kackte auf Bobs Thymian-Zitronen-Hühnchen und entflatterte in den tiefroten Abendhimmel über West-Hollywood.

»Warum hat er das gemacht?«, fragte Bob.

»Vielleicht wollte er ja seinen Flug kompensieren?«, antwortete ich.

Als ich dann in Bobs wahrhaft saublödes Gesicht sah und den Applaus der anderen Gäste hörte, da wusste ich:

Manchmal ist das Glück ein anders begabter Vogel.

**THE END**

# ... Glückwunsch!

Ich wusste immer, dass dieser Moment kommen würde, und jetzt ist er da: Ich werde mich von Ihnen verabschieden müssen, so wie von Legless Larry. Ja, jetzt. Mann, ich dachte, das würde mir leichter fallen, aber tut es nicht. Deswegen sage ich Ihnen einfach nur ganz kurz: Ich bin verdammt stolz auf Sie. Karen ist es auch und Wasted Wayne. Ganz Paso Robles ist verdammt stolz auf Sie, und wenn Sie in diesem Augenblick bei der Free Til U Pee Nite aufschlagen würden, dann würden alle Sie umarmen wollen. Ich natürlich auch und klar, dass ich Ihnen bei der Gelegenheit den Geheimschlüssel fürs Klo zustecken würde. Und dann würden wir die windschiefe, irische Bretterbude gemeinsam zu Feinstaub feiern.

Sie haben nämlich wahrhaft Großes vollbracht, und das wissen Sie auch. Sie haben ein Buch mit mehreren hundert Seiten durchgelesen! Und dabei ist Ihnen das, was Sie beim ersten, neugierigen Blick auf mein Buch bestenfalls ahnten, zur grinsenden Gewissheit geworden: Sie müssen einen Scheiß!

Ist diese neue Freiheit nicht herrlich? Ja verdammt, ist sie, und da Sie es heute vermutlich nicht mehr nach Kalifornien schaffen, machen Sie sich einfach daheim ein feines Bierchen auf, und nehmen Sie einen Schluck auf Ihr neues, mussloses Leben. Das klägliche Fiepen im Hintergrund können Sie dabei ruhig ignorieren, das ist Ihr Muss-Monster bzw. na ja … war Ihr Muss-Monster. Meine Güte, jetzt wo ich es sehe, das haben Sie ja ganz schön zugerichtet! Gut so!

Aber jetzt endlich cheers und viel Spaß mit Ihrem neuen Leben! Denken Sie immer daran: Je weniger Sie müssen, desto mehr können Sie. Ach und … eine Sache noch, die mir recht wichtig wäre: Kacken Sie nicht in den See!

Ihr
*Sean Brummel*

# Danke

Meiner Freundin **Nina** für ihre fabelhaften Ideen und
dass sie mich bis zum Schluss motiviert hat.

Meinem wahnsinnigen Lektor **Volker**, der überhaupt gar
nichts mit Bob zu tun hat und sich mit ›Einen Scheiß muss
ich‹ tapfer sein sechstes Jaud-Buch angetan hat. Seitdem lebt
er zurückgezogen in einem kleinen Dorf bei Köln.

Meinem Freund **Stephan** von der Mahrs Bräu Bamberg,
der mich 2013 zum ersten Mal mit aufs Beerfest nach
Paso Robles nahm und ohne den es weder Sean Brummels
Geschichte noch das Bier dazu gäbe.

Meiner Lieblingsband, dem **Kellerkommando,**
für den genialen Song zum Buch.

Meinem Freund **Friedemann Meyer** für die tollen Fotos
von Sean und mir.

Meinem Freund **Markus Barth**
für sein enorm hilfreiches Feedback zur ersten Fassung.

**Attik Kargar**
für die schön-schrägen Muss-Monster.

**Gerhard Zeiss** und **Dunja Pflugfelder**
für Perücke und Maske.

Lieben Dank an meine Mutter **Brigitte** für den Hinweis, dass
»rote Beete« kein Gemüse ist, sondern ein Beet. Danke auch
an **Sven Dierkes**, **Wolfgang Behr** und **Chris Geletneky** für ihr
ebenfalls wichtiges Feedback.

Danke an das gesamte **Team des S. Fischer Verlags**, das mit
viel Geduld und noch viel mehr Arbeit alles für dieses Projekt
getan hat.

# Musste klicken!

Begeistert? Stocksauer? Oder einfach nur neugierig?
Mehr zu Tommy und Sean gibt's hier:

www.tommyjaud.de

# Musste trinken!

Das Bier zum Buch
Brewed under licence by Mahr Bräu, Bamberg

www.brummelstore.com

# Musste hören!

»Einen Scheiß muss ich!«
Der Song zum Buch – aus dem Album »Belzebub«

Jetzt kostenlos herunterladen

www.kellerkommando.com/ESMI

# Quellen

**Gesundheit**

1 http://journals.lww.com/nsca-jscr/Abstract/publish-ahead/
Predictors_of_fat_mass_changes_in_response_to.97161.aspx

2 http://de.wikipedia.org/wiki/Grundumsatz

3 http://de.statista.com/statistik/daten/studie/166765/umfrage/
todesfaelle-im-sport-nach-sportarten-seit-1972/

4 http://www.nytimes.com/2012/01/08/magazine/how-yoga-
can-wreck-your-body.html?pagewanted=all&_r=0

5 http://www.dailymail.co.uk/health/article-2098021/Can-yoga-
classes-kill-you?
The-startling-question-posed-sy-a.leading-science-writer.html

6 http://online.wsj.com/news/articles/SB100014240527487034395
04576116083514534672?mg=reno64-wsj&url=http%3A%2F%2
Fonline.wsj.com%2Farticle%2FSB10001424052748703439504576
116083514534672.html

7 http://mentalfloss.com/article/12337/10-things-created-over-
a-couple-of-beers

8 http://www.hsph.harvard.edu/nutritionsource/alcohol-full-story/
#possible_health_benefits

9 http://onlinelibrary.wiley.com/doi/10.1111/
j.1743-6109.2008.01115.x/abstract

10 http://www.nytimes.com/2007/12/18/health/18real.html?_r=1&

11 http://care.diabetesjournals.org/content/28/3/719.full

12 http://www.api.or.at/sp/texte/002/harmgef.htm

13 von mir persönlich geschätzt

14 http://www.medicaldaily.com/does-drinking-alcohol-actually-kill-
brain-cells-300798

15 http://de.wikipedia.org/wiki/Hypochondrie

16 http://jaoa.org/article.aspx?articleid=2094721

17 http://www.chatelaine.com/health/sex-and-relationships/can-
sleeping-apart-make-for-a-happier-relationship/

18 http://eatsmarter.de/ernaehrung/news/frutarier Ernährungsexperte
Prof. Claus Leitzmann

19 http://www.focus.de/gesundheit/ernaehrung/news/steinzeit-diaet-essen-wie-die-hoehlenmenschen_aid_671636.html
20 http://www.livestrong.com/article/499341-how-to-avoid-swallowing-air-while-eating/
21 http://jama.jamanetwork.com/article.aspx?articleid=1555137
22 http://medical.mit.edu/pdf/set_point_theory.pdf
23 http://www.mirror-mirror.org/set.htm 30.07.2014
24 Echt wahr!
25 mündlich/umgangssprachlich, geht aber grammatikalisch so nicht: entweder »Davon muss ich mehr essen« oder »Das/So was muss ich öfter/öfter mal/viel öfter essen«. Sagt Bob, mein Lektor.
26 http://de.wikipedia.org/wiki/Hüttenkäse
27 http://de.wikipedia.org/wiki/Lab
28 http://recipes.howstuffworks.com/eat-green-fish.htm
29 http://www.nature.com/srep/2013/131121/srep03263/full/srep03263.html
30 http://de.sputniknews.com/german.ruvr.ru/2012_06_15/78265866/
31 http://www.tagesschau.de/ausland/argentinien-sojaanbau100.html
32 http://de.wikipedia.org/wiki/Amygdalin#cite_note-17
33 http://de.wikipedia.org/wiki/Oxalsäure
34 http://www.gichtliga.de/Templates/purinrechner.php
35 http://www.onegreenplanet.org/news/is-2014-the-year-of-the-vegan/
36 http://www.veganwelt.de/inhalt/vegan/v-faq.html
37 http://www.welt.de/wirtschaft/article119311680/Das-millionen-schwere-Geschaeft-mit-veganem-Essen.html
38 http://www.tierschutzbund.de/information/hintergrund/arten-schutz/heimische-wildtiere/ernte-als-gefahr-fuer-wildtiere.html
39 http://theconversation.com/ordering-the-vegetarian-meal-theres-more-animal-blood-on-your-hands-4659
40 http://www.urgeschmack.de/verursachen-vegetarier-mehr-blut vergiessen-als-fleischesser/
41 http://www.focus.de/kultur/medien/kultur-veganer-wahnsinn_id_3617944.html

**Erfolg**

1 http://www.statisticbrain.com/new-years-resolution-statistics/
2 http://www.huffingtonpost.com/lisa-earle-mcleod/procrastination-tips_b_1324026.html

3 http://www.smithsonianmag.com/science-nature/why-procrastina
  tion-is-good-for-you-2102008/?no-ist
4 Sean Brummel, Radioshack-Sales-Meeting 28.09.2011
5 http://de.wikipedia.org/wiki/Warren_Buffett
6 http://www.ft.com/cms/s/2/4551e9ee-b9fd-11e1–937b-00144
  feabdc0.html
7 http://www.deptofnumbers.com/employment/us/
8 http://money.cnn.com/2014/11/13/news/economy/job-quitting-
  on-rise-good-news/
9 http://www.wantchinatimes.com/news-subclass-cnt.aspx?cid=11
  03&id=20121029000069
10 http://www.japanpowered.com/japan-culture/worked-to-death-
   karoshi-and-japans-deadly-work-culture
11 http://en.wikipedia.org/wiki/Karōshi
12 http://communities.washingtontimes.com/neighborhood/life-line-
   healthful-habits-made-simple/2012/apr/22/nation-overworked-
   abandoning-happiness-and-health-/
13 http://mic.com/articles/77037/millennials-are-literally-dying-from-
   overwork
14 http://www.welt.de/wirtschaft/webwelt/article134612363/Rolex-
   gegen-Smartwatch-Welche-Uhr-ist-besser.html

**Freizeit**

1 http://www.managementconsultingnews.com/interview-eric-
  abrahamson/
2 ebd.
3 http://www.contentverse.com/office-pains/10-messy-desks-success-
  ful-people/
4 ebd.
5 http://www.quora.com/Does-Warren-Buffett-have-a-Bloomberg-
  terminal
6 http://www.thedailymind.com/entertaining-stuff/the-5-coolest-
  offices-in-the-world/
7 http://www.dailymail.co.uk/health/article-109480/More-ways-to-
  de-stress-this-weekend.html
8 http://lorrie.cranor.org/pubs/readingPolicyCost-authorDraft.pdf
9 bei einer Fünftagewoche zu je sieben Stunden Arbeit, mindestens
  eine Stunde verquatscht man ja immer
10 https://www.techdirt.com/articles/20050223/1745244_F.shtml

11  http://www.foxnews.com/tech/2010/04/15/online-shoppers-unknowingly-sold-their-souls/
12  C. Kebekus und Fraundorf in Broken Comedy, Köln-Porz.
13  iCloud-Nutzungsbedingungen vom 17. 09. 2014
14  ebd.

## Gesellschaft

1  Bisschen angepasst. Original: »A way that we speak in America so we don't offend whining pussies.«
   http://de.urbandictionary.com/define.php?term=politically+correct
2  http://www.dailymail.co.uk/news/article-1027985/Council-bans-brainstorming-and-replaces-the-term-with-thought-showers-for-fear-of-offending-epileptics.html
3  http://news.bbc.co.uk/2hi/uk_news/england/norfolk/8483171.stm
4  http://meedia.de/2015/01/19/wegen-moschee-seife-doppelter-shitstorm-fuer-aldi/
5  http://mashable.com/2013/07/09/fear-of-missing-out/
6  http://www.ibtimes.com/worlds-largest-solar-plant-partly-owned-google-opens-nevada-roasts-birds-angers-environmental-group
7  http://bigstory.ap.org/article/emerging-solar-plants-scorch-birds-mid-air
8  http://www.forbes.com/sites/heatherclancy/2015/01/19/google-makes-two-more-solar-wind-investments/
9  http://news.bbc.co.uk/2/hi/7823387.stm
10  http://www.waterfootprint.org/en/resources/interactive-tools/product-gallery/
11  ebd.
12  Diese Studie habe ich mir selbst ausgedacht! Wenn es sie tatsächlich gegeben hätte, da bin ich mir ganz sicher, dann wäre sie exakt so ausgefallen!
13  http://www.wikihow.com/Form-an-Opinion

## Sinn des Lebens

1  http://www.zeit.de/online/2007/30/dalai-lama-2
2  http://www.economist.com/node/17722567
3  http://www.telegraph.co.uk/health/wellbeing/10567260/Happier-relationships-for-couples-without-children.html
4  http://abcnews.go.com/blogs/politics/2014/09/president-obama-checks-stonehenge-off-his-bucket-list/

# Inhalt

Warum Sie beim Fernsehen mehr Kalorien verbrennen
als beim Sport, Abstinenz die Kriminalität fördert und
Sie fast nie Ebola haben, wenn Ihnen heiß ist.

## Ernährung

Weniger Fleisch essen, mehr Gemüse und dann auch noch
abnehmen? Einen Scheiß müssen Sie!

**91**

Warum auch für Quinoa-Kekse Tiere sterben, Sie Sojamilch
in den Rollstuhl bringt und es Ihre Freunde sind,
die Sie fett machen.

## Erfolg

Ziele setzen, alles sofort erledigen und vorwärtskommen
im Job? Einen Scheiß müssen Sie!

**135**

Warum das beste Ziel kein Ziel ist, Aufschieber die besseren
Resultate haben und Sie nicht mal einen Job brauchen.

## Freizeit

Was unternehmen am Wochenende, aufräumen und
rausgehen, wenn die Sonne scheint? Einen Scheiß
müssen Sie!
### 179

Warum das Wochenende viel länger ist, wenn Sie nichts tun,
Aufräumen schädlich ist und was Sie gegen die typisch
deutsche Sonnenschuld tun können.

## Gesellschaft

Politisch und ökologisch korrekt verhalten, überall dabei
sein und zu allem eine Meinung haben? Einen Scheiß
müssen Sie!
### 225

Warum irgendein Idiot sowieso immer beleidigt ist, keine
Meinung zu haben Arbeitsplätze sichert und Sie getrost alles
verpassen können und sich trotzdem hervorragend fühlen.

## Sinn des Lebens

Besseren Sex haben, eine Familie gründen und
endlich glücklich sein? Einen Scheiß müssen Sie!

**267**

Warum Sex völlig überbewertet ist, Sie ohne Kinder kein
schlechtes Gewissen haben müssen und warum das Glück
manchmal ein behindertes Tier ist.

The ultimate self-help book
that has never been written!

# DO WHATEVER THE FUCK YOU WANT

## The ESMI Principle

★ ★ ★

*by*

# SEAN BRUMMEL

**BRONER ♛ BOOKS**, inc.
*Los Angeles*